PRIMEIRO O MAIS IMPORTANTE

"Profundo e poderoso, *Primeiro o mais importante* é brilhante ao lançar luz sobre as técnicas de gerenciamento do tempo. Em vez de encarar nossa vida em segmentos, agora podemos enxergar o todo."
– Scott DeGarmo, ex-editor-chefe da revista *Success*

"Para construir relacionamentos plenos, é preciso dedicar algum tempo às pessoas que você valoriza e com quem se importa. Stephen Covey, Roger Merrill e Rebecca Merrill nos encorajam a parar por um minuto, pensar e começar essa construção."
– John Gray, Ph.D., autor de *Homens são de Marte, mulheres são de Vênus*

"Neste mundo de mudanças constantes, as únicas coisas que realmente controlamos são as escolhas que fazemos. *Primeiro o mais importante* é um guia para esse esforço, oferecendo ferramentas fáceis de entender e metáforas úteis. O livro nos encoraja a levar a vida com integridade, coragem e contribuição."
– Kathleen D. Ryan, coautora de *Eliminando o medo no ambiente de trabalho*

"*Primeiro o mais importante* é sobre realização e liberdade – conquistadas não por meio de 'truques de manipulação do tempo', mas por mudanças reais e duradouras."
– Dave Checketts, presidente da SCP Worldwide

"Qualquer líder que deseje migrar do gerenciamento do tempo para a liderança pessoal deve ler este livro, adotar seus princípios e usar as excelentes ferramentas oferecidas."
– Hazel O'Leary, ex-secretária de energia do governo dos Estados Unidos

"Uma vez gasto, o tempo jamais é recuperado. O time de Covey oferece uma bússola inestimável e orientações brilhantes e atemporais baseadas em verdades eternas, muito úteis para navegarmos em um mundo que gira cada vez mais rápido."
– Denis Waitley, autor de *A nova dinâmica do sucesso*

"*Primeiro o mais importante* dá continuidade à ênfase nos princípios básicos e reforça a importância de nos concentrarmos primeiro nas necessidades e expectativas dos clientes."
— Skip LeFauve, ex-presidente da Saturn Corporation

"Stephen Covey, Roger Merrill e Rebecca Merrill apontam o caminho para criar vidas enriquecidas por metas e uma visão pessoal, de modo que sejamos capazes de nos tornar plenos e realizados."
— Melody Mackenzie, coautora de *Managing Your Goals*

"Uma característica universal de nossa população em processo de envelhecimento é o desejo de deixar um legado para as futuras gerações. Este livro, com sua ênfase na visão e na missão pessoal, vai garantir àqueles que desejam aplicar esses princípios como fundamentos de sua vida a oportunidade de realizar essa vontade."
— Kirk L. Stromberg, ex-diretor da American Association of Retired Persons (AARP)

"*Primeiro o mais importante* é uma forma prática e efetiva de começar o processo de reflexão e mudança pessoal. É o novo patamar de pensamento no que se refere ao gerenciamento do tempo e da vida."
— Barbara B. Lawton, professora de administração na Universidade do Colorado

"Este livro quebra padrões ao mostrar como nosso coração nos guia e como nossa consciência é uma bússola que aponta a direção do verdadeiro sucesso."
— Anthony Robbins, autor de *Poder sem limites* e *Desperte o gigante interior*

"*Primeiro o mais importante* sepulta os mitos grosseiros do individualismo e da autossuficiência ao mostrar evidências convincentes de que a paz de espírito só é alcançada quando nos alinhamos aos princípios que governam a vida. Uma sabedoria atemporal apresentada de uma forma fácil de compreender, reconhecer e utilizar."
— Bruce L. Christensen, presidente da KSL-TV

"Para muitas pessoas, o tempo — ou estar ultraocupado — é um dragão que elas não conseguem imaginar como derrotar. Aqui, Stephen Covey oferece o mapa para o ninho do dragão e a espada, forjada sobre a bigorna dos princípios e das prioridades — justamente o que precisam para vencer a fera."
— Richard N. Bolles, autor de *As 5 melhores maneiras de se conseguir um emprego*

"Os executivos que se tornam fluentes na técnica do quadrante 2 conseguem melhorar de forma significativa sua liderança pessoal e organizacional."
— N. E. Rickard, ex-presidente da Xerox Business Services

STEPHEN R. COVEY
A. ROGER MERRILL E REBECCA R. MERRILL

PRIMEIRO O MAIS IMPORTANTE

SEXTANTE

FranklinCovey
A SUA MAIOR VANTAGEM COMPETITIVA

Título original: First Things First

Copyright © FranklinCovey Company
Copyright © 1994 por Covey Leadership Center, Inc.

FranklinCovey e a logo da FC e suas marcas registradas são marca registrada da FranklinCovey Co. e seu uso é feito sob permissão.

Copyright da tradução © 2017 por GMT Editores Ltda.

Todos os direitos reservados. Nenhuma parte deste livro pode ser utilizada ou reproduzida sob quaisquer meios existentes sem autorização por escrito dos editores.

tradução: Julio Bernardo Ludemir
preparo de originais: Raïtsa Leal
revisão: Flávia Midori e Rebeca Bolite
revisão técnica: Renato A. Romero
imagens e gráficos: ©1994 Covey Leadership Center, Inc.
diagramação: Ilustrarte Design e Produção Editorial
capa: DuatDesign
imagem de capa: Rakic/Shutterstock
impressão e acabamento: Lis Gráfica e Editora Ltda.

CIP-BRASIL. CATALOGAÇÃO NA PUBLICAÇÃO
SINDICATO NACIONAL DOS EDITORES DE LIVROS, RJ

C914p Covey, Stephen R., 1932-2012
Primeiro o mais importante/ Stephen R. Covey, A. Roger Merrill, Rebecca R. Merrill; tradução de Julio Bernardo Ludemir. Rio de Janeiro: Sextante, 2017.
416 p.: il.; 16 x 23 cm.

Tradução de: First things first
Apêndice
Inclui bibliografia
ISBN 978-85-431-0547-5

1. Administração do tempo. I. Merrill, A. Roger. II. Merrill, Rebecca R. III. Ludemir, Julio Bernardo. IV. Título.

17-43924

CDD: 650.1
CDU: 65.011.4

Todos os direitos reservados, no Brasil, por
GMT Editores Ltda.
Rua Voluntários da Pátria, 45 – 14.º andar – Botafogo
22270-000 – Rio de Janeiro – RJ
Tel.: (21) 2538-4100
E-mail: atendimento@sextante.com.br
www.sextante.com.br

Aos nossos netos, os nascidos e
os não nascidos, que sempre nos inspiram
a manter as prioridades em primeiro lugar.

Sumário

Agradecimentos 9
Prefácio 11
Introdução 13

Parte I O RELÓGIO E A BÚSSOLA   19

CAPÍTULO 1 Quantas pessoas, em seu leito de morte, desejariam ter
            passado mais tempo trabalhando?   21
CAPÍTULO 2 A síndrome da urgência   38
CAPÍTULO 3 Viver, amar, aprender, deixar um legado   51

Parte II FOQUE PRIMEIRO O MAIS IMPORTANTE   85

CAPÍTULO 4 Gerenciamento do quadrante 2: O processo de
            colocação das prioridades em primeiro lugar   87
CAPÍTULO 5 A paixão da visão   118
CAPÍTULO 6 O equilíbrio dos papéis   134
CAPÍTULO 7 O poder das metas   155
CAPÍTULO 8 A perspectiva semanal   175
CAPÍTULO 9 A integridade no momento da escolha   190
CAPÍTULO 10 Aprendendo com a vida   214

Parte III A SINERGIA DA INTERDEPENDÊNCIA   221

CAPÍTULO 11 A realidade da interdependência   223
CAPÍTULO 12 Trabalhando em grupo para colocar o que é
            mais importante em primeiro lugar   239
CAPÍTULO 13 Empoderamento de dentro para fora   269

Parte IV **A PAZ E O PODER DE UMA VIDA BASEADA EM PRINCÍPIOS** 303

CAPÍTULO 14 **Do gerenciamento do tempo à liderança pessoal** 304
CAPÍTULO 15 **A paz dos resultados** 316

Epílogo 345

APÊNDICES

A Seminário de Declaração de Missão 347
B Uma análise crítica da literatura sobre gerenciamento do tempo 365
C A literatura da sabedoria 385

Notas 391
Índice de Problemas/Oportunidades 397
Sobre a FranklinCovey Co. 409
Sobre a FranklinCovey Brasil 411

Agradecimentos

Queremos agradecer e expressar nossa profunda admiração às numerosas pessoas que tornaram este projeto possível:

Àqueles cujas vidas e escritos nos trouxeram a sabedoria no decorrer dos séculos. Tentamos aprender a partir do legado que deixaram.

Aos nossos colegas, clientes e participantes de seminários cujo profundo senso de partilha e cooperação nos elevou muito além de nosso próprio pensamento.

Aos nossos associados na FranklinCovey por sua colaboração e seu apoio muito além das expectativas.

A Bob Asahina, da Simon&Schuster, pela paciência, pelas grandes ideias e toda a orientação.

Aos companheiros da equipe *First Things First* Boyd Craig, Greg Link, Toni Harris, Adam Merril e Ken Shelton por suas significativas contribuições. Em situações extremamente difíceis, eles demonstraram o caráter e a competência sobre os quais tentamos escrever.

Acima de tudo, a nossas famílias e às famílias de nossa equipe, cujo apoio amoroso fez toda a diferença. Obrigado por nos ajudarem a ensinar o que é mais importante e por que está em primeiro lugar.

Prefácio

Tive a oportunidade de ouvir o Dr. Stephen R. Covey dizer com ênfase que "Uma das coisas mais importantes na vida é conseguir colocar o que mais importa como prioridade", mas por que isso pode ser tão difícil? Temos visto a todo momento, há anos, atalhos, informações, ferramentas e metodologias sobre como gerenciar nosso tempo e tentar obter maior retorno sobre o tempo investido em nossas atividades. Tentamos trabalhar mais, fazer as coisas de maneira mais rápida, lemos livros, buscamos a tecnologia através de novos dispositivos e aplicativos, vemos vídeos na internet, seguimos o especialista do momento, mas ainda assim parece que não estamos conseguindo o que esperamos e sentimos grande frustração. É importante compreender que precisamos muito mais do que o tempo do relógio para gerenciar nossa vida: precisamos entender nosso propósito, identificar nosso norte e guiar nossa vida como uma bússola.

A identificação de prioridades é o ponto de partida de qualquer planejamento eficaz, e o planejamento eficaz é a base da organização. Hoje em dia, porém, palavras como prioridade, planejamento e organização costumam ser empregadas de forma tão superficial e genérica que seu verdadeiro sentido acaba se tornando vago. Assim, quando alguém – seja a esposa, o marido, o parceiro comercial, o chefe – nos diz: "Você precisa estabelecer suas prioridades", "planejar melhor" ou ainda "organizar-se mais", muitas vezes ficamos com a sensação de que há algo importante a ser feito, embora não saibamos exatamente o que, nem como.

Para decidir o que é prioridade, precisamos antes saber o que é mais importante para nós, o que nem sempre é fácil: podemos priorizar o que é urgente, o que parece ser exigido ou esperado de nós ou mesmo o que é mais importante para os outros. E, o que é pior, não raro acreditamos que essas são, de fato, as "nossas" prioridades. A consequência disso costuma ser uma sensação de desânimo, desmotivação e insatisfação, que mina os esforços e compromete os resultados. Não há solução fácil. Somente uma autoavaliação profunda e honesta, e por vezes uma mudança de paradigmas, pode indicar se realmente sabemos o que é mais importante para nós.

Por fim, é preciso lembrar que todo planejamento que fazemos – desde o planejamento das atividades diárias até as metas de longo prazo – é parte de algo maior, que é o planejamento da própria vida. Que tipo de vida queremos ter na idade madura? Quem faz o que gosta somente poucas horas por semana pode acabar fazendo o que não gosta durante o resto da vida. Colhemos o que plantamos, e não há como mudar essa simples verdade. Não podemos deixar para compreendê-la quando for tarde demais; quanto antes reconhecermos isso, mais tempo teremos para viver de maneira plena de acordo com o melhor de nossos dons, capacidades e talentos e deixar um grande legado nesta existência.

Paulo Kretly
CEO da FranklinCovey Brasil

Introdução

Se a solução não está em trabalhar mais, melhor e com maior rapidez, onde estará então?

Se você parasse para pensar na vida, saberia dizer quais são suas prioridades – as três ou quatro coisas mais importantes para você?

Elas estão recebendo o cuidado, a atenção e o tempo que você gostaria de lhes dedicar?

Em nosso trabalho na FranklinCovey, temos a oportunidade de conhecer muitas pessoas de todos os cantos do mundo e estamos sempre nos surpreendendo com as realidades que nos apresentam. São pessoas ativas, esforçadas, competentes, que sonham em se destacar na atividade que exercem. Ainda assim, estão sempre falando das grandes dificuldades que enfrentam diariamente ao tentar priorizar as coisas mais importantes em suas vidas. O fato de estar lendo este livro já é um sinal de que você conhece essa sensação.

Por que temos tanta dificuldade de colocar o que é mais importante em primeiro lugar? Há anos são apresentados métodos, técnicas, ferramentas e informações sobre como gerenciar e controlar nosso tempo. Já nos disseram que, se trabalharmos duro, aprendermos a realizar as tarefas de um jeito mais rápido e eficiente, se usarmos um novo dispositivo ou ferramenta, arquivarmos ou organizarmos as coisas de acordo com um padrão específico, seremos capazes de dar conta de tudo. Então, baixamos o novo aplicativo, fazemos o curso do momento, lemos o livro da moda. Aprendemos a lição, colocamos em prática, nos dedicamos ainda mais, e o que acontece? Para a maioria das pessoas com as quais trabalhamos, o resultado é mais frustração e culpa.

- "Preciso de mais tempo!"

- "Quero aproveitar minha vida. Estou sempre correndo de um lado para outro. Nunca sobra tempo para mim."
- "Minha família e meus amigos dizem que sou ausente – mas como posso estar mais presente?"
- "Vivo em crise porque sempre deixo tudo para depois, mas sempre deixo tudo para depois porque vivo em crise."
- "Não consigo encontrar um ponto de equilíbrio entre minha vida pessoal e o trabalho. É como se eu estivesse sempre sacrificando um em função do outro, o que só piora tudo."
- "É tanto estresse!"
- "Tenho muitas coisas para fazer – e todas são importantes. Como escolher a certa?"

O tradicional gerenciamento do tempo sugere que, ao fazer as coisas de modo mais eficiente, você vai assumir o controle de sua vida, e o aumento da sensação de controle trará a paz e a realização que você busca.

Nós discordamos.

Acreditar que nossa felicidade depende da capacidade de controlar tudo é uma bobagem. Embora possamos decidir quais serão nossas ações, não temos o menor controle sobre as consequências delas. São as leis universais ou os princípios que o fazem. Por isso, não controlamos nossas vidas; os princípios é que as controlam. Aí está a verdadeira razão da frustração das pessoas que levam a vida segundo o "gerenciamento do tempo" tradicional.

Neste livro, apresentamos um sistema totalmente diferente para gerenciar o tempo. Trata-se de uma abordagem baseada em princípios. Ela transcende as receitas tradicionais, segundo as quais é preciso ser sempre mais rápido, mais dedicado, mais inteligente, mais e mais. Em vez de oferecer um novo relógio, nosso método fornece uma bússola – porque mais importante do que sua velocidade é a direção que está tomando.

Por um lado, essa abordagem é inovadora; por outro, é até bastante antiga. Está profundamente enraizada em princípios clássicos, adotados desde tempos remotos, e não tem absolutamente nada a ver com a abordagem do tipo "dicas e macetes" ou "como vencer na vida sem fazer esforço" pregadas por grande parte da literatura atual sobre gerenciamento do tempo. Nossa sociedade adora "técnicas de atalho". No entanto, não se pode obter qualidade de vida por meio de atalhos, por melhores que sejam.

Atalhos não existem. O que existe é um caminho, baseado em princípios cultuados ao longo da história. Se há uma mensagem a ser aprendida dessa sabedoria milenar é a de que uma vida plena não depende de velocidade ou eficiência. Está relacionada com o que se faz e por que se faz, não com a rapidez com que você consegue fazer.

Eis o que você pode esperar deste livro:

• Na Parte I, "O relógio e a bússola", vamos analisar a lacuna existente entre o modo como as pessoas usam o tempo e o que de fato é importante para elas. Descreveremos as três "gerações" de gerenciamento do tempo tradicionais que compuseram o paradigma de controle e eficiência vigente, e mostraremos por que essa abordagem tradicional, para a qual o relógio significa tudo, no fundo aumenta essa lacuna, em vez de diminuí-la. Apresentaremos as necessidades segundo uma nova concepção: uma quarta "geração", cuja natureza é totalmente diferente das demais. Vamos encorajá-lo a examinar a forma como está usando seu tempo a fim de identificar se você é movido pelo que é "urgente" ou se está fazendo o que é realmente "importante" para sua vida, e analisaremos as consequências da "síndrome da urgência". Por fim, avaliaremos as prioridades – nossas necessidades e capacidades básicas de viver, amar, aprender e deixar um legado – e aprenderemos como colocá-las em primeiro lugar usando a bússola interior para alinhar nossa vida com a realidade do "norte verdadeiro" que conduz ao bem-estar.

• Na Parte II, "Foque primeiro o mais importante", apresentaremos o processo de organização do quadrante 2: um processo semanal de 30 minutos que subordina o relógio à bússola e lhe permite deslocar o foco do que é "urgente" para o que é "importante". Faremos uma experiência prática para que você tenha uma noção de seus benefícios imediatos; em seguida, percorreremos etapa por etapa para mostrar como esse processo pode ajudá-lo no decorrer do tempo. Vamos examinar os seguintes aspectos:

- Como descobrir sua missão e criar uma visão de futuro empolgante, cheia de significado e propósito, e que, na prática, será o DNA de sua vida.
- Como criar equilíbrio e sinergia entre os diversos papéis que você desempenha.

- Como definir e alcançar metas baseadas em princípios que geram qualidade de vida.
- Como manter uma perspectiva que permita que você continue colocando o que é mais importante em primeiro lugar.
- Como agir com integridade no momento de tomar uma decisão, isto é, com a sabedoria e o discernimento para avaliar se "colocar o que é mais importante em primeiro lugar" significa se manter fiel ao plano original ou se é hora de mudar – e fazer o que foi decidido com tranquilidade e confiança.
- Como transformar suas semanas em uma espiral ascendente de aprendizado.

• Na Parte III, "A sinergia da interdependência", abordaremos os problemas e o potencial da realidade interdependente na qual passamos 80% de nosso tempo – uma área ignorada ou desvalorizada pelo gerenciamento do tempo tradicional. Falaremos sobre as diferenças entre interações transacionais e interações transformacionais. Em vez de encararmos o outro como alguém a quem delegamos tarefas, um mero recurso para conseguir que algo seja feito, veremos como criar sinergias poderosas por meio de uma visão compartilhada e de acordos de cooperação. Vamos falar sobre empoderamento – a última palavra em termos de produtividade – e nos aprofundar naquilo que você pode fazer para incentivar o empoderamento pessoal e organizacional e se tornar um catalisador de mudanças para sua família, grupo de trabalho ou outras organizações.

• Na Parte IV, "A paz e o poder de uma vida baseada em princípios", vamos analisar alguns exemplos reais e mostrar como a abordagem da quarta geração vai transformar a qualidade de seu dia a dia e a natureza do que você faz. Por fim, vamos nos concentrar nos princípios da paz e em como evitar os principais obstáculos para uma vida plena de realizações, significado e felicidade.

Para tirar o máximo proveito deste material, é preciso envolver-se profundamente – e estar disposto a avaliar sua vida, os papéis que você desempenha, suas motivações, suas prioridades e o que você representa. Trata-se de um processo altamente introspectivo. Você será incentivado com frequência a parar e ouvir o que dizem sua mente e seu coração. É impossível emergir desse profundo processo de autoconhecimento sem apresentar grandes transformações. Você verá o mundo com outros olhos. Perceberá mudanças no modo como se relaciona, o tempo ganhará uma nova dimensão, o próprio conceito que tem de si mesmo será modificado. Temos absoluta certeza de que este material lhe pertimirá reduzir a lacuna existente entre o que é de fato prioritário para você e a maneira como usa o tempo.

Agradecemos sua boa vontade em levar em consideração o que acreditamos ser um caminho melhor. A experiência nos convenceu de que os princípios produzem paz interior e resultados significativos.

O poder está nos princípios.

Este livro pode ajudá-lo a se libertar da tirania do relógio e a redescobrir sua bússola. E essa bússola lhe permitirá viver, amar, aprender e deixar um legado importante e duradouro... com alegria.

Parte I
O RELÓGIO E A BÚSSOLA

(Stephen) Certa noite, conversava com minha filha Maria, que acabara de ser mãe pela terceira vez. "Estou tão frustrada, papai", disse ela. "Você sabe que eu amo muito a minha bebê, mas ela consome todas as minhas horas. Não tenho tempo para mais nada, nem mesmo para as coisas que só eu posso fazer."

Eu sabia como a situação era frustrante para ela. Maria é brilhante e extremamente capaz, sempre envolvida em muitas coisas boas. Mas se sentia sufocada por projetos que queria realizar, contribuições que gostaria de fazer, tarefas domésticas que estavam sendo negligenciadas.

Durante a conversa, chegamos à conclusão de que, no fundo, sua frustração decorria das expectativas. Naquele momento, havia apenas uma coisa realmente importante: curtir a bebê.

"Não se preocupe", aconselhei. "Relaxe e aproveite a natureza dessa nova experiência. Deixe que a sua filha perceba o prazer que você sente desempenhando o papel de mãe. Ninguém no mundo poderá amar e cuidar dessa criança do jeito que você faz. Nada se compara a isso neste momento."

Maria percebeu que, nos meses seguintes, sua vida ficaria totalmente desequilibrada... exatamente como deveria ser. "Existe uma hora e um lugar para tudo." Também notou que, à medida que a bebê crescesse, ela seria capaz de alcançar suas metas e contribuir de outras formas igualmente poderosas.

Por fim, eu disse: "Jogue fora a agenda. Esqueça o calendário. Pare de usar as ferramentas de planejamento se estiverem fazendo você se sentir culpada. Neste momento, sua filha é prioridade. Apenas curta o momento e não se preocupe. Oriente-se por sua bússola interior, não por um relógio pendurado na parede."

Para muitas pessoas, existe uma lacuna entre a bússola e o relógio – entre o que é realmente importante e a forma como o tempo é aproveitado. E essa lacuna não é preenchida pelo gerenciamento do tempo tradicional, segundo o qual deve-se fazer mais com maior rapidez. Na verdade, muitas vezes essa rapidez só piora a situação.

Considere esta questão: se alguém, em um passe de mágica, aumentasse sua eficiência em 10% ou 15%, como promete o gerenciamento do tempo tradicional, isso seria suficiente para resolver suas preocupações em relação ao tempo? Embora inicialmente você pudesse se sentir empolgado com a perspectiva de aumentar sua eficiência, se for como a maioria das pessoas, logo perceberá que, para superar os desafios, não basta ter a habilidade de fazer mais coisas em menos tempo.

Nesta parte, analisaremos cuidadosamente três gerações do gerenciamento do tempo tradicional e exploraremos por que elas falham em preencher essa lacuna. Você deve observar se encara a vida a partir do paradigma básico da "urgência" ou da "importância"; então vamos discutir os efeitos da "síndrome da urgência". Analisaremos ainda a necessidade de uma quarta geração, cuja natureza seja totalmente diferente. Mais do que uma nova geração de gerenciamento do tempo, trata-se de uma geração de liderança pessoal. Mais do que fazer o que é certo, o foco está em fazer do jeito certo.

No Capítulo 3, discutiremos as difíceis questões relacionadas às nossas prioridades e à capacidade de colocá-las em primeiro lugar. Abordaremos os três conceitos essenciais da quarta geração e colocaremos em xeque o modo como você encara o tempo e a vida. Esse capítulo requer disposição emocional para que seja feita uma profunda reformulação interna. Sugerimos que você percorra o caminho na ordem apresentada, mas, se achar mais útil, vá direto para a Parte II, conheça o processo de organização do quadrante 2, confira os benefícios e volte para o Capítulo 3. Temos certeza de que a compreensão e a aplicação das três ideias fundamentais desse capítulo provocarão uma mudança significativa no aproveitamento do seu tempo e na sua qualidade de vida.

1

Quantas pessoas, em seu leito de morte, desejariam ter passado mais tempo trabalhando?

O inimigo do "melhor" é o "bom".

Estamos sempre tomando decisões sobre como usar nosso tempo, sejam relacionadas a objetivos de longo prazo ou ao momento que estamos vivendo. E também temos que conviver com as consequências dessas escolhas. Só que muitos de nós não gostamos nem um pouco delas – sobretudo quando sentimos que há uma lacuna entre o modo como usamos nosso tempo e o que acreditamos ser de fato relevante em nossa vida.

> Minha vida é muito agitada! Estou sempre a mil – reuniões, telefonemas, papelada, entrevistas. Dou o meu máximo, caio na cama exausto e levanto cedo no dia seguinte para começar tudo de novo. Minha produtividade é fantástica; consigo fazer muitas coisas. Mas às vezes tenho a sensação de que nada disso tem importância. "E então?", eu me pergunto. "Todo esse esforço está valendo a pena?" Devo admitir que não sei.

> Sinto-me completamente dividido. Minha família é importante para mim; meu trabalho também. Vivo em um conflito, tentando atender às demandas de ambos. É possível ser bem-sucedido – e feliz – tanto na vida pessoal quanto na profissional?

> Não consigo dar conta de tudo. A direção da empresa e os acionistas vivem no meu pé por causa da crescente perda de mercado. Estou sempre gerenciando crises entre os integrantes de minha equipe de executivos. Enfrento uma terrível pressão para comandar a iniciativa de aperfeiçoar a qualidade da empresa. O moral dos empregados está baixo e me sinto

culpado por não conseguir me reunir mais com eles para ouvi-los. Além disso, minha família vive me cobrando porque só me veem mesmo durante as férias.

Não sinto que tenha o controle da minha vida. Tento descobrir o que é importante e definir metas, mas as outras pessoas – meu chefe, meus colegas de escritório, minha esposa – vivem me atrapalhando. Nunca consigo fazer o que me proponho porque todos sempre querem que eu faça outras coisas. O que é importante para mim se perde no redemoinho de prioridades alheias.

Todo mundo diz que sou um exemplo de sucesso. Trabalhei duro, batalhei e fiz vários sacrifícios para chegar aonde estou. Mas não sou feliz. Lá no fundo, sinto um grande vazio. Foi para isso que lutei tanto?

Na maioria das vezes, não tenho prazer em viver. Sempre que faço alguma coisa, fico com a impressão de que estou deixando de fazer outras 10 e isso me faz sentir culpado. Vivo em permanente estado de tensão, tentando escolher entre tantas opções. Como posso saber o que é mais importante? Qual é a fórmula? Como posso me sentir bem com isso?

Acho que sei a resposta. Já escrevi sobre o que acredito ser prioritário e defini metas para alcançar meu objetivo. Mas, no meio do caminho entre a visão e a ação do dia a dia, eu acabo me perdendo. Como faço para colocar em prática o que é realmente importante?

Conseguir colocar o que é mais importante em primeiro lugar é uma verdadeira arte. Quase todos nos sentimos divididos entre aquilo que gostaríamos de fazer, as exigências que nos são impostas e as diversas responsabilidades que assumimos. Todos nos sentimos desafiados pelas decisões que precisamos tomar a cada dia objetivando o melhor aproveitamento de nosso tempo.

É bem mais fácil tomar decisões quando temos que escolher apenas entre o "bom" e o "ruim". Não é difícil perceber quando algo tem o potencial de ser uma perda de tempo, um retrocesso ou mesmo uma atividade destrutiva. Para a maioria das pessoas, no entanto, a questão não está entre o "bom" e o "ruim", mas entre o "bom" e o "melhor". E o inimigo do melhor é, com bastante frequência, o bom.

(Stephen) Conheci um homem que foi convidado para se tornar reitor da faculdade de administração de uma grande universidade norte-americana. Ao assumir o cargo, ele analisou a situação da instituição e percebeu que a prioridade naquele momento era de ordem financeira. Ele sabia que tinha talento para angariar fundos, e definiu que essa deveria ser sua principal função.

Mas essa decisão acabou criando um problema para a faculdade, pois as administrações anteriores costumavam dar prioridade às necessidades do dia a dia do corpo docente. O novo reitor nunca estava presente. Passava grande parte do tempo fora da universidade tentando arrecadar verbas para pesquisas, bolsas e outros tipos de doações. Mas não se preocupava com as questões de rotina, como fazia o reitor que substituiu. O corpo docente tinha que recorrer ao assistente administrativo, o que era considerado uma afronta por vários dos que estavam acostumados a despachar diretamente com o responsável pela faculdade.

A insatisfação do corpo docente com a ausência do reitor chegou a tal ponto que foi formada uma delegação para exigir uma nova eleição ou uma mudança radical no estilo de liderança do reitor atual. O presidente, que estava a par das atividades do reitor, disse: "Não se preocupem. Ele possui um ótimo assistente administrativo. Tenham paciência."

Em pouco tempo, o esforço do reitor para arrecadar dinheiro começou a surtir os efeitos desejados, e o corpo docente entendeu sua visão. Então, sempre que o reitor era visto na faculdade, lhe diziam: "O que está fazendo aqui? Seu lugar é lá fora! A faculdade precisa de mais dinheiro! Seu assistente cuida melhor desse gabinete do que qualquer um!"

Ao me contar essa história, o reitor admitiu que seu erro foi não ter engajado a equipe no projeto e explicado de forma adequada quais eram seus objetivos. Tenho certeza de que esse esclarecimento poderia tê-lo ajudado bastante, mas aprendi uma grande lição com seu descuido: devemos nos perguntar sempre do que mais precisam e qual é o nosso maior dom.

Teria sido mais fácil tentar atender às expectativas urgentes do corpo docente da faculdade. Ele poderia ter feito uma grande carreira ali. Mas, se não tivesse entendido as reais necessidades da instituição e não conhecesse os próprios talentos, além de não concluir os planos que desenvolveu, jamais teria conseguido alcançar o melhor para si mesmo, para o corpo docente ou para a universidade.

O que é "melhor" para você? O que o impede de dedicar a esse "melhor" todo o tempo e a energia que gostaria? Existem muitas coisas "boas" entre as quais se dividir? Para muitas pessoas, a resposta é sim. E o resultado é a inquietante sensação de que não estão colocando as prioridades em primeiro lugar.

O RELÓGIO E A BÚSSOLA

A dificuldade de colocar o mais importante em primeiro lugar pode ser caracterizada pela comparação entre duas ferramentas poderosas que nos regem: o relógio e a bússola. O relógio representa os compromissos, as reuniões, os horários, as metas e as atividades – o que fazemos com nosso tempo e como o gerenciamos. A bússola representa a visão, os valores, os princípios, a missão, a consciência e a direção em que seguimos – o que achamos importante e o modo como conduzimos nossas vidas.

O conflito se estabelece quando percebemos uma lacuna entre o relógio e a bússola, isto é, quando o que fazemos não contribui para o que é mais importante em nossa vida.

Para alguns de nós, essa lacuna é motivo de grande sofrimento. É como se não conseguíssemos colocar em prática o que pensamos. Nós nos sentimos presos, controlados por outras pessoas e pelas situações. Somos constantemente envolvidos pela "rede de pequenas coisas"[1] – vivemos apagando incêndios e nunca temos tempo para fazer algo relevante. Parece que outra pessoa está vivendo por nós.

Em outros casos, o sofrimento não passa de uma pequena inquietação. Não somos capazes de conciliar o que sentimos que deveríamos fazer com o que queremos fazer e o que de fato estamos fazendo. Vivemos em dúvida. Sentimos tanta culpa pelo que não realizamos que não conseguimos sentir prazer com o que de fato concretizamos.

Alguns se sentem vazios. Pensamos na felicidade apenas em termos de conquistas financeiras ou profissionais, para no fim descobrirmos que o "sucesso" não nos trouxe a satisfação que esperávamos. Vencemos com sacrifício cada um dos degraus da "escada do sucesso" – o diploma, as noites em claro, as promoções –, para no fim descobrirmos que, ao chegarmos ao último degrau, a escada estava apoiada na parede errada. Absortos na subida, deixamos um rastro de relacionamentos fracassados e perdemos preciosos momentos por causa do esforço que fizemos para vencer na vida. Preocupados em galgar os degraus, relegamos o que realmente importava a segundo plano.

Outros se sentem confusos ou desorientados. Não sabemos ao certo quais são nossas prioridades. Concluímos uma atividade e começamos outra de maneira mecânica. Vivemos como robôs. De vez em quando, nos perguntamos se existe algum sentido no que estamos fazendo.

Há também aqueles que reconhecem o desequilíbrio mas não acreditam nas soluções. Ou acham muito alto o preço da mudança ou têm medo de tentar, e aí pensam que é mais fácil conviver com o desequílbrio.

SÚBITO DESPERTAR

Às vezes, tomamos consciência dessa lacuna em circunstâncias dramáticas. De repente perdemos um ente querido e enfim enxergamos a dura realidade de como tudo poderia ter sido diferente se, em vez de estarmos tão ocupados em subir a "escada do sucesso", tivéssemos dedicado parte de nosso tempo semeando e cultivando um relacionamento profundo e enriquecedor.

Ou então descobrimos que nosso filho adolescente está envolvido com drogas. Uma série de imagens passa por nossa cabeça: as horas que poderíamos ter passado juntos no decorrer dos anos, compartilhando, fortalecendo os laços... mas que não passamos porque estávamos muito ocupados trabalhando, fazendo os contatos certos ou simplesmente lendo o jornal.

A empresa está enxugando o quadro de funcionários e nosso emprego está por um fio. Ou o médico nos diz que temos poucos meses de vida. Ou nosso casamento está ameaçado. Certas crises nos fazem tomar consciência de que as coisas que estamos fazendo com nosso tempo não correspondem àquilo que acreditamos ser realmente importantes.

> (Rebecca) Há alguns anos, fui visitar no hospital uma jovem de apenas 23 anos, mãe de dois filhos pequenos. Ela tinha acabado de receber a notícia de que estava com câncer terminal. Enquanto eu segurava sua mão e pensava em algo para dizer que pudesse lhe dar algum consolo,

ela desabafou: "Eu daria qualquer coisa para ir lá em casa trocar uma fralda suja!"

Ao pensar nas palavras dela e na minha experiência com meus próprios filhos pequenos, perguntei-me quantas vezes nós duas havíamos trocado fraldas por obrigação, com pressa, sentindo-nos até frustradas por termos que interromper nossa vida atribulada, em vez de apreciarmos aqueles momentos que não sabemos se voltarão a se repetir.

Na ausência desse "súbito despertar", grande parte das pessoas jamais chega a se defrontar com as grandes questões da vida. Em vez de procurarmos as verdadeiras causas de nosso sofrimento, recorremos a esparadrapos e analgésicos emocionais para remediar os momentos mais críticos. Aliviados, prosseguimos cada vez mais ocupados fazendo coisas "boas", sem refletirmos se o que estamos fazendo é o que importa de fato.

AS TRÊS GERAÇÕES DO GERENCIAMENTO DO TEMPO

O esforço para reduzir a lacuna entre o relógio e a bússola faz muitas pessoas se voltarem para o campo do gerenciamento do tempo. Embora há algumas décadas existissem pouquíssimos títulos sobre o assunto, nossa última pesquisa registrou a existência de centenas de livros e artigos, além de uma vasta gama de calendários, manuais, softwares, aplicativos e outras ferramentas de gerenciamento do tempo. Damos a isso o nome de "fenômeno pipoca", que é quando o aquecimento e a pressão cultural geram uma explosão de material sobre o tema.

Nessa pesquisa, lemos, analisamos e classificamos as informações em oito abordagens básicas de gerenciamento do tempo. Elas variam das mais tradicionais e orientadas pela eficiência – como a Abordagem da Organização, a Abordagem do Guerreiro e a Abordagem ABC ou de Definição de Prioridades – às mais recentes, que estão ampliando os horizontes dos paradigmas tradicionais. Entre estas últimas, há materiais com influências orientais, como a Abordagem "Siga o Fluxo", que nos estimula a entrar em sintonia com os ritmos naturais da vida, isto é, entrar em contato com os momentos "eternos" do aqui e agora, quando a passagem do tempo se torna insignificante diante do prazer do momento presente. Entre elas estão também a Abordagem da Recuperação, que nos mostra como as atitudes que nos fazem perder tempo, como procrastinação e delegação ineficaz, quase sempre resultam de uma tendência psicológica arraigada e que aqueles que vivem para agradar aos outros costumam ficar sobrecarregados de compromissos e trabalho por culpa e medo da rejeição.

No Apêndice B, apresentamos uma breve explicação dessas abordagens e uma bibliografia. Mas acreditamos que a maioria das pessoas se enquadra no que poderíamos chamar de as três "gerações" do gerenciamento do tempo, em que cada uma delas se baseia na anterior e segue em busca de maior eficiência e mais controle.

Primeira geração. A primeira geração tem como base os "lembretes". Trata-se de "seguir o fluxo", mas mantendo sob controle o que você pretende fazer com seu tempo – escrever o relatório, comparecer à reunião, consertar o carro, arrumar a casa. Essa geração é caracterizada por anotações simples e listas de tarefas. Se você está nessa geração, tem sempre uma lista na mão para não se esquecer de fazer nada. Com sorte, terá realizado grande parte das tarefas com as quais se comprometeu até o fim do dia e poderá riscá-las da lista. Quando não consegue realizar alguma tarefa, ela é transferida para a lista do dia seguinte.

Segunda geração. A segunda geração é focada em "planejamento e preparação". Sua característica são os calendários e as agendas. Ela é eficiente, dá conta de registrar as responsabilidades pessoais e consegue definir metas, planejar o futuro e agendar atividades e eventos. Se você está nessa geração, marca encontros, assume compromissos, estipula prazos, anota o endereço dos locais onde os eventos serão realizados. É provável que mantenha esses registros em um computador ou na rede.

Terceira geração. A abordagem da terceira geração consiste em "planejamento, priorização e controle". Se você está nessa geração, já investiu algum tempo para refletir sobre quais são seus valores e suas prioridades. É provável que tenha se perguntado o que realmente deseja na vida e estabelecido metas de curto, médio e longo prazos para suas conquistas. Você define atividades prioritárias dia a dia. Essa geração é caracterizada por uma série de manuais e agendas – eletrônicas ou não – com formulários detalhados de planejamento diário.

Em alguns aspectos, essas três gerações de gerenciamento do tempo tornaram nossa vida mais eficaz. Eficiência, planejamento, definição de prioridades, classificação de valores e estabelecimento de metas contribuíram para uma mudança positiva.

Mas, no fim das contas, a maioria das pessoas continua sentindo a lacuna entre o que é realmente importante e a forma como usa seu tempo. Em muitos casos, essa lacuna é exacerbada. "Conseguimos fazer mais em menos tempo", dizem, "mas onde estão os relacionamentos enriquecedores, a paz interior, o equilíbrio, a certeza de que estamos fazendo o que é mais relevante – e fazendo isso bem?"

> (Roger) Essas três gerações contam minha história com o gerenciamento do tempo. Fui criado em Carmel, na Califórnia. O ambiente artístico, liberal e filosófico era propício à primeira geração. De vez em quando, eu anotava algumas coisas das quais não queria me esquecer – sobretudo torneios de golfe, que eram minha grande paixão. Como também gostava de fazendas e de cavalos quarto de milha, havia algumas oportunidades e outros dados importantes para me lembrar.
>
> Com o amadurecimento, a necessidade de fazer mais em menos tempo, as demandas das inúmeras atividades das quais queria participar e as oportunidades que surgiam me fizeram mergulhar de cabeça na segunda geração. Lia tudo que caía em minhas mãos sobre gerenciamento do tempo. Cheguei inclusive a trabalhar como consultor na área. Ajudava as pessoas a se tornarem mais eficientes, organizarem melhor suas atividades, etc. Em geral, depois de um dia observando e analisando suas atividades, eu era capaz de oferecer sugestões sobre como fazer mais em menos tempo.
>
> Após algum tempo, cheguei à triste conclusão de que talvez não as estivesse ajudando. Na verdade, comecei a me perguntar se na verdade não estava fazendo com que fracassassem mais rápido. A questão não era a quantidade de tarefas que conseguiam executar, mas aonde desejavam chegar e o que tentavam alcançar. As pessoas queriam saber como estavam se saindo, mas percebi que só poderia responder a isso se soubesse o que elas pretendiam. Esse tipo de questionamento me levou à terceira geração. Na verdade, Stephen e eu atuamos em parceria com algumas pessoas influentes e tivemos uma participação bastante ativa

em alguns trabalhos que deram início à terceira geração. Nosso interesse era associar valores a metas para ajudar as pessoas a fazerem as coisas com mais coerência e a listar prioridades. Naquela época, parecia o melhor caminho a seguir.

No entanto, com o passar dos anos ficou claro que havia uma grande diferença entre o que as pessoas desejavam e do que aparentemente precisavam. Quanto mais objetivos conquistavam, menos felizes e realizadas se sentiam.

Comecei então a questionar alguns paradigmas fundamentais e até minhas convicções. Percebi que a resposta não estava em nenhuma das três gerações de gerenciamento do tempo, mas na própria base do paradigma: nas premissas pelas quais determinamos e abordamos o que estamos tentando fazer.

AS VIRTUDES E OS DEFEITOS DE CADA GERAÇÃO

Vamos fazer uma análise das virtudes e dos defeitos de cada uma das gerações e observar que elas podem ajudar, mas não atendem às necessidades mais profundas.

Os indivíduos na primeira geração costumam ser mais flexíveis. São capazes de reagir às necessidades das pessoas e às mudanças. Conseguem se adaptar e solucionar problemas. Têm os próprios horários e fazem o que acreditam que é necessário ou o que parece ser urgente.

Com frequência, porém, algo fica para trás. Reuniões são esquecidas, compromissos não são cumpridos. Sem uma visão de futuro precisa nem metas definidas, o número de realizações significativas é pequeno. As prioridades para esses indivíduos acabam sendo apenas aquilo que estiver diante deles.

As pessoas na segunda geração fazem planos e se preparam para transformá-los em realidade. Em geral, sentem-se pessoalmente responsáveis pelos resultados e compromissos. A função dos calendários e das agendas transcende à de lembretes, tornando-se um incentivo para que se preparem melhor para reuniões e apresentações – tanto profissionais quanto com familiares, amigos e colegas. A preparação aumenta a eficiência e a eficácia. A definição de metas e o planejamento melhoram o desempenho e os resultados.

No entanto, o foco nos compromissos, nas metas e na eficiência acaba criando a ditadura da agenda. Apesar de alguns indivíduos na segunda geração darem grande importância às pessoas e aos relacionamentos, esse tipo de dedicação à agenda costuma levá-las a agir como se os outros fossem seus "inimigos". Os outros são motivo de interrupção e dispersão que as impedem de cumprir a programação e concretizar seus planos. Elas se isolam ou delegam responsabilidades, encarando os outros basicamente como recurso por meio do qual podem aumentar sua capacidade pessoal. Além disso, quem está na segunda geração pode até obter mais do que quer, mas essas conquistas nem sempre satisfazem suas necessidades mais profundas ou proporcionam paz interior.

A terceira geração oferece uma grande contribuição ao conciliar metas e planos a valores. As pessoas nessa geração obtêm ganhos consideráveis em produtividade pessoal ao focar no planejamento diário e na definição de prioridades. As prioridades se tornam então uma questão de valores e metas.

Os resultados dessa geração parecem bastante promissores. Para muitos, a terceira geração representa o ápice do "gerenciamento do tempo". Eles acreditam que, se abraçarem essa proposta, vão se destacar em todas as áreas. Só que essa geração possui algumas falhas graves – não nos resultados a que se propõe, mas nos efeitos colaterais criados por paradigmas incompletos e pela ausência de alguns elementos vitais. Como essa geração representa o "ideal" de muitas pessoas e a meta de quem está na primeira e na segunda gerações, analisaremos essas falhas com muita atenção.

Vamos nos ater a alguns paradigmas subjacentes, ou cenários mentais. Esses paradigmas são como mapas; não são o território, apenas o descrevem. E se o mapa estiver errado – como se quiséssemos ir a algum lugar em Miami usando um mapa de Chicago – vai ser muito difícil chegar ao local desejado. Até podemos mudar nosso comportamento – dirigir por novos caminhos, pegar atalhos, aumentar a velocidade –, mas no fim das contas conseguiremos apenas chegar mais rápido ao lugar errado. Porque o problema não tem nada a ver com comportamento; o problema é que estamos usando o mapa errado.

Embora sejam a base de toda a abordagem de gerenciamento do tempo tradicional, esses paradigmas se acentuam na terceira geração.

- **Controle.** O principal paradigma da terceira geração é o do controle – planeje, agende, administre. Dê um passo de cada vez. Não negligencie nada. A maioria das pessoas acredita que a vida seria melhor se a tivesse sob "controle". Mas a verdade é que não temos esse controle; os princípios é que o têm. Podemos controlar nossas escolhas, mas não suas consequências. A toda ação corresponde uma reação. Pensar que temos o controle de tudo não passa de ilusão, o que nos faz tentar administrar as consequências. Além disso, não somos capazes de controlar as outras pessoas. E como o paradigma básico é o do controle, o gerenciamento do tempo no fundo ignora o fato de que vivemos e trabalhamos com outras pessoas, que não podem ser controladas.

- **Eficiência.** Eficiência é fazer mais em menos tempo. Isso faz sentido. Fazemos mais coisas. Reduzimos ou até eliminamos o desperdício. Somos dinâmicos. Somos mais rápidos. Somos impulsionados. O aumento da produtividade é fantástico. Mas a premissa subjacente é a de que "mais" e "mais rápido" significam melhor. Isso é necessariamente verdadeiro? Existe uma diferença fundamental entre eficiência e eficácia. O dia está lindo, o desempenho do carro é ótimo e você vai a toda velocidade. Pode estar sendo muito eficiente. Mas se estiver indo na direção errada não estará sendo muito eficaz.

Além disso, como é possível ser "eficiente" com pessoas? Já tentou ser eficiente com sua esposa ou seu filho adolescente ou com um funcionário em uma questão de grande carga emocional ou com as emoções à flor da pele? Saiu-se bem?

"Desculpe, mas não dá para você expressar seus sentimentos. Só temos 10 minutos."

"Agora não, filho. Sei que você está arrasado, mas só poderei ouvi-lo quando concluir essa tarefa aqui, marcada na minha agenda. Vá desabafar com outra pessoa."

Embora você até consiga ser muito eficiente com as coisas, não conseguirá ser eficiente – de um modo eficaz – com as pessoas.

- **Valores.** Dar valor a algo é considerá-lo merecedor de sua estima. E os valores são fundamentais. Nossos valores conduzem nossas escolhas e ações. E podemos dar valor a muitas coisas diferentes – amor, segurança, dinheiro no banco, status, reconhecimento, fama. Só porque damos valor a algo não significa necessariamente que isso nos proporcionará qualidade de vida. Quando o que valorizamos vai de encontro às leis naturais que governam a paz de espírito e a qualidade de vida, baseamos nossa vida em uma ilusão e estamos fadados ao fracasso. Não podemos ignorar essas leis.

- **Conquista independente.** O gerenciamento do tempo tradicional se concentra nas conquistas, nas realizações, na obtenção dos resultados esperados e na eliminação de todos os percalços do caminho. As outras pessoas são vistas como recursos por meio dos quais você pode alcançar seus objetivos com mais rapidez – ou como obstáculos e entraves. No fundo, os relacionamentos são transacionais. Mas a verdade é que a maioria das grandes conquistas e alegrias da vida advém de relacionamentos transformacionais. Pela própria natureza da interação, as pessoas são modificadas. Elas se transformam. Algo novo é criado, sem estar sob o controle de ninguém. E também não pode ser previsto. Não se trata de uma questão de eficiência, mas de troca de informações, de descobertas, novos conhecimentos e do estímulo provocado por novos aprendizados. Acessar a força transformacional da sinergia interdependente é a última palavra quando se fala em estimular as pessoas a gerenciarem o tempo e obterem qualidade de vida.

- **Cronologia.** O gerenciamento do tempo está relacionado ao *chronos*, palavra grega que significa "tempo", nesse caso o cronológico. O tempo cronológico é linear e sequencial. Todos os segundos são igualmente importantes. O relógio basicamente dita o ritmo de nossa vida. Entretanto, outras culturas abordam a vida pela perspectiva de *kairos* – um paradigma de "tempo adequado" ou "tempo de qualidade". O tempo deve ser vivenciado. É exponencial, existencial. A essência do tempo de *kairos* é o valor que você retira dele, não a quantidade de tempo cronológico investida. Reconhecemos a existência do tempo de *kairos* quando perguntamos: "Você aproveitou bem seu dia?" Não estamos perguntando sobre a quantidade de tempo cronológico usado de uma forma em particular, mas sobre o valor, a qualidade desse tempo.

- **Competência.** O gerenciamento do tempo é basicamente um conjunto de habilidades. A ideia é que, se você desenvolver certas habilidades, será capaz de promover a qualidade de vida. No entanto, a eficácia pessoal, além de competência, exige caráter. De um jeito ou de outro, quase toda a literatura diz que "tempo é vida", mas, como a maior parte da literatura sobre "como fazer sucesso" do século passado, a literatura sobre gerenciamento do tempo não costuma associar o que fazemos e o que somos.[2] Por outro lado, a literatura da sabedoria considera de suma importância o desenvolvimento do caráter ao lado da competência para se promover a qualidade de vida.

- **Gerenciamento.** O gerenciamento do tempo propriamente dito parte de uma perspectiva gerencial – não de liderança. O gerenciamento se atém a um paradigma. Lideranças criam novos paradigmas. O gerenciamento funciona dentro de um sistema. As lideranças influenciam os sistemas. Você gerencia "coisas", mas lidera pessoas. Para colocar o que é mais importante em primeiro lugar, é fundamental que a liderança preceda o gerenciamento. Ou seja, a pergunta "Estou fazendo as coisas certas?" deve ser feita antes de "Estou fazendo as coisas da maneira certa?".

As virtudes e os defeitos das três gerações de gerenciamento do tempo estão resumidas no quadro da página seguinte.

O QUE VOCÊ VÊ É O QUE VOCÊ OBTÉM

Quais são os paradigmas subjacentes que produzem esses resultados: eficiência, controle, gerenciamento, competência, tempo cronológico? Eles mapeiam o território com precisão? Satisfazem as expectativas que criam em torno da qualidade de vida? O próprio fato de empregarmos um esforço cada vez maior em técnicas e ferramentas baseadas nesses paradigmas – e o problema fundamental permanecer (e em muitos casos até piorar) – indica que eles são falhos.

Reveja algumas preocupações a que já nos referimos:

> Minha vida é muito agitada! Estou sempre a mil – reuniões, telefonemas, papelada, entrevistas. Dou o meu máximo, caio na cama exausto e levanto cedo no dia seguinte para começar tudo de novo. Minha produção é fantástica; consigo fazer muitas coisas. Mas às vezes tenho a sensação de que nada disso tem importância. "E então?", eu me pergunto. "Todo esse esforço está valendo a pena?" Devo admitir que não sei.

"Nosso interior está se tornando cada vez mais vazio", diz James Allen, autor do clássico *O homem é aquilo que ele pensa*. "As condições de vida de

	Virtudes	Defeitos
Primeira geração	• Capacidade de se adaptar ao surgimento de situações mais importantes – flexibilidade • É mais maleável em relação às pessoas • Não vive sob o jugo de agendas e estruturas • Menos estresse • Monitora listas de tarefas	• Não tem uma estrutura de fato • Tarefas são negligenciadas • Ignora ou esquece compromissos, relacionamentos superficiais • Poucas realizações • Apenas passa de uma crise para outra por não ter uma estrutura ou agendas • Prioridades: aquilo que está diante de você
Segunda geração	• Monitora compromissos e reuniões • Mais realizações conquistadas por intermédio de metas e planejamento • Mais eficácia em reuniões e apresentações graças à preparação	• Prioriza agendas em detrimento de pessoas • Concentra-se mais nas suas vontades, não nas suas necessidades ou naquilo que traz realização • Pensamento e ação independentes – encara as pessoas como meios ou entraves para objetivos • Prioridades: aquilo que está agendado
Terceira geração	• Assume a responsabilidade pelos resultados • Conectado com valores • Trabalha com metas de curto, médio e longo prazos • Traduz os valores em metas e ações • Aumenta a produtividade pessoal por meio do planejamento diário e da definição de prioridades • Aumenta a eficiência • Dá estrutura/ordem à vida • Desenvolve a habilidade de administrar o tempo e a si mesmo	• Pode induzi-lo a acreditar que você – em vez das leis da natureza ou os princípios – está no controle da situação • Hierarquia de valores não necessariamente alinhada aos princípios que governam • Poder da visão ignorado • Planejamento diário em geral é governado por urgências, pressões e crises • Pode induzir a culpa, excessos de programação e desequilíbrio entre os papéis que as pessoas desempenham na vida • Pode colocar a agenda acima das pessoas e enxergá-las como "coisas" • Menos flexibilidade/espontaneidade • Não basta ter habilidade para produzir eficácia e liderança – é preciso ter caráter • Prioridades: definidas em função da urgência e dos valores

um homem provêm do fundo de seu coração; seus pensamentos se transformam em ações, e suas ações produzem os frutos do caráter e do destino."³

A compreensão desses paradigmas subjacentes de gerenciamento do tempo é fundamental, pois nossos paradigmas são os mapas de nosso coração e mente, a partir dos quais se originam nossas atitudes, comportamentos e o resultado de nossa vida. Eles criam uma espécie de círculo de "ver/fazer/obter".

Nossos pontos de vista (paradigmas) guiam nossas ações (atitudes e comportamentos); e essas ações produzem os resultados que obtemos. Dessa forma, se quisermos mudar os resultados, temos que alterar os paradigmas dos quais eles se originam, não as atitudes e os comportamentos, os métodos ou técnicas. Quando tentamos alterar o comportamento ou o método sem modificar o paradigma, este último acabará se impondo sobre a mudança. É por isso que as tentativas de "instalar" a qualidade total ou o empoderamento em organizações não são bem-sucedidas. Eles não podem ser instalados; devem ser cultivados. Nascem naturalmente a partir dos paradigmas que as criam.

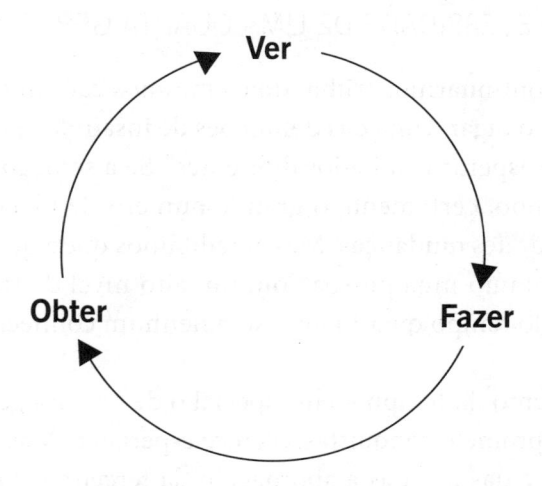

Mudar a ferramenta de planejamento ou o método não vai gerar mudanças significativas nos resultados que obtemos – ainda que essa seja a promessa implícita. Não se trata de controlar mais ou melhor as tarefas ou ainda de executá-las mais rapidamente; o que está em jogo é o próprio conceito de controle.

Como disse Albert Einstein:

Os problemas que enfrentamos não podem ser solucionados pelo mesmo tipo de pensamento que os criou.[4]

Mais importante do que aperfeiçoar as atitudes e os comportamentos é examinar os paradigmas a partir dos quais essas atitudes e comportamentos se originaram. "Uma vida alienada não vale a pena ser vivida", disse Platão.[5] Contudo é impressionante o número de pessoas que saem de nosso programa de desenvolvimento de liderança dizendo que havia anos não faziam uma reflexão tão profunda sobre suas vidas. Como seres humanos, estamos sempre tentando – às vezes com resultados desastrosos – cuidar dos negócios, criar os filhos, ensinar os alunos e estabelecer relacionamentos, mas esquecemos de questionar quais são as raízes que estão gerando os frutos de nossa vida. E, por alguma razão, o gerenciamento do tempo é uma espécie de habilidade mecânica, dissociada das atividades fundamentais que tentamos fazer no tempo que temos.

A NECESSIDADE DE UMA QUARTA GERAÇÃO

Isto é certo: se continuarmos trilhando os mesmos caminhos, chegaremos sempre ao mesmo lugar. Uma das definições de insanidade é "fazer sempre a mesma coisa e esperar resultados diferentes". Se a solução fosse o gerenciamento do tempo, certamente o grande número de ideias brilhantes já teria operado grandes mudanças. Mas acreditamos que a qualidade de vida pode preocupar tanto uma pessoa com um alto nível de treinamento em gerenciamento do tempo quanto uma sem nenhum conhecimento sobre o assunto.

O gerenciamento do tempo – em especial o de terceira geração – parece muito bom. Ele promete conquistas, oferece esperança. Mas não cumpre. E para grande parte das pessoas a abordagem da terceira geração vai se tornando cada vez mais rígida, estruturada e artificial. É muito difícil manter o ritmo. A primeira coisa que muitas pessoas fazem ao sair de férias é deixar as agendas – os símbolos da terceira geração – em casa!

É clara a necessidade de uma quarta geração que englobe todas as virtudes da primeira, da segunda e da terceira geração, mas que elimine os defeitos e os transcenda. Isso requer um paradigma e uma abordagem de naturezas totalmente diferentes – uma ruptura radical com formas de pensar e agir pouco eficazes.

Mais do que uma evolução, precisamos de uma revolução. Precisamos ultrapassar o gerenciamento do tempo para chegar à liderança – uma quarta geração baseada em paradigmas que produzam qualidade de vida.

2

A síndrome da urgência

Qualquer coisa que não seja um compromisso consciente com a importância é um compromisso inconsciente com a não importância.

Antes de começar a leitura deste capítulo, faça uma pausa para pensar nas respostas que daria às seguintes perguntas:

*Qual é a atividade que você **sabe** que, se desempenhasse com a seriedade e a continuidade necessárias, produziria resultados positivos para sua vida pessoal?*

*Qual é a atividade que você **sabe** que, se desempenhasse com a seriedade e a continuidade necessárias, produziria resultados positivos para sua vida profissional?*

*Se você **sabe** que produziriam resultados tão significativos, por que não está fazendo essas atividades agora?*

Enquanto pensa em uma resposta, vamos analisar os dois principais fatores que determinam nossas escolhas em relação ao uso do tempo: urgência e importância. Apesar de lidarmos com dois fatores, um deles é o paradigma básico por meio do qual concebemos nosso tempo e nossa vida.

A quarta geração é baseada no paradigma da "importância". Saber e fazer o que é importante, em vez de apenas reagir ao que é urgente, é fundamental para estabelecer prioridades.

Neste capítulo, vamos pedir que você analise seus paradigmas com muita atenção. Os resultados que vem obtendo têm profunda relação com o paradigma que está seguindo, seja o da importância ou o da urgência.

URGÊNCIA

São poucas as pessoas que percebem a influência que a urgência exerce sobre as escolhas. O telefone toca. O bebê chora. Alguém bate à porta. Nosso prazo está se esgotando.

"Preciso disso agora."

"Estou enrolado. Pode vir aqui para me ajudar?"

"Você está atrasado para a reunião!"

Até que ponto a urgência controla sua vida? Sugerimos que dedique alguns minutos para analisar as atitudes e os comportamentos que se originam da urgência com base no Índice apresentado a seguir. A média que obtiver indicará seu grau de dependência em relação ao paradigma de urgência. Para cada afirmativa, assinale o número correspondente à sua resposta.

No final, some os pontos e veja em que escala você se encontra:

0 a 25. Cenário mental de baixo grau de urgência
26 a 45. Cenário mental de alto grau de urgência
46 em diante. Síndrome de urgência

Se a maioria das respostas estiver na parte mais baixa da escala, o paradigma de urgência não deve ser um fator determinante na sua vida. Se as respostas oscilarem entre o ponto intermediário e a parte mais alta da escala, a urgência é seu paradigma operacional fundamental. Se quase todas as suas respostas estiverem na parte mais alta da escala, talvez a urgência seja mais do que sua forma de ver o mundo; pode ser uma dependência.

Índice de Urgência©

Faça um círculo no número da escala que mais se aproxima de suas atitudes ou comportamentos em relação às afirmativas a seguir (0 = Nunca; 2 = Às vezes; 4 = Sempre).

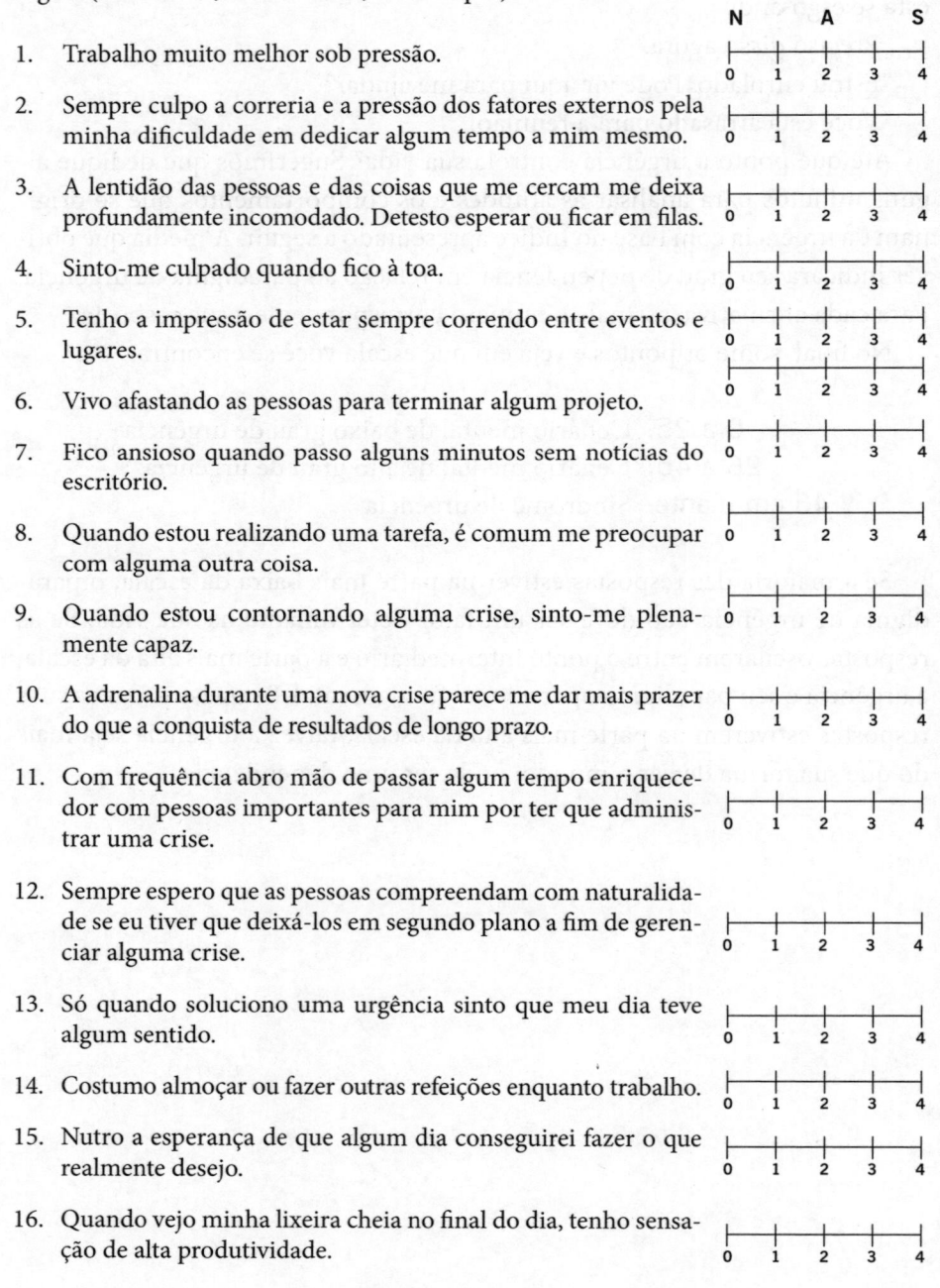

                                                      N   A   S

1. Trabalho muito melhor sob pressão.   0 — 1 — 2 — 3 — 4
2. Sempre culpo a correria e a pressão dos fatores externos pela minha dificuldade em dedicar algum tempo a mim mesmo.   0 — 1 — 2 — 3 — 4
3. A lentidão das pessoas e das coisas que me cercam me deixa profundamente incomodado. Detesto esperar ou ficar em filas.   0 — 1 — 2 — 3 — 4
4. Sinto-me culpado quando fico à toa.   0 — 1 — 2 — 3 — 4
5. Tenho a impressão de estar sempre correndo entre eventos e lugares.   0 — 1 — 2 — 3 — 4
6. Vivo afastando as pessoas para terminar algum projeto.   0 — 1 — 2 — 3 — 4
7. Fico ansioso quando passo alguns minutos sem notícias do escritório.   0 — 1 — 2 — 3 — 4
8. Quando estou realizando uma tarefa, é comum me preocupar com alguma outra coisa.   0 — 1 — 2 — 3 — 4
9. Quando estou contornando alguma crise, sinto-me plenamente capaz.   0 — 1 — 2 — 3 — 4
10. A adrenalina durante uma nova crise parece me dar mais prazer do que a conquista de resultados de longo prazo.   0 — 1 — 2 — 3 — 4
11. Com frequência abro mão de passar algum tempo enriquecedor com pessoas importantes para mim por ter que administrar uma crise.   0 — 1 — 2 — 3 — 4
12. Sempre espero que as pessoas compreendam com naturalidade se eu tiver que deixá-los em segundo plano a fim de gerenciar alguma crise.   0 — 1 — 2 — 3 — 4
13. Só quando soluciono uma urgência sinto que meu dia teve algum sentido.   0 — 1 — 2 — 3 — 4
14. Costumo almoçar ou fazer outras refeições enquanto trabalho.   0 — 1 — 2 — 3 — 4
15. Nutro a esperança de que algum dia conseguirei fazer o que realmente desejo.   0 — 1 — 2 — 3 — 4
16. Quando vejo minha lixeira cheia no final do dia, tenho sensação de alta produtividade.   0 — 1 — 2 — 3 — 4

A SÍNDROME DA URGÊNCIA

Algumas pessoas estão tão acostumadas com a adrenalina que circula pelas veias enquanto gerenciam crises que se tornam dependentes dessa sensação de euforia e energia. Como é a sensação de urgência? Estressante? Sufocante? Enervante? Desgastante? Exato. Mas vamos ser honestos: às vezes é estimulante. Nós nos sentimos úteis. Bem-sucedidos. Importantes. Sentimos que somos bons no que fazemos. Toda vez que surge um problema, corremos para o lugar, desenrolamos a mangueira, subimos na escada de incêndio, apagamos o fogo e seguimos rumo ao pôr do sol como heróis. A urgência nos traz resultados imediatos e satisfação instantânea.

Enquanto resolvemos as questões ou crises urgentes, é como se estivéssemos temporariamente embriagados. Então, quando a importância não está presente, o torpor da urgência é tão instigante que somos impulsionados a fazer algo urgente, só para nos mantermos em atividade. As pessoas esperam que estejamos sempre ocupados, cheios de trabalho para fazer, porque isso se tornou um símbolo de status em nossa sociedade: se estamos sempre ocupados é porque somos importantes. Chegamos a ficar constrangidos quando estamos ociosos. Estar sempre ocupado é uma forma de obter segurança. Ela justifica nossa existência, nos deixa populares e nos dá prazer. E é também uma boa desculpa para não lidarmos com as nossas verdadeiras prioridades.

> "Adoraria me encontrar com você, mas tenho que trabalhar. Tenho um prazo e é urgente. Você entende, é claro."
>
> "Não tenho tempo para fazer exercícios. Sei que é importante, mas estou muito ocupada neste momento. Quem sabe quando as coisas acalmarem um pouco..."

A síndrome da urgência é um comportamento autodestrutivo que preenche temporariamente o vazio criado por necessidades não atendidas. E em vez de atender a essas necessidades, as ferramentas e as abordagens de gerenciamento do tempo com frequência alimentam essa dependência. Elas mantêm o foco na definição de prioridades diárias, todas elas urgentes.

A síndrome da urgência é tão perigosa quanto qualquer outra dependência. A lista de características a seguir foi adaptada a partir da literatura de recuperação de dependências em drogas, jogo ou comida, sem a menor relação com o gerenciamento do tempo. Confira as semelhanças![1]

> **A experiência da dependência**
> 1. Cria sensações previsíveis, confiáveis.
> 2. Absorve toda a atenção.
> 3. Alivia temporariamente o sofrimento e outros sentimentos negativos.
> 4. Proporciona uma sensação artificial de autoestima, poder, plenitude, controle, segurança, intimidade, realização.
> 5. Exacerba os problemas e os sentimentos para os quais se está procurando uma solução.
> 6. Compromete o rendimento e os relacionamentos.

Essas características descrevem muito bem a síndrome da urgência, que já se espalhou por nossa sociedade. Para qualquer lado que olhamos, vemos a síndrome da urgência ser reforçada em nossa vida e na nossa cultura.

(Roger) Em um de nossos programas, apresentei o Índice de Urgência a um grupo de executivos seniores de uma empresa multinacional. No intervalo, o gerente-geral da sede australiana se aproximou de mim com um sorriso irônico. "Não dá para acreditar!", exclamou ele. "Estou viciado! É algo que permeia toda a cultura da nossa empresa. Vivemos de crise em crise. As coisas só começam a andar quando alguém diz que é urgente."

Enquanto ele falava, seu braço direito na empresa se aproximou e balançou a cabeça, concordando. Eles fizeram piada com a situação, mas no fundo estavam preocupados. O gerente-geral virou-se em seguida para mim e disse: "Sabe, quando este homem começou a trabalhar conosco, ele tinha outra postura. Mas agora ele também é assim." Então ele se deu conta de algo e arregalou os olhos. "Além de viciado, sou um traficante!"

É importante perceber que o problema não está na urgência propriamente dita, mas no fato de que, quando a urgência é o fator dominante de nossas vidas, a importância não o é. Passamos a tratar como "prioridades" apenas o que é urgente. Então nos ocupamos de tal forma em fazer o que é urgente que nem sequer temos tempo de nos perguntar se realmente precisa ser feito. Com isso, aumentamos a lacuna entre a bússola e o relógio. Veja só o que diz Charles Hummel, em *Livres da tirania da urgência*:

A tarefa importante dificilmente precisa ser feita hoje ou mesmo esta semana [...] A tarefa urgente implica uma ação instantânea [...] O apelo imediato dessas tarefas parece irresistível e relevante, e consome nossa energia. Mas a enganosa notoriedade do que é urgente desaparece com o tempo; com uma sensação de perda, lembramos da tarefa vital que adiamos. Percebemos que nos tornamos escravos da tirania da urgência.[2]

Muitas ferramentas do gerenciamento do tempo tradicional na verdade alimentam essa dependência. O planejamento diário e as listas de tarefas no fundo focam em dar prioridade e realizar as urgências. E quanto mais urgências houver em nossa vida, menos importância teremos.

IMPORTÂNCIA

Grande parte do que é importante e contribui para nossos objetivos globais e dá riqueza e sentido à vida em geral não nos influencia ou pressiona. Como não são tarefas "urgentes", somos nós que as influenciamos.

Com o objetivo de nos concentrar nas questões relacionadas à urgência e à importância com mais eficácia, observe a Matriz do Tempo a seguir. Como é possível perceber, ela classifica nossas atividades em quatro quadrantes. Usamos nosso tempo de uma destas formas:

	Urgente	Não urgente
Importante	1 • Crise • Problemas urgentes • Projetos, reuniões, preparações com prazos definidos	2 • Preparação • Prevenção • Definição de valores • Planejamento • Fortalecimento de relacionamentos • Recriação verdadeira • Empoderamento
Não importante	3 • Interrupções, alguns telefonemas • Parte dos e-mails, alguns relatórios • Algumas reuniões • Muitas questões urgentes suscitadas por outras pessoas	4 • Trabalho rotineiro • Alguns telefonemas • Atividades ou atitudes que nos fazem perder tempo, por exemplo: assistir à TV • Correspondências irrelevantes • Atividades "alienantes"

O **quadrante 1** reúne o que é "urgente" e "importante". É nesse espaço que atendemos a um cliente indignado, trabalhamos para cumprir um prazo, consertamos uma máquina quebrada, nos submetemos a uma cirurgia no coração ou ajudamos uma criança que tenha se machucado e está chorando. Precisamos dedicar tempo ao primeiro quadrante. É nele que gerenciamos, produzimos, aplicamos nossa experiência e capacidade de discernimento a fim de atender a muitas necessidades e desafios. Se nós o ignorarmos, seremos enterrados vivos. Mas não podemos nos esquecer de que muitas atividades importantes se tornam urgentes por terem sido procrastinadas ou porque não tomamos as devidas precauções ou fizemos o planejamento necessário.

O **quadrante 2** contém atividades que são "importantes, porém não urgentes". Esse é o Quadrante da Qualidade. É nele que fazemos nosso planejamento de longo prazo, prevemos possíveis problemas e os evitamos, delegamos responsabilidades, abrimos nossa mente e aumentamos nossa capacidade por meio de leituras e do contínuo desenvolvimento profissional, analisamos a melhor forma de ajudar um filho ou uma filha com problemas, nos preparamos para reuniões e apresentações importantes ou investimos em relacionamentos ouvindo com a mais profunda e sincera atenção. Quanto mais tempo passamos nesse quadrante, mais *desenvolvemos nossa habilidade de fazer*. Ignorar o Quadrante da Qualidade alimenta e amplia o quadrante 1, gerando estresse, esgotamento e crises mais profundas. Por outro lado, o investimento no segundo quadrante reduz o primeiro. O planejamento, a preparação e a prevenção impedem que muitas tarefas se tornem urgentes. O quadrante 2 não nos influencia; nós é que o influenciamos. Esse é o quadrante da liderança pessoal.

O **quadrante 3** é uma espécie de fantasma do primeiro. Contém tarefas "urgentes, porém não importantes". É o Quadrante do Engano. O burburinho da urgência cria a ilusão de importância. Só que as atividades, se é que têm de fato alguma importância, são relevantes apenas para outra pessoa. Muitos telefonemas, reuniões e visitas inesperadas pertencem a essa categoria. Acabamos perdendo um bocado de tempo no quadrante 3 atendendo a expectativas e prioridades alheias, pensando que estamos no 1.

O **quadrante 4** é reservado para as atividades que "não são urgentes e não são importantes". Esse é o Quadrante do Desperdício. É claro, jamais devemos entrar nele. Mas saímos tão machucados dos quadrantes 1 e 3 que frequentemente "fugimos" para o quadrante 4 por uma questão de sobrevivência. O que encontramos lá? Não necessariamente lazer, pois a recreação no sentido de recriação é uma atividade importante do quadrante 2. Mas o vício de ler romances baratos, de assistir a programas de TV fúteis ou de jogar conversa fora diante do bebedouro do escritório são passatempos típicos do quadrante 4. Não é uma questão de sobrevivência; é deterioração. Pode propiciar uma sensação de alívio inicialmente, mas logo descobrimos que não serve para nada.

Sugerimos agora que você observe a Matriz do Tempo e analise sua última semana. Se distribuísse as tarefas que realizou nesses quadrantes, em qual deles você teria passado a maior parte do tempo?

Cuidado para não confundir o quadrante 1 e o quadrante 3. É fácil pensar que, como algo é urgente, é importante. Uma rápida forma de diferenciar os dois é perguntar se a atividade urgente contribuiu para um objetivo importante. Se a resposta for não, ela pertence ao quadrante 3.

Se você for como a maioria, é bastante provável que tenha passado a maior parte do tempo nos quadrantes 1 e 3. E à custa de quê? Se está sendo dominado pela urgência, quais são as atividades importantes – talvez até prioritárias – que não estão recebendo o tempo e a atenção que merecem?

Voltemos às perguntas a que você respondeu no início do capítulo:

*Qual é a atividade que você **sabe** que, se desempenhasse com a seriedade e a continuidade necessárias, produziria resultados positivos para sua vida pessoal?*

*Qual é a atividade que você **sabe** que, se desempenhasse com a seriedade e a continuidade necessárias, produziria resultados positivos para sua vida profissional?*

Em que quadrante estão suas respostas? Nosso palpite é que fazem parte do segundo. Como já fizemos essas perguntas a milhares de pessoas, descobrimos que a maioria enumera sete atividades-chave:

1. Melhorar a comunicação com as pessoas
2. Aprimorar a preparação
3. Melhorar o planejamento e a organização
4. Cuidar-se mais

5. Buscar novas oportunidades
6. Buscar desenvolvimento pessoal
7. Empoderar-se

Todas essas atividades pertencem ao quadrante 2 e são muito importantes.

Então, por que as pessoas não as realizam? Por que você não está fazendo as atividades que foram as respostas para as questões da página anterior?

Provavelmente porque não são urgentes. Porque não está sendo pressionado por elas. Porque não exercem influência sobre você; você é que as influencia.

O PARADIGMA DA IMPORTÂNCIA

Logicamente, nós lidamos tanto com a urgência quanto com a importância na vida. Mas nas decisões cotidianas uma delas tende a ser predominante. E no momento em que começamos a dar prioridade ao paradigma da urgência em detrimento do paradigma da importância, passamos a ter problemas.

Quando operamos a partir do paradigma da importância, vivemos nos quadrantes 1 e 2. Nós nos afastamos dos quadrantes 3 e 4, e, como dedicamos mais tempo à preparação, à prevenção, ao planejamento e ao empoderamento, passamos menos tempo apagando os incêndios do primeiro. Isso muda a própria natureza do quadrante 1. Na maioria das vezes, entramos nele por opção, não mais por obrigação. Podemos inclusive nos dar ao luxo de fazer algo urgente porque naquele momento é importante.

Uma colega de trabalho revelou a seguinte experiência:

> Recentemente, o casamento de uma amiga entrou em crise. Eu estava extremamente ocupada com as atividades domésticas e profissionais, mas conseguia manter as coisas sob controle, sem comprometer meu tempo de renovação pessoal. Ela me telefonou justamente num dia em que eu tinha três reuniões, a revisão do carro agendada, precisava fazer compras e ir a um almoço importante. Logo percebi que ela estava tendo um dia muito difícil e decidi suspender as outras atividades a fim de disponibilizar um tempo para visitá-la. Sabia que o dia seguinte seria tomado por atividades do quadrante 1, pois não poderia me preparar para elas. Mas essa escolha foi importante, muito importante. Optei por

me colocar em uma posição na qual viveria com urgência, mas foi uma decisão com a qual me senti bem.

Em nossos seminários, costumamos pedir às pessoas que identifiquem as sensações associadas aos diferentes paradigmas. Quando falam sobre urgência, geralmente usam palavras como "estresse", "exaustão", "insatisfação" e "esgotamento". Mas ao falar sobre importância escolhem palavras como "confiança", "satisfação", "no caminho", "inspiração" e "paz". Faça também esse exercício. Qual é a sensação provocada por esses paradigmas? Isso pode ser bastante revelador, mostrando a origem dos resultados que você está obtendo na vida.

PERGUNTAS SOBRE A MATRIZ

Sabemos que a vida real não pode ser dividida em quadrantes tão organizados, precisos e lógicos. Há um *continuum* em cada quadrante e de um para outro, assim como algumas interseções. As categorias possuem grau e gênero.

Veja a seguir algumas perguntas que costumam nos fazer sobre a matriz:

- **No meio de tantas coisas urgentes e importantes, como podemos saber o que priorizar?** Esse é o grande dilema da vida, que nos dá a sensação de que precisamos nos livrar de certos pesos e fazer mais e mais rápido. Só que quase sempre *há* uma coisa que deve ser feita antes de todas as outras. Pode-se dizer que existe um primeiro quadrante do primeiro quadrante ou um segundo quadrante do quadrante 2. Como decidir o que é *mais* importante em determinado momento é uma das principais questões sobre a qual vamos nos debruçar nos próximos capítulos deste livro.

- **É ruim estar no quadrante 1?** Não, não é. Na verdade, grande parte das pessoas passa um tempo significativo nesse primeiro quadrante. A questão-chave é saber por que se está nele. Você está no quadrante 1 em função da urgência ou da importância? Se sua resposta for urgência, você cairá no quadrante 3 – a síndrome da urgência – quando deixar de haver importância. Mas se estiver no quadrante 1 por causa da importância, irá para o 2 quando deixar de haver urgência. Os dois primeiros quadrantes contêm apenas atividades importantes; o que muda é apenas o fator tempo. O problema é quando você começa a perder muito tempo nos quadrantes 3 e 4.

- **Como vou arrumar tempo para me dedicar ao quadrante 2?** Se você quer ter tempo para se dedicar às atividades do quadrante 2, concentre-se no 3. O tempo despendido no primeiro é urgente e importante – já sabemos que é inevitável. E temos consciência de que devemos evitar o quarto. Mas o terceiro pode nos enganar. O segredo está em aprender a avaliar as atividades pelo prisma da importância. Só então seremos capazes de reaver o tempo perdido com a enganosa aparência de urgência e dedicá-lo ao quadrante 2.

- **E se eu viver em um ambiente do quadrante 1?** Algumas profissões, por natureza, estão enquadradas quase completamente no primeiro quadrante. Por exemplo, o trabalho de bombeiros, médicos e enfermeiros, policiais, jornalistas e editores de jornais e revistas é reagir à urgência e à importância. Para essas pessoas é ainda mais crítico dedicar algum tempo ao quadrante 2 pela simples razão de que ele consolida a capacidade de administrar o 1. O tempo investido no quadrante 2 aumenta a capacidade de realização.

- **Há algo no quadrante 1 que não exija nossa atenção imediata?** Determinados fatores provocam crises ou problemas se não lhes dermos a devida atenção. Cabe a nós decidir se são urgências ou não. Além disso, o que talvez seja uma atividade do quadrante 2 para uma organização – por exemplo, a concepção de uma visão de longo prazo, o planejamento e a construção de um bom ambiente de trabalho – pode estar no quadrante 1 do presidente. Essa é a única responsabilidade dele, é premente a necessidade dessas coisas e é significativa a diferença entre as consequências de fazê-las ou não. A necessidade para esse executivo é imediata, é urgente, não pode ser adiada em hipótese alguma.

O valor da matriz é que ela nos ajuda a enxergar como a importância e a urgência influenciam as escolhas que fazemos em relação ao uso do tempo. Ela nos permite entender como usamos nosso tempo e por que o fazemos de um jeito em particular. Também podemos identificar que *o grau em que a urgência é predominante é o grau em que a importância não é.*

DO OUTRO LADO DA COMPLEXIDADE

A síndrome da urgência é um calmante paliativo usado em excesso. Ele alivia parte da dor aguda causada pela lacuna entre a bússola e o relógio. Esse alívio pode lhe trazer um bem-estar momentâneo, mas é uma satisfação superficial que logo se evapora. A dor permanece. Trabalhar de forma mais rápida não combate as causas crônicas, as questões subjacentes, a *razão* da dor. Fazer as tarefas secundárias (ou terciárias ou quaternárias) com mais velocidade não cura a dor crônica proveniente de não colocar o que é mais importante em primeiro lugar.

É preciso mudar o modo de pensar para resolver as questões crônicas. É como a diferença entre a medicina preventiva e a medicina terapêutica. A terapia trata a inflamação ou a dor provocada pela doença; a prevenção lida com questões relacionadas ao estilo de vida e à conservação da saúde. Esses dois paradigmas são distintos, e, embora um médico possa operar a partir de ambos, um deles em geral predomina.

> (Stephen) Eu já me consultei com médicos que operam a partir de cada um dos paradigmas e eles são completamente diferentes. Procuram coisas diferentes. Por exemplo, um dos médicos, cujo paradigma básico era o da terapia, olhou para meu exame de sangue e disse que eu não tinha nenhum problema de saúde, já que a taxa de colesterol estava abaixo de 200. Outro, cujo paradigma era o da prevenção, ao analisar meu exame de sangue – em particular a proporção LDL/HDL/colesterol total –, concluiu que eu estava entrando em uma área de risco e prescreveu um tratamento com exercícios físicos, dieta e medicamento.

Muitos de nós percebemos que parte significativa dos problemas de saúde que enfrentamos está relacionada ao estilo de vida. As pessoas costumam viver em uma ilha da fantasia até tomar um grande susto, como sofrer um infarto do miocárdio. Vivemos da maneira como queremos – sedentarismo, má alimentação, poucas horas de sono – e, quando temos um problema, esperamos que os médicos juntem nossos cacos. Embora seja possível diminuir o sofrimento com medidas paliativas, precisamos atacar a raiz do problema. Precisamos pensar com bastante seriedade na prevenção.

Isso vale para todas as áreas da vida. Como disse Oliver Wendell Holmes: "Eu não daria um centavo pela simplicidade desse lado da complexidade; mas daria meu braço direito pela simplicidade na extremidade oposta da complexidade."[3] As respostas simplistas nesse lado da complexidade não traduzem a realidade plena na qual nos encontramos. Podem dar a impressão de que é rápido e fácil, mas é uma promessa vazia. E a maioria das pessoas sabe disso. Nossa experiência comprova que na verdade elas estão cansadas dos paliativos proporcionados pelas soluções rápidas e técnicas éticas de personalidade. Querem abordar e resolver as questões crônicas que as impedem de colocar o que é mais importante em primeiro lugar.

No próximo capítulo, gostaríamos de ir além da dor aguda dos problemas sobre os quais falamos nos Capítulos 1 e 2 e nos tratar das causas crônicas subjacentes. Queremos chegar ao centro da complexidade por intermédio da realidade que influencia nosso tempo e a qualidade da nossa vida. As três ideias do Capítulo 3 podem representar um desafio à sua maneira de pensar, mas queremos encorajá-lo a pagar para ver e interagir com essas ideias em um nível pessoal profundo. Acreditamos que elas darão a você uma compreensão mais profunda, capaz de transcender seus paradigmas e de energizá-lo para criar mapas que descrevam o território com precisão.

A partir dessas ideias – no lado oposto da complexidade – surgem os paradigmas e processos simples e poderosos da Parte II, que vão torná-lo capaz de estabelecer suas prioridades com mais eficácia.

3

Viver, amar, aprender, deixar um legado

Fazer mais rápido não quer dizer fazer o que é certo.

Quando nos deslocamos da urgência para a importância, nos deparamos com a pergunta essencial: quais são as verdadeiras prioridades e como colocá-las em primeiro lugar?

No cerne da quarta geração, há três ideias fundamentais que nos habilitam a responder a essa pergunta:
1. A satisfação das quatro necessidades e capacidades humanas.
2. A realidade dos princípios do "norte verdadeiro".
3. A potencialidade dos quatro dons humanos.

1. A SATISFAÇÃO DAS QUATRO NECESSIDADES E CAPACIDADES HUMANAS

Certas coisas são fundamentais à satisfação humana. Se essas necessidades básicas não forem atendidas, nós nos sentimos vazios, incompletos. Podemos tentar preencher o vazio por meio da síndrome da urgência. Ou talvez nos tornemos complacentes, temporariamente acomodados à falta de realização plena.

Podemos ou não lidar de forma consciente com essas necessidades, mas, seja como for, lá no fundo sabemos que elas existem. E que são importantes. Podemos comprová-las por nossa própria experiência, pela de outras pessoas ou pela própria experiência humana em todos os recantos do planeta, em todos os períodos. Essas necessidades foram reconhecidas pela literatura da sabedoria – isto é, o conjunto dos grandes livros de filosofia, religião e ficção de uma sociedade que lida especificamente com a arte de viver – de todas as épocas como áreas vitais para a satisfação humana.

A essência dessas necessidades pode ser captada na frase: "Viver, amar, aprender, deixar um legado." A necessidade de viver é a necessidade *física* de comida, roupa, abrigo, bem-estar financeiro, saúde. A necessidade de amar é a necessidade *social* de se relacionar com outras pessoas, de pertencer, amar, ser amado. A necessidade de aprender é a necessidade *mental* de se desenvolver e crescer. E a necessidade de deixar um legado é a necessidade *espiritual* de ter um sentimento de propósito, coerência pessoal e contribuição.

De que forma e em que grau essas necessidades influenciam o tempo e a qualidade de nossas vidas? Você pode achar útil refletir sobre as questões a seguir:

- *Você sente que tem energia e capacidade física constantes ao longo do dia ou há coisas que gostaria de fazer mas não pode porque se sente cansado, doente ou fora de forma?*
- *Sua situação financeira é segura? Você é capaz de suprir suas necessidades e tem reservas para o futuro ou está endividado, enfrentando longas jornadas de trabalho diárias e mal consegue o suficiente para cobrir as despesas?*
- *Seu relacionamento com os outros é enriquecedor e satisfatório? Você é capaz de trabalhar em equipe de forma eficaz para alcançar objetivos comuns ou se sente afastado e solitário, incapaz de passar um tempo de qualidade com as pessoas que ama, ou desafiado quando tenta trabalhar com os outros por causa de mal-entendidos, dificuldades de comunicação, politicagem, fofocas ou troca de acusações?*
- *Você está constantemente aprendendo, crescendo, ganhando novas perspectivas, adquirindo novas capacidades ou estagnou profissionalmente, sentindo-se impedido de realizar certas atividades por falta de formação ou habilidades?*
- *Você tem uma clara noção do rumo e do objetivo que o inspiram e energizam ou não sabe ao certo o que é importante ou o que deseja fazer da vida?*

Cada uma dessas necessidades é de vital importância. *Se uma delas não for atendida, comprometerá sua qualidade de vida.* Se estiver com dívidas ou com problemas de saúde, se não se alimentar, se não se vestir ou morar de modo adequado, se se sentir afastado e solitário, se estiver estagnado mentalmente, se não tiver sentimento de propósito ou de integridade, sua qualidade de vida cairá. Saúde, segurança financeira, relacionamentos enriquecedores e prazerosos, desenvolvimento pessoal e profissional contínuos e um profundo sentimento de propósito, contribuição e coerência pessoal são responsáveis por uma vida com qualidade.

Se uma dessas necessidades não for atendida, poderá se tornar um buraco negro capaz de devorar suas energias e tirar sua concentração. Se você tiver um problema financeiro ou estiver atravessando uma séria crise pessoal, como um divórcio ou uma doença, essa necessidade insatisfeita poderá se tornar o fator urgente e dominante, cujas demandas consumirão todas as suas forças. Outras necessidades serão ignoradas e a qualidade de vida cairá em todos os sentidos.

Se uma dessas necessidades não for atendida, poderá levá-lo à síndrome da urgência. Ao reagir repetidamente a necessidades não atendidas urgentes, a tendência é que você se torne um excelente administrador de crises. Passará a dar prioridade às crises e a resolver as pendências de modo mais eficiente, achando que, se está ocupado, deve estar sendo eficaz. E esse comportamento pode estar sendo reforçado pelas descargas de adrenalina resultantes do combate aos incêndios e da resposta às demandas urgentes de outras pessoas. Mas essas atividades não resultam em qualidade de vida para você. Elas não atendem às necessidades subjacentes. Quanto mais tarefas urgentes tentamos fazer, mais alimentamos a síndrome. Assim, a sensação artificial provocada pela solução de urgências preenche o espaço que deveria ser ocupado pelo atendimento eficaz de nossas quatro necessidades fundamentais.

EQUILÍBRIO E SINERGIA ENTRE AS QUATRO NECESSIDADES

Essas necessidades são reais, profundas e altamente inter-relacionadas. Algumas pessoas reconhecem que têm essas necessidades, mas costumam vê-las como "compartimentos" separados da vida. Para nós, "equilíbrio" é ir de uma área a outra com a rapidez necessária para passar um tempo regular em cada uma.

No entanto, a ideia de que são áreas distintas ignora a realidade de sua poderosa sinergia. É onde essas quatro necessidades se sobrepõem que encontramos o verdadeiro equilíbrio interior, a realização profunda e o prazer de viver.

Físico
Mental
Social
Espiritual

Físico
Social
Mental
Espiritual

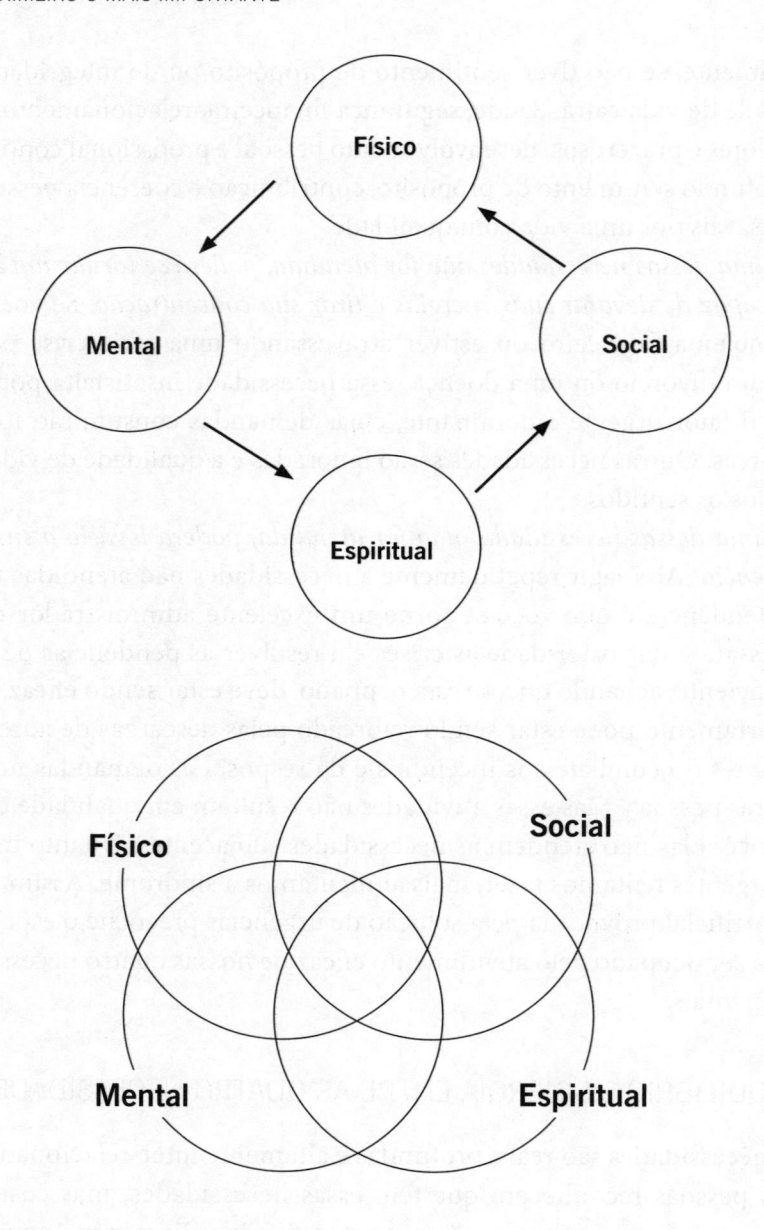

Observe a diferença: se operarmos a partir do paradigma de áreas distintas, poderemos ver a necessidade física de ganhar a vida separada da necessidade espiritual de contribuir para a sociedade. Então o trabalho que escolhemos pode ser monótono, tedioso e incompleto, o que talvez até venha a se tornar contraproducente para nosso bem-estar social.

Se virmos a necessidade psicológica de aprendizado e desenvolvimento dissociada da necessidade social de amar e ser amado, talvez não procuremos aprender a amar as pessoas de forma real e profunda. E, embora estejamos aumentando nosso conhecimento acadêmico, é possível que nossa habilidade de nos relacionar de maneira significativa com os outros se reduza.

Se encararmos as necessidades físicas como separadas das demais, talvez não percebamos como o nosso estado de saúde afeta a qualidade de todas as outras áreas. Quando não estamos nos sentindo bem, é muito mais difícil pensar com clareza, nos relacionar de modo positivo com as pessoas, nos preocupar mais com contribuição e menos com sobrevivência.

E se as necessidades espirituais estiverem desconectadas das demais necessidades, poderemos não perceber que aquilo que pensamos sobre nós mesmos e o que acreditamos ser nosso propósito exercem profunda influência em como vivemos, como amamos e o que aprendemos. Compartimentalizar ou mesmo ignorar a dimensão espiritual da vida afeta de forma poderosa todas as dimensões. É o sentimento de propósito que dá o contexto para a satisfação das outras dimensões.

Somente quando enxergarmos as inter-relações e a poderosa sinergia dessas quatro necessidades nos sentiremos energizados para satisfazê-las, obtendo o verdadeiro equilíbrio interior, uma profunda satisfação humana e alegria de viver. O trabalho tem significado, os relacionamentos possuem profundidade e possibilidade de crescimento, a saúde se torna um meio para alcançar objetivos nobres.

Ao reconhecer as inter-relações, percebemos que a chave para satisfazer uma necessidade não atendida está em equilibrá-las, não em ignorar todas as outras.

Essa é uma das vantagens da liderança pessoal. Enquanto o gerenciamento é voltado para os problemas, a liderança é voltada para oportunidades. Em vez de encarar um problema de forma segmentada e mecânica – como uma peça quebrada que precisa de conserto –, ele é visto como parte de um todo vivo, sinérgico. Deve-se analisar o contexto de um problema, o que está relacionado a ele, o que pode influenciá-lo, além do problema propriamente dito.

Se você tiver um problema na área física – como uma dívida –, em vez de ignorar suas necessidades sociais, mentais e espirituais, poderá procurar ajuda e aconselhar-se com outras pessoas, ampliar seu conhecimento sobre gestão de finanças e sua consciência sobre as opções de solução disponíveis, além de definir uma razão para se livrar da dívida que dará sentido, contexto e objetivo a qualquer que seja o caminho que você escolher seguir. Ao lidar com essas áreas reconhecendo a relação que têm com sua necessidade física, você se sentirá capaz de atendê-la de forma mais eficaz.

Se tiver um problema na área social – um divórcio, por exemplo –, a atenção nas áreas física, mental e espiritual aumentará sua habilidade para lidar com ele. Ao fazer exercícios e cuidar da saúde, estudar e aprender mais sobre a natureza dos relacionamentos, além de fortalecer o sentimento de propósito na vida, você cultivará as condições que lhe permitirão enfrentar o problema social da melhor maneira possível.

A CHAMA INTERIOR

A satisfação das quatro necessidades de forma integrada é como a combinação de elementos na química. Quando alcançamos uma "massa crítica" de integração, experimentamos a combustão espontânea: uma explosão de sinergia que acende a chama interior e dá visão, paixão e um espírito de aventura para a vida.

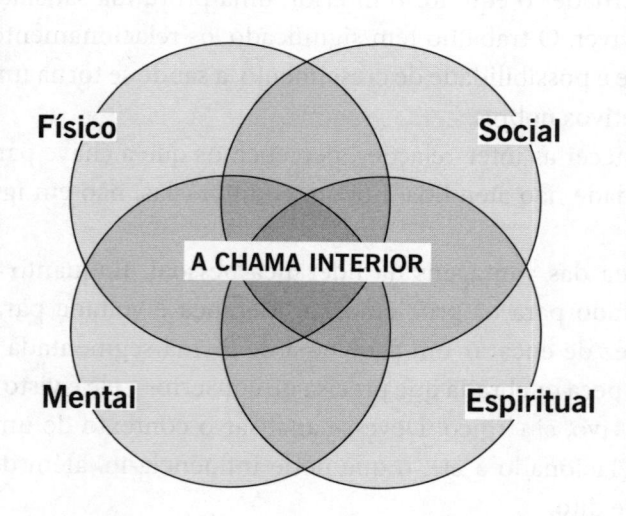

A chave para a chama interior é nossa necessidade espiritual de deixar um legado. *Ela transforma outras necessidades em capacidades de contribui-*

ção. Comida, dinheiro, saúde, educação e amor se tornam meios para alcançar e satisfazer necessidades não atendidas de outros.

Há um grande impacto sobre a forma como utilizamos nosso tempo e sobre a nossa qualidade de vida se somos capazes de satisfazer nossas necessidades de modo eficaz e de transformá-las em capacidade de contribuição. Abraham Maslow, um dos pais da psicologia moderna, desenvolveu uma "hierarquia de necessidades" segundo a qual a experiência humana mais importante era a "autorrealização". Em seus últimos anos de vida, porém, ele reviu a teoria e reconheceu que sua maior experiência não tinha sido a "autorrealização", mas a "autotranscendência", ou seja, viver para um objetivo maior do que seu próprio eu.[1]

Nas palavras de George Bernard Shaw,

> Este é o grande prazer de viver [...] ser usado para um propósito que você mesmo reconheça como poderoso [...] ser uma força da Natureza, não um sujeito medíocre e egoísta atormentado por aflições e ressentimentos que só se queixa que o mundo não se dedica a fazer você feliz. Sou da opinião de que minha vida pertence a toda a comunidade e enquanto viver tenho o privilégio de fazer por ela tudo o que estiver a meu alcance. Só quero morrer depois de ter dado o máximo de mim. Quanto mais me empenhar, mais viverei. O que me dá prazer na vida é a própria vida. A vida não é uma vela efêmera. É uma espécie de tocha suntuosa que recebi para conduzir e quero mantê-la o mais radiante possível antes de passá-la para as futuras gerações.[2]

(Roger) Em um programa de uma semana de Liderança Baseada em Princípios que desenvolvemos, um homem aproximou-se de mim e perguntou se poderia compartilhar uma preocupação. Fomos para a varanda, que tinha uma bela vista para um lago e um campo de golfe, e sentamos para conversar.

Quando olhei para o sujeito, não consegui imaginar a natureza do problema que ele queria discutir. O homem tinha cerca de 50 anos, era vice-presidente de uma empresa multinacional e possuía uma família encantadora. Ele era um ativo participante do programa e parecia ter captado a ideia imediatamente.

"No decorrer desta semana, eu me senti cada vez mais inquieto", admitiu. "Essa sensação começou no exercício de segunda-feira à noite..."

Ele me contou parte de sua história de vida. Havia sido criado em uma pequena cidade no Meio-Oeste dos Estados Unidos, onde praticara esportes, fora um bom aluno e cantara no coral da igreja. Na universidade, também participou ativamente de uma série de clubes e programas. Em seguida, veio a primeira grande oportunidade de trabalho, o casamento, o filho, viagens pelo mundo, promoções, uma nova casa, outro filho, a vice-presidência. Eu o ouvia esperando que me revelasse o problema – algum acidente de percurso capaz de destruir seu mundo cor-de-rosa.

"O problema", disse ele por fim, "é que minha vida é cheia de boas coisas – uma boa casa, um bom carro, um bom trabalho, uma vida ocupada. Mas, quando você nos pediu que avaliássemos profundamente nossa vida e identificássemos o que mais importava, aquilo me impactou. (...) Durante a maior parte de minha vida, estive envolvido com algum tipo de causa. Eu queria fazer a diferença no mundo, deixar uma contribuição importante. Quando comecei a pensar sobre o que realmente importa para mim, percebi que, no decorrer dos últimos anos, aquele sentimento, aquele propósito de vida, de algum jeito tinha se perdido. Eu me acomodei diante da minha sensação de segurança. Não fiz a diferença. Não ensinei meus filhos a fazerem a diferença. Basicamente, estou vendo a vida passar pela janela do clube."

Observei com interesse seu comportamento mudando. "Mas acabei de tomar uma decisão", disse ele. "Estou determinado a restabelecer minhas conexões com uma organização filantrópica com a qual costumava trabalhar. Eles fazem um trabalho incrível ajudando pessoas de países em desenvolvimento. Quero fazer parte disso."

Havia uma luz em seus olhos, um sentido em suas palavras. Ele estava cheio de energia. Era fácil ver que a qualidade dos anos que antecederiam e sucederiam sua aposentadoria – assim como a qualidade de vida de muitas outras pessoas no mundo – seria poderosamente influenciada pelo legado que ele deixaria.

O que quer que nós valorizemos, a realidade é que cada uma dessas áreas de satisfação humana é fundamental para a qualidade de vida. Você consegue pensar em alguma exceção – alguém que não tenha essas necessidades e capacidades físicas, sociais, mentais e espirituais? Você é capaz de imaginar algum problema ligado ao gerenciamento do tempo cuja origem não esteja relacionada com a satisfação dessas necessidades básicas?

2. A REALIDADE DOS PRINCÍPIOS DO "NORTE VERDADEIRO"

Tão "importante" quanto as necessidades a serem satisfeitas é a forma como procuramos atendê-las. Nossa habilidade para criar qualidade de vida depende do grau do alinhamento de nossa vida com realidades extrínsecas quando tentamos satisfazer nossas necessidades humanas.

Você poderia fechar os olhos agora e apontar para o norte? Quando propomos esse exercício nos seminários, as pessoas se surpreendem ao abrir os olhos e constatar que cada uma está apontando para uma direção diferente. Se estiver em casa, talvez aponte para o norte com facilidade, por já estar familiarizado com o local e conhecer as direções. Mas longe de casa, sem as referências com as quais está acostumado, a tarefa já não será tão simples.

É importante saber onde está o "norte verdadeiro"? A maioria das pessoas diria que sim. Se nos afastarmos apenas um grau da rota de viagem cujo ponto de partida seja São Francisco, poderemos desembarcar em Moscou em vez de em Jerusalém.

O que é o "norte"? Trata-se de uma questão de opinião? É algo que possamos escolher? Está sujeito ao processo democrático? Não, pois o "norte" é uma realidade independente de nós.

A realidade do "norte verdadeiro" dá contexto e sentido ao local em que estamos, para onde queremos ir e como chegaremos lá. Sem uma bússola ou as estrelas ou sem uma compreensão correta de nossa localização, não conseguiremos localizá-lo, mas ele sempre estará lá.

Tão reais quanto o "norte verdadeiro" no mundo físico são as leis eternas de causa e efeito que operam no mundo da eficácia pessoal e da interação humana. A sabedoria coletiva de várias eras revela que esses princípios são temas recorrentes, fundamentais a todas as pessoas ou sociedades. Com essa consciência, gostaríamos de explorar o "norte verdadeiro" na dimensão humana e analisar as possibilidades de criar uma bússola interna que nos permita alinhar nossas vidas a ele. Ao usar o "norte verdadeiro" como metáfora para princípios ou realidades externas, não estamos considerando as diferenças técnicas existentes entre "norte verdadeiro", "norte magnético" e "norte topográfico".

O QUE OS PRINCÍPIOS NÃO SÃO

Quando tratamos de princípios, é importante deixar claro tanto do que estamos falando quanto do que não estamos.

Não estamos falando de valores. Muitas pessoas acreditam que, pelo fato de darem valor a algo, basta alcançá-lo para obter qualidade de vida. Pensamos da seguinte maneira: "Serei feliz e satisfeito quando tiver mais dinheiro... quando meu talento for reconhecido... quando comprar uma casa de luxo ou um carro novo... quando me formar."

Mas se concentrar nos valores é uma das grandes ilusões da abordagem do gerenciamento do tempo tradicional. É conteúdo sem contexto. Essa abordagem nos faz visualizar o sucesso, definir metas, galgar degraus sem entender a realidade do "norte verdadeiro" na qual esses esforços devem ser baseados para serem eficazes. Basicamente, afirma que "coisas importantes" são as prioridades e que bastaria definir o que é importante para em seguida tentar conquistá-lo de forma eficiente. Esse comportamento pode levar à arrogância – pensar que podemos agir do jeito que quisermos e encarar as outras pessoas como "coisas" ou meios para nos ajudar a obter o que desejamos.

Valores *não* produzirão qualidade de vida, *a não ser que valorizemos princípios*. Parte vital da quarta geração é a humildade de reconhecer a existência de "prioridades" independentes de nossos valores. A qualidade de vida depende do grau em que tornamos essas "prioridades" nossas próprias prioridades e nos enchemos de energia para de fato colocá-las em primeiro lugar. Também é preciso humildade para reconhecer que a qualidade de vida não é "minha", mas "nossa"; que vivemos em uma realidade interdependente de abundância e potencialidades que só podem ser concretizadas quando interagimos com os outros de forma autêntica e cooperativa.

Mesmo todo o desejo e todo o trabalho no mundo, se não forem baseados em princípios válidos, não serão capazes de produzir qualidade de vida. Não basta sonhar. Não basta tentar. Não basta definir metas ou galgar degraus. Não basta reconhecer o valor. O esforço tem que se basear em realidades práticas que produzam resultados. Só então poderemos sonhar, definir metas, trabalhar para alcançá-las com a confiança necessária.

Não estamos falando de métodos. No meio da complexidade, recorremos a instruções por questão de segurança – fórmulas específicas de como fazer as coisas. Então nos concentramos nos métodos em vez de olharmos para os resultados. "Apenas me diga o que fazer. Liste as etapas que devo seguir." Podemos até obter resultados positivos com um método em particular em determinada situação, mas, se tentarmos usar a mesma fórmula em outras situações, veremos que na maioria das vezes não produzirá os resultados desejados. E quando depararmos com situações para as quais não existe um método prescrito, nos sentiremos perdidos e incompetentes.

Arnold Toynbee, grande historiador, afirmou que tudo na história pode ser escrito em uma simples fórmula: desafio, resposta. O desafio é criado pelo ambiente; e em seguida o indivíduo, a instituição, a sociedade apresenta uma resposta. Então, surge um novo desafio e uma nova resposta. A fórmula é repetida infinitamente.

O problema é que essas respostas são sistematizadas. Elas se sedimentam. Ficam entranhadas em nossa maneira de pensar e agir. Podem ganhar o status de procedimentos, bons métodos, mas quando nos vemos diante de um novo desafio, os velhos métodos não se aplicam. Eles se tornam obsoletos. Estamos na floresta tentando navegar com um mapa rodoviário.

Nossa sociedade segmentada e mecanicista nos mantém em um caleidoscópio girando, então nos aferramos a métodos, estruturas e sistemas para manter algum nível de previsibilidade em nossa vida. Mas, pouco a pouco, os desafios os tornam obsoletos. Essa é a ruína das pessoas e das instituições – ou mesmo das famílias, cujos pais não conseguem se adaptar à realidade dos filhos, que enfrentam desafios diferentes daqueles que eles mesmos enfrentaram quando jovens.

O poder dos princípios está no fato de serem verdades universais e eternas. Se entendermos e vivermos de acordo com os princípios, poderemos nos adaptar com extrema rapidez; poderemos aplicá-los em todas as situações. Se ensinarmos a nossos filhos princípios em vez de métodos, ou os princípios por trás dos métodos, eles ficarão preparados para enfrentar os desafios desconhecidos do futuro. Entender a aplicação do método pode satisfazer o desafio do momento, mas entender o princípio é satisfazer o desafio do momento com mais eficácia e se tornar capaz de enfrentar milhares de desafios no futuro.

Não estamos falando de "religião". Como os princípios dizem respeito a significados e à verdade, algumas pessoas talvez associem o que dizemos a respeito de princípios às próprias experiências, positivas ou negativas, com organizações religiosas ou teologia. Como ensinamos em diferentes partes do mundo, recebemos elogios de várias pessoas por nossa "renovada ética cristã" ou por estarmos relembrando "os ensinamentos de Buda" ou ainda por nossa mensagem ser "muito próxima da filosofia hindu". Em compensação, outros participantes ficam com um pé atrás quando ouvem o que ensinamos, porque identificam em nós "pitadas de religião", e para eles o termo "religião" possui implicações institucionais não necessariamente positivas. Em outro extremo, há aqueles que consideram que o que ensinamos sobre a importância da vida baseada em princípios é humanismo e que isso parece nos afastar completamente de Deus.

Não estamos falando de religião. Não estamos lidando com questões relacionadas à salvação, à vida após a morte ou mesmo à origem desses princípios. *Acreditamos que essas questões são importantes e devem fazer parte das preocupações de cada indivíduo.* No entanto, tais questões estão além do escopo deste livro. Não estamos lidando com o porquê de o "norte verdadeiro" existir, de onde vem ou como se deu; apenas com o fato de que ele está lá e que governa a nossa qualidade de vida. E embora identifiquemos a presença desses princípios nos escritos sagrados de todas as grandes religiões, eles foram lapidados pelas mentes, penas e discursos de filósofos, cientistas, reis, camponeses e santos de todas as partes do mundo ao longo da história.

Esses princípios algumas vezes recebem nomes diferentes dependendo do sistema de valores que o traduz. Como disse Emerson sobre o princípio da benevolência: "Todas as coisas se originam desse mesmo espírito, que pode ser chamado de amor, justiça e temperança em suas diferentes aplicações, assim como o oceano recebe diferentes nomes nas diversas praias que banha."[3] Os princípios fundamentais estão presentes e são reconhecidos – embora às vezes com nomes diferentes – em todas as grandes civilizaões de todas as épocas.

Portanto não estamos falando de valores, métodos ou religião, mas sobre a realidade do "norte verdadeiro" no qual a qualidade de vida se baseia. Esses princípios lidam com o que, a longo prazo, vai gerar felicidade e qualidade de vida, como serviço e reciprocidade, dizem respeito a processos de crescimento e mudança e envolvem leis que governam a satisfação eficaz de necessidades e capacidades humanas básicas.

Nos capítulos a seguir, apresentaremos muitos princípios essenciais a uma vida com qualidade. Mas nosso principal objetivo não é ser abrangente.

Nossa verdadeira intenção é mostrar a eficácia de uma abordagem baseada na procura contínua e no esforço de viver de forma coerente com essas verdades empoderadoras e eternas.

O QUE SÃO PRINCÍPIOS: A LEI DA COLHEITA

Uma das melhores maneiras de entender como somos governados por essas realidades extrínsecas é analisar a Lei da Colheita. Na agricultura, é fácil observar e concordar que as leis e os princípios naturais governam o trabalho e determinam a colheita. Nas culturas social e empresarial, porém, pensamos que somos capazes de nos livrar do processo natural, tapear o sistema e ainda assim ganhar o dia. E há um monte de evidências que parecem sustentar essa crença.

Por exemplo, você já deu um "jeitinho" na época do colégio e passou o semestre inteiro levando a vida na flauta para então virar a noite na véspera da prova final com a cabeça enfiada nos livros?

> (Stephen) Hoje tenho vergonha de admitir, mas levei o ensino médio na base do "jeitinho", me achando o cara mais esperto do mundo. Aprendi a burlar o sistema, a descobrir o que a professora queria. "Quais são as perguntas que ela faz na prova? Ela se baseia nas aulas? Fantástico. Então não preciso me preocupar em ler a teoria. E para a outra matéria? Tenho que ler o livro? Tudo bem, onde posso conseguir um resumo?" Eu queria ser aprovado sem comprometer meu estilo de vida.
>
> No entanto, mais tarde, entrei para uma faculdade com uma filosofia completamente diferente. Passei os primeiros três meses tentando compensar os anos de "jeitinho" na escola e acabei em um hospital com uma úlcera. Tentei subverter os processos naturais e descobri que, no longo prazo, eles não podem ser alterados. Fiquei anos me recuperando da tolice de seguir um sistema de valores que não estava atrelado a nenhum tipo de princípio.

Você pode se imaginar dando um "jeitinho" em alguma atividade agrícola? Caso se esquecesse de plantar na primavera, ignorasse todas as tarefas durante o verão e pegasse no pesado só no outono – arando o solo, semeando, irrigando, cultivando –, acredita que iria obter uma farta colheita da noite para o dia?

O "jeitinho" não funciona em sistemas naturais, como é o caso da agricultura. Essa é a diferença fundamental entre os sistemas social e natural. Um sistema social é baseado em valores; um sistema natural, em princípios. No curto prazo, o "jeitinho" dá a impressão de funcionar em um sistema social. Você utiliza "soluções rápidas" e técnicas e obtém aparente sucesso.

Mas, no longo prazo, é a Lei da Colheita que rege todas as arenas da vida. Quantas pessoas devem se arrepender de ter levado a escola na flauta? Conseguimos o diploma, mas não a formação. Em algum momento concluímos que há uma diferença entre ser bem-sucedido no sistema social da escola e ser bem-sucedido no desenvolvimento da mente – a habilidade de pensar de forma analítica, criativa e abstrata, de nos comunicar oralmente e por escrito, de ultrapassar fronteiras, de superar condutas antiquadas e de resolver problemas de um jeito novo, melhor.

E o caráter? É possível viver empurrando as coisas com a barriga e de repente se tornar uma pessoa íntegra, corajosa ou capaz de compaixão? E quanto à saúde física? Não adianta passar a noite que antecede a maratona em um spa, se há anos você leva uma vida sedentária à base de batatas fritas e tortas de chocolate.

E seu casamento? Saiba que a duração dele vai depender da lei que você escolher para governá-lo: a Lei da Escola ou a Lei da Colheita. Muitas pessoas se casam e não querem alterar seu estilo de vida. São o que chamamos de solteiros casados. Eles não se dão o trabalho de cultivar as sementes de um propósito compartilhado, do altruísmo, do carinho, da ternura e da consideração, e ainda assim se surpreendem na hora da colheita. As soluções rápidas do sistema social e as técnicas de ética de personalidade que tentam adotar para resolver o problema simplesmente não funcionam, porque paliativos não têm o poder de substituir as estações de plantio, cultivo e cuidado.

E o relacionamento com as crianças? Podemos pegar atalhos – somos maiores, mais espertos, temos autoridade. É possível elevar o tom de voz, ameaçar, impor nossa vontade. Podemos ainda tentar transferir a responsabilidade do ensino para as escolas, para as igrejas ou para as babás. Mas será que com o tempo esses atalhos desenvolvem adultos responsáveis, carinhosos e sábios, capazes de tomar decisões eficazes e de ter uma vida feliz? Será que nos levarão a relacionamentos enriquecedores e gratificantes com essas pessoas que deveriam ser nossos melhores amigos?

No curto prazo, as "soluções rápidas" obtêm aparente sucesso. Conseguimos impressionar, jogar charme. Aprendemos técnicas de manipulação

– qual alavanca puxar e qual botão apertar para obter a reação desejada. Mas, no longo prazo, a Lei da Colheita rege todas as áreas da vida. E não há como burlar a colheita. Como disse o Dr. Sidney Bremer em seu livro, *Spirit of Apollo*:

> A natureza é extremamente harmoniosa. Não podemos perturbar seu equilíbrio, pois sabemos que é regida pela infalível e inexorável Lei de Causa e Efeito. Entretanto, não conseguimos encontrar nosso equilíbrio enquanto nações e indivíduos, pois ainda não aprendemos que a mesma lei funciona de maneira inexorável tanto na vida humana e na sociedade quanto na natureza – só vamos colher o que plantarmos.[4]

ILUSÃO *VERSUS* REALIDADE

Os problemas começam a surgir quando semeamos uma coisa e esperamos colher outra completamente diferente.

Muitos de nossos paradigmas fundamentais e os processos e os hábitos que se originam deles jamais produzirão os resultados que desejamos. Esses paradigmas – criados por quem está à procura de atalhos, publicidade, programas de treinamento de um mês e 70 anos de literatura de sucesso baseada na ética da personalidade – são ancorados na ilusão da solução rápida, que não apenas influencia a consciência de nossas necessidades fundamentais, mas também a forma como tentamos satisfazê-las.

Necessidades físicas

Uma saúde vigorosa é baseada em princípios naturais. Ela se desenvolve ao longo do tempo com exercícios regulares, alimentação adequada, descanso apropriado, um cenário mental saudável e ao se evitar substâncias nocivas ao corpo. Mas, em vez de investirmos nisso, caímos na armadilha da ilusão da aparência: nutrimos a fantasia de que as roupas certas, a maquiagem ideal, os programas de emagrecimento rápido (que comprovadamente agravam o problema sem de fato resolvê-lo) satisfarão nossas necessidades físicas. Trata-se de uma promessa vazia. Ela traz contentamento no curto prazo, mas é um engodo. Não se sustenta. Não resiste ao tempo.

O bem-estar financeiro é baseado nos princípios de economia, trabalho e poupança para necessidades futuras, obtendo juros em vez de pagá-los. Mas vivemos com a ilusão de que ter "coisas" atende às nossas necessidades – independentemente do fato de serem compradas a crédito com juros e passarmos meses ou mesmo anos para pagar o dobro do que realmente valem só para a satisfação ilusória de uma gratificação instantânea. Ou ainda fantasiando ganhar na loteria ou em sorteios – a ilusão de que alguém ou algo "lá fora" resolverá magicamente todos os nossos problemas e nos eximirá da necessidade de desenvolver competência em assuntos financeiros.

Necessidades sociais
A realidade é que os relacionamentos de qualidade são construídos com base em princípios – sobretudo o da confiança. E a confiança provém da confiabilidade, do caráter de fazer e manter compromissos, compartilhar recursos, ser carinhoso e responsável, pertencer, amar incondicionalmente.

Entretanto, quando estamos sozinhos e sofrendo por causa da necessidade não atendida, não queremos que alguém nos diga para sair e fazer por onde para merecê-la, para nos tornarmos dignos da confiança e da afeição de alguém. É mais fácil acreditar na doce ilusão da gratificação sexual ou na ideia de que aparência e personalidade conquistarão afeição. É mais fácil conseguir uma solução rápida para o amor do que trabalhar para ser uma pessoa amada. E nossa cultura – música, livros, publicidade, filmes, programas de televisão – está repleta de ilusão.

Necessidades mentais
Costumamos fugir da realidade do desenvolvimento e do crescimento de longo prazo e buscá-los à base do "jeitinho". Estamos interessados em "conseguir o diploma, em seguida, arrumar o emprego, depois pegar o dinheiro, então poder comprar coisas e por fim ser bem-sucedido". Mas o que esse tipo de "sucesso" traz? O mesmo caráter e competência provenientes de um investimento profundo e contínuo em aprendizado e crescimento?

Necessidades espirituais
Aceitamos a ilusão de que o sentido da vida está no foco em si mesmo – a autoestima, o autodesenvolvimento, o autoaperfeiçoamento –, está em ter coisas para si, fazê-las para si, realizá-las como se bem quer e entende. No entanto, a literatura da sabedoria produzida ao longo da milenar história da humanidade ratifica sistematicamente a realidade de que, quando nos satisfazemos com o processo de nos aperfeiçoar, conse-

guimos ajudar o outro com mais eficácia. A qualidade de vida é obtida de dentro para fora. Obtemos sentido na contribuição, em viver para algo maior do que nosso próprio eu. E os resultados alcançados com a ilusão e com a realidade são tão diferentes quanto o mar Morto – águas paradas nas quais não há vida – e o mar Vermelho – onde as águas fluem e nutrem vida abundante.

Na área do gerenciamento do tempo, diversas técnicas e métodos são apresentados como soluções práticas, enérgicas e definitivas capazes de resolver problemas imediatos, mas a promessa implícita de fato é uma ilusão de solução rápida. As necessidades crônicas e subjacentes são ignoradas. As soluções não estão associadas aos princípios que promovem qualidade de vida no longo prazo. Retornamos para a satisfação superficial, ratificada pelos resultados que estamos obtendo.

A qualidade de vida não pode advir da ilusão. As soluções rápidas, chavões e técnicas da ética da personalidade que violam os princípios básicos jamais promoverão qualidade de vida.

Então, como descobrir e alinhar nosso comportamento com a realidade do "norte verdadeiro" que rege a qualidade de vida?

3. A POTENCIALIDADE DOS QUATRO DONS HUMANOS

Os seres humanos possuem qualidades únicas que os distinguem das demais espécies. Esses dons residem no espaço entre o estímulo e a reação, entre aquilo que nos acontece e como reagimos.

> (Stephen) Anos atrás, passeando por entre as estantes de uma biblioteca universitária, abri ao acaso um livro no qual encontrei uma das ideias mais poderosas e significativas às quais já tive acesso. Basicamente, a ideia era:
> "Entre o estímulo e a reação há um espaço.
> Nesse espaço está nosso poder de escolher nossa reação.
> Em nossa reação estão nosso crescimento e nossa liberdade."
> Essa ideia me atingiu com uma força fantástica. Nos dias que se seguiram, não parei de pensar nela. Ela influenciou de maneira significativa meu paradigma de vida. Descobrir nesse espaço a habilidade de escolher conscientemente minha reação.

Os dons que residem nesse espaço – autoconsciência, consciência, imaginação criativa e vontade independente – são a origem da mais importante liberdade humana: o poder de escolher, reagir, mudar. Elas criam a bússola que nos permite alinhar nossa vida com o "norte verdadeiro".

N

Autoconsciência
Consciência
Vontade independente
Imaginação criativa

- A **autoconsciência** é nossa capacidade de nos distanciar de nós mesmos e analisar nosso pensamento, motivações, história, roteiros, ações e hábitos e tendências. A autoconsciência nos permite tirar os "óculos" e olhar para eles e através deles. Possibilita nos tornar conscientes da história social e psíquica dos hábitos que nos foram incutidos e ampliar o espaço entre o estímulo e a reação.
- A **consciência** nos coloca em contato com a sabedoria de épocas passadas e a sabedoria do coração. É nosso sistema de orientação interno, que permite perceber quando agimos ou pensamos em agir de forma contrária ao princípio. Também nos dá uma noção do talento e da missão que apenas nós temos.
- A **vontade independente** é nossa capacidade de agir. Ela nos dá o poder de transcender nossos paradigmas, de nadar contra a corrente, de reescrever roteiros, de agir com base em princípios em vez de reagir em

função da emoção ou da circunstância. Embora as influências do ambiente ou genéticas possam ser muito poderosas, elas não nos controlam. Não somos vítimas. Não somos o produto de nosso passado. Somos o produto de nossas escolhas. Somos capazes de reagir, de responder, de escolher além de nossos humores e tendências. Temos o poder de agir com base em nossa autoconsciência, consciência e visão.

- **Imaginação criativa** é o poder de visualizar um estado futuro, criar algo em nossa mente e resolver problemas de modo cooperativo. É a qualidade que nos permite ver a nós mesmos e aos outros de um jeito diferente e melhor. Ela nos possibilita escrever uma declaração de missão pessoal, definir uma meta ou planejar uma reunião e também nos ajuda a visualizar nós mesmos praticando essa missão, meta ou planejamento mesmo nas circunstâncias mais desafiadoras e aplicando os princípios de forma eficaz em novas situações.

Os "movimentos" de autoaperfeiçoamento costumam reconhecer esses dons, mas costumam segmentá-los e tratá-los isoladamente.

- **Autoconsciência** é o foco do movimento de recuperação, bem como da psicanálise e da maioria das psicoterapias.
- **Consciência** é o foco da religião – o mundo da moralidade, do pensamento ético, das questões relacionadas ao sentido da vida e ao certo e ao errado.
- **Vontade independente** é a capacidade de realização, de "colocar a mão na massa" – arregaçar as mangas e lutar pelo que se deseja. Não há vitória sem sofrimento.
- **Imaginação criativa** é o foco dos movimentos de visualização e poder da mente, como o Pensamento Positivo, a Psicocibernética, a Mágica da Fé e a Programação Neurolinguística.

Embora cada abordagem desenvolva um ou mais dons humanos, nenhuma os reconhece como um todo inter-relacionado, sinérgico. Mas todos esses dons – e a sinergia entre eles – são necessários para uma vida plena. Não basta ter autoconsciência – reconhecer que o roteiro não está em harmonia com nosso eu profundo – se não tivermos imaginação criativa para visualizar um caminho melhor e vontade independente para iniciar a mudança. Não basta ter vontade independente para enfrentar as adversidades da vida se não desenvolvermos a consciência para descobrir o "norte verdadeiro" e vencer a racionalização e a justificativa que nos mantêm nos becos sem saída. Imaginação sem vontade independente pode criar um sonhador idealista; imaginação sem consciência pode criar um ditador.

O desenvolvimento de cada um dos quatro dons e a sinergia entre eles estão no cerne da liderança pessoal. É isso que permite dizer: "Posso examinar meus paradigmas. Posso examinar os resultados que eles estão produzindo. Posso usar minha consciência para determinar novos caminhos que estão em harmonia com princípios e com minha habilidade particular para contribuir. Posso usar minha vontade independente para fazer escolhas e iniciar mudanças. Posso usar minha imaginação criativa para superar minha realidade, encontrar novas alternativas."

COMO DESENVOLVER SEUS DONS HUMANOS

Todos temos cada um desses dons. Todos já tivemos momentos de autoconsciência. Já ouvimos e agimos em harmonia com algum imperativo interior. Fizemos algo de acordo com o que acreditamos ser importante em vez de reagir movidos pelas emoções ou pelas circunstâncias. Já tivemos momentos de visão, de criatividade inspirada.

Mas, quer admitamos conscientemente ou não, todos já tivemos momentos de absoluta cegueira, nos quais ignoramos ou resistimos aos clamores desse sistema interno de orientação, nos quais tivemos um comportamento altamente reativo, sem nenhuma visão ou imaginação.

A questão é: em que grau temos desenvolvido nossos dons e com que intensidade há sinergia em nossa vida?

Sugerimos que pare um momento para refletir sobre as questões a seguir. As respostas revelarão em que grau você desenvolveu e aplica esses dons em sua vida.

Depois de responder às perguntas, some os pontos marcados em cada um dos quatro dons. Analise o resultado de acordo com esta escala:

0-7. Qualidade inativa
8-12. Qualidade ativa
13-16. Qualidade altamente desenvolvida

Circule o número da escala que representa de maneira mais aproximada seus comportamentos ou atitudes normais em relação às declarações a seguir (0 = Nunca, 2 = Às Vezes, 4 = Sempre).

Autoconsciência

1. Sou capaz de me distanciar de meus pensamentos e sensações, examiná-los e alterá-los.

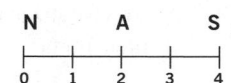

   N   A   S
   0 — 1 — 2 — 3 — 4

2. Tenho consciência de meus paradigmas fundamentais e da influência que exercem em minhas atitudes e comportamentos e nos resultados que obtenho em minha vida.

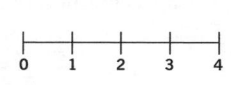

   0 — 1 — 2 — 3 — 4

3. Tenho consciência da diferença existente entre meus roteiros biológico, genealógico, psicológico e sociológico e meus próprios pensamentos profundos.

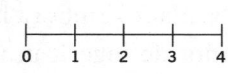

   0 — 1 — 2 — 3 — 4

4. Quando a reação de outras pessoas a mim, ou a algo que eu faço, desafia a forma como me vejo, sou capaz de comparar esse feedback com o conhecimento que tenho de mim mesmo e aprender com ele.

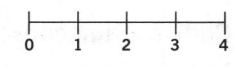

   0 — 1 — 2 — 3 — 4

Consciência

1. Algumas vezes ouço um aviso interior para que eu faça ou não algo.

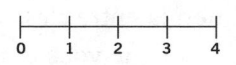

   0 — 1 — 2 — 3 — 4

2. Percebo a diferença entre a "consciência social" – o que a sociedade me condicionou a valorizar – e minhas próprias diretrizes interiores.

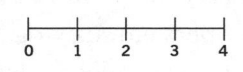

   0 — 1 — 2 — 3 — 4

3. No meu íntimo, percebo a realidade dos princípios do "norte verdadeiro", como a integridade e a lealdade.

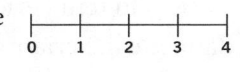

   0 — 1 — 2 — 3 — 4

4. Vejo um padrão na experiência humana – maior do que a sociedade em que vivo – que ratifica a realidade dos princípios.

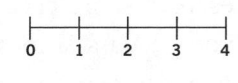

   0 — 1 — 2 — 3 — 4

Vontade independente

1. Sou capaz de fazer e manter promessas para mim mesmo e para os outros.

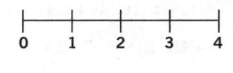

   0 — 1 — 2 — 3 — 4

2. Consigo agir motivado por meus próprios imperativos mesmo quando isso significa nadar contra a corrente.

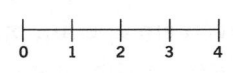

   0 — 1 — 2 — 3 — 4

3. Desenvolvi a habilidade de definir e conquistar metas significativas em minha vida.

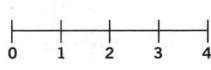

   0 — 1 — 2 — 3 — 4

4. Sou capaz de colocar meus humores em segundo plano para honrar compromissos.

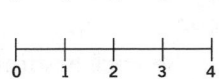

   0 — 1 — 2 — 3 — 4

Imaginação criativa

1. Antecipo o que está para acontecer.
2. Visualizo minha vida além da realidade do presente.
3. Uso a visualização para ajudar a reafirmar e a perceber minhas metas.
4. Procuro formas novas e criativas para resolver problemas e aprecio diferentes pontos de vista.

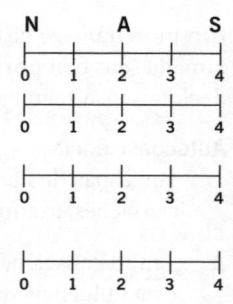

Para desenvolver esses dons, é preciso cultivá-los e exercitá-los com regularidade. Embora haja diversas formas de fazer isso, neste capítulo gostaríamos de sugerir uma maneira poderosa de desenvolvê-los individualmente e cultivar sinergia entre eles.

Cultive a autoconsciência com um diário

Um diário é uma importante atividade do quadrante 2, capaz de aumentar de modo significativo a autoconsciência e aperfeiçoar todos os dons e a sinergia entre eles.

O que você escreveria em um diário? Se não gosta do que vem obtendo, escreva sobre isso. Extravase no papel. Repare em como a Lei da Colheita opera em sua vida. Veja como as consequências têm uma raiz. Observe como os resultados podem ser associados a paradigmas, processos e hábitos.

Se não tem certeza do motivo pelo qual ainda faz certas coisas que sabidamente lhe criam problemas ou o estão destruindo, analise-as, processe-as, escreva sobre elas. Se seus pais tinham atitudes que o deixavam irritado e você dizia a si mesmo que jamais faria aquilo com seu filho, mas percebe que está agindo da mesma forma, escreva sobre isso. Essa prática ajuda a construir a consciência sobre o roteiro de sua vida. E isso o ajudará a fazer escolhas sábias.

Se você tiver um insight, aprender um princípio ou observar uma situação em que um princípio produziu determinados resultados, escreva sobre isso. Se teve uma intuição e resolveu segui-la ou ignorá-la, escreva sobre ela e o tipo de consequência que obteve. O processo vai ajudá-lo a prestar mais atenção em seu sistema interno de orientação. Ele amplia e educa sua consciência.

Se você assumir um compromisso, escreva sobre a forma como usa sua vontade independente para realizá-lo. Se você se comprometeu a se exercitar quatro vezes por semana, avalie os fatores que lhe deram ânimo para fazer isso – ou as razões pelas quais não fez. O compromisso foi assumido sem paixão, de modo impensado ou irreal? A promessa era um desafio grande demais para seu nível atual de vontade independente? Os compromissos que assume consigo mesmo recebem a mesma prioridade que os que assume com os outros? A consciência ampliada de sua vontade independente o ajuda a desenvolvê-la.

Visualize as possibilidades e escreva sobre elas. Sonhar desenvolve a imaginação criativa. Em seguida, teste seus sonhos. Eles são baseados em princípios? Você está disposto a fazer o que for necessário para conquistá-los?

Ao desenvolver a imaginação, poderá usá-la para criar em sua mente o que deseja fazer da vida. Ela é o projeto que precede a construção da casa, a concepção do diretor antes da interpretação dos atores. A criação de metas de longo, médio e curto prazos ajuda a tranformar a visão em realidade.

Você talvez esteja se sentindo frustrado. Pode ter se resignado, aceitando uma situação longe da ideal e achando que, se as coisas fossem diferentes, poderia realizar esses sonhos. Mas se você arriscar e trabalhar com afinco, perceberá que esses sonhos são ilusões, que você está desejando e esperando algo que jamais promoverá qualidade de vida.

Distancie-se de seus sonhos. Analise-os. Escreva sobre eles. Questione-os até se convencer de que estão baseados em princípios que trarão resultados. Em seguida, use sua imaginação criativa para explorar novas aplicações, novas formas de agir que estejam baseadas em princípios para transformar os sonhos em realidade.

A manutenção de um diário permite que você veja e aperfeiçoe, com a necessária regularidade, o modo como desenvolve e usa seus dons. Uma vez que o que escrevemos fica de fato gravado no cérebro, o diário também ajudará você a lembrar e a aplicar o que está tentando fazer. Além disso, é uma poderosa ferramenta contextual. Quando tiver a oportunidade – talvez em um retiro para renovação de declaração de missão – de ler sobre as experiências de semanas, meses ou anos atrás, os padrões e os temas recorrentes em sua vida ficarão nítidos.

Eduque a consciência aprendendo, ouvindo e respondendo

A existência da consciência é um dos conceitos mais presentes na literatura psicológica, sociológica, religiosa e filosófica ao longo da história. Da "voz interior" apresentada na literatura da sabedoria ao "inconsciente coletivo" da psicologia, passando pelo Grilo Falante, de Walt Disney, essa qualidade foi reconhecida e identificada como uma das principais partes do ser humano. Para Sigmund Freud, a consciência é basicamente um produto de nossa infância e cultura. Carl Jung reconhece a consciência social, mas também falou do inconsciente coletivo presente no espírito universal de todos os homens e mulheres.[5]

Quando trabalhamos com empresas no desenvolvimento de declarações de missão, percebemos nitidamente a existência desse inconsciente coletivo. Quando as pessoas mergulham profundamente em sua vida interior, independentemente de cultura, educação, religião ou raça, elas parecem seguir as Leis Básicas da Vida.

No entanto, a maioria de nós trabalha e vive em ambientes que não estimulam o desenvolvimento da consciência. Para ouvir a consciência com clareza, muitas vezes é preciso estar "tranquilo", "reflexivo" ou "meditativo" – uma condição que raramente escolhemos ou encontramos. Vivemos no meio do corre-corre, barulho, condicionamentos sociais e culturais, mensagens da mídia e paradigmas falhos que inibem nossa sensibilidade, nos impedindo de ouvir a tranquila voz interior com a qual podemos aprender os princípios do "norte verdadeiro" e nosso próprio grau de coerência com eles.

Mas se pararmos e abrirmos nosso coração para analisar, poderemos penetrar nesse manancial de sabedoria interior.

> (Stephen) Há alguns anos fui convidado por uma universidade a participar de um fórum que discutiria problemas e questões de interesse atual. Eu era um convidado entre muitos outros, cada um com um ponto de vista e formação diferentes.
>
> Na segunda noite, participei de um debate sobre a "nova moralidade" no alojamento dos estudantes. A casa estava lotada com cerca de 150 jovens. Eles enchiam a sala de estar, a sala de jantar, o corredor e os degraus da escada. Eu tive uma forte sensação de estar cercado e pressionado. Apresentei meu ponto de vista de que há um conjunto de princípios que são universais e que operam independentemente de qualquer indivíduo. Durante a apresentação, a plateia demonstrou grande resistência e bastante ceticismo.
>
> Quando o debate foi iniciado, dois eloquentes estudantes começaram a defender com ardor a ética situacional da "nova moralidade", baseada

na ideia de que não havia verdades ou padrões absolutos, mas que cada situação deveria ser encarada de acordo com as pessoas envolvidas e outros fatores porventura presentes. Um dos estudantes foi particularmente eficaz e persuasivo ao dar como exemplo uma questão que, para ele, extrapolava o certo ou o errado absoluto ou os princípios, mas que, dependendo da situação, era certo.

Embora seus pontos de vista tivessem conquistado a plateia, continuei a defender os princípios universais como a Lei da Colheita, a integridade, a moderação, a autodisciplina, a fidelidade e a responsabilidade. Eu sabia que minhas ideias não estavam sendo bem aceitas e que, para os estudantes, eu estava completamente "por fora". Tentei mostrar as terríveis consequências provocadas pela violação dos princípios. Aquele estudante persuasivo sentado na primeira fileira não se convenceu. Perguntei-lhe o que aconteceria se uma pessoa tomasse um veneno inconscientemente. As consequências não seriam terríveis? Ele respondeu que a analogia era fraca e que eu não estava dando a devida importância à liberdade individual.

Naquele momento, percebi que não chegaríamos a lugar algum. Então, olhei por cima da multidão e disse: "Basta consultar o coração para saber quem está com a razão. Todos nós temos uma consciência. Todos nós sabemos. E se pararem alguns momentos para pensar e ouvir com atenção o que diz o coração de vocês, saberão a resposta." Muitos zombaram e escarneceram.

Apesar de estar sendo ridicularizado, renovei o desafio: pedi que fizessem essa experiência, e, se no fim não tivessem ouvido a resposta da consciência à questão, estariam dispensados e não precisariam mais perder tempo comigo. A proposta os acalmou e a maioria pareceu disposta a realizar a experiência. Pedi que fizessem silêncio absoluto para que ouvissem o que o coração tinha a dizer sobre a seguinte pergunta: "O assunto discutido esta noite é um princípio verdadeiro ou não?"

Nos primeiros segundos, alguns jovens olharam ao redor para observar quem estava levando a experiência a sério, mas em menos de um minuto quase todos ficaram sentados tranquilamente, absortos em seus pensamentos. Muitos baixaram a cabeça. Depois de um minuto de silêncio, que deve ter durado uma eternidade para alguns, olhei para o indivíduo à minha esquerda, aquele que tinha sido tão persuasivo e tão convicto, e lhe perguntei: "Com toda a sinceridade, meu amigo, o que você ouviu?"

Ele foi direto ao assunto: "O que ouvi não foi o que eu estava dizendo."

Voltei-me para meu outro opositor e lhe fiz a mesma questão.

"Não sei", respondeu ele. "Não sei mesmo. Não tenho certeza de mais nada."

O ânimo do grupo tinha mudado completamente. Eles se tornaram contidos e quietos. Ficaram menos combativos e reativos e mais abertos a aprender.

Esse é o tipo de humildade que experimentamos quando percebemos que somos regidos pelos princípios – que existe uma realidade universal independente que é externa e à qual temos acesso por intermédio da consciência.

Mas como desenvolvemos a qualidade da consciência?

Vamos comparar o desenvolvimento de consciência ao desenvolvimento da competência física simbolizado por cinco pares de mãos. Um par pertence a um grande pianista, que pode encantar plateias com suas interpretações. O outro, a um habilidoso cirurgião, capaz de realizar delicadas operações nos olhos ou no cérebro que salvam vidas e a capacidade visual e racional de pacientes. O terceiro pertence a um grande golfista, que vence torneios ao dar grandes tacadas sob pressão. O quarto, a um homem cego, que lê a uma velocidade fantástica ao tocar as marcas em relevo sobre uma página. E o último par de mãos pertence a um grande escultor, capaz de fazer belas peças a partir de sólidos blocos de mármore ou granito.

Uma consciência altamente desenvolvida assemelha-se muito a esses pares de mãos. Foi preciso investir muito para treiná-las. Sacrifícios foram feitos e obstáculos, superados. Na verdade, é preciso mais disciplina, sacrifício e sabedoria para desenvolver a consciência do que para se tornar um grande escultor, golfista, cirurgião, pianista ou leitor de Braille. Mas a recompensa também é maior: uma consciência desenvolvida influencia todos os aspectos de nossas vidas.

Educamos nossa consciência com as seguintes atividades:

- Ler e refletir sobre os clássicos da sabedoria a fim de ampliar a consciência sobre os princípios do "norte verdadeiro" que abordam temas comuns a todas as épocas.
- Distanciar-se e aprender com a própria experiência.

- Observar atentamente a experiência dos outros.
- Reservar um tempo para ficar em paz e ouvir a voz de seu eu mais profundo.
- Responder a essa voz.

Não basta ouvir a consciência; também devemos responder a ela. Quando não conseguimos agir em harmonia com nossa voz interior, criamos um muro em torno da consciência que bloqueia nossa sensibilidade e receptividade. Como observou C. S. Lewis: "A desobediência à consciência a torna cega."[6]

À medida que entramos em contato com a sabedoria das épocas e a do coração, deixamos de ser dependentes do espelho social e nos tornamos uma pessoa de caráter e consciência. Nossa segurança não depende da forma como os outros nos tratam ou da comparação que fazemos com os demais. Ela provém de nossa integridade básica.

Estimule a vontade independente fazendo e mantendo promessas

Uma das melhores formas de ampliar nossa vontade independente é fazendo e mantendo promessas. Toda vez que assumimos um compromisso, realizamos depósitos em nossa "conta bancária de integridade". Essa metáfora descreve o grau de confiança que temos em nós mesmos, em nossa habilidade de colocar nossas ideias em prática.

Cuidado para não tentar abraçar o mundo com as pernas. Faça e mantenha uma promessa – mesmo que seja apenas a de se levantar mais cedo para praticar exercícios. Ou de não ver televisão à noite. Ou de ter uma alimentação que privilegie a boa nutrição.

Não viole esse compromisso em hipótese alguma e não superestime ou subestime seu potencial. Cuidado com os débitos que fizer de sua conta bancária de integridade. Dê um passo de cada vez, até sua noção de honra se tornar maior do que sua vontade. Analise com calma a realidade na qual se encontra e, ao chegar a uma conclusão, bata o pé e diga para si mesmo que vai fazer o que se propôs. E em seguida, não importa o que aconteça, faça.

Pouco a pouco, sua fé em si mesmo aumentará. E se aquilo com o que se comprometer for baseado em princípios, você se tornará cada vez mais uma pessoa baseada em princípios. Mantenha a promessa feita a si mesmo e veja sua conta bancária de integridade render.

(Stephen) Em certa ocasião, prestei consultoria a um homem cuja vida estava destroçada. Era cheia de altos e baixos. De vez em quando ele vinha à tona como um peixe-voador brilhando contra a luz do sol, para em seguida mergulhar em uma vida de procrastinação e egoísmo, fustigado por todas as urgências que o afligiam.

Comecei a incentivar esse homem a estabelecer relações com seus dons humanos, mas um passo de cada vez. Perguntei-lhe então:

– Você se levanta cedo quando diz que está planejando se levantar? Você vai se levantar cedo?

– O que isso tem a ver com as outras áreas de minha vida? – questionou ele.

– Seu corpo é seu principal instrumento. Se não assumir o controle dele, como poderá controlar o que seu corpo e sua mente expressam?

A partir de então, todas as noites ele decidia se levantar bem cedo no dia seguinte, mas uma mentalidade inteiramente nova parecia dominá-lo pela manhã. Ele se tornou um escravo; cultuava o colchão.

Fiz uma nova tentativa:

– Você vai se levantar no horário estipulado durante um mês?

– Sinceramente, não sei se consigo.

– Então, não se comprometa. Sua integridade está em jogo. Como você já percebeu, sua vida está totalmente despedaçada. Você não tem paz de espírito. Não faça uma promessa que não pode cumprir. Comece de baixo. Você acha que conseguiria durante uma semana?

– Sim, acho que durante uma semana eu consigo.

– Você vai se levantar na hora em que se comprometer a se levantar durante uma semana?

– Sim, eu vou.

Voltei a vê-lo na semana seguinte.

– Você conseguiu?

– Consegui.

– Meus parabéns! Você está começando a recuperar pequenos pedaços de sua vida. Agora, qual será o próximo compromisso?

Pouco a pouco, esse homem começou a assumir e a manter compromissos. Ninguém mais sabia de seu plano a não ser um amigo dele e eu, que o incentivávamos. Mas começamos a perceber uma mudança significativa. Antes, sua vida emocional era uma montanha-russa. Suas decisões eram tomadas ao sabor das circunstâncias e do humor. Ele fazia uma promessa e se sentia em condições de cumpri-la, mas, quando o humor e as circunstâncias eram desencorajadores, ele esmorecia e a quebrava. E algo dentro dele se rompia – sua integridade.

No entanto, quando começou o processo de fazer e manter pequenas promessas, sua vida emocional se equilibrou. Ele percebeu que fazer e manter promessas para si mesmo aumentava sua habilidade de fazer o mesmo em relação aos outros. Descobriu que sua falta de integridade comprometia seu relacionamento interpessoal. A partir de suas vitórias particulares, as vitórias públicas começaram a aparecer.

Como já disse um homem sábio: "As maiores batalhas que travamos se dão nas câmaras silenciosas de nossas almas." Precisamos nos perguntar: "Estou disposto a ser uma pessoa totalmente íntegra? Estou disposto a pedir desculpas quando cometo erros, a amar incondicionalmente, a considerar a felicidade dos outros tão importante quanto a minha?"

Parte de nosso roteiro e de nossa história pode indicar que não, que não fomos criados assim e não foi isso que aprendemos com o ambiente no qual vivemos. Mas eis que entra em cena nossa vontade independente, mostrando que somos capazes, que podemos superar nosso roteiro ou espelho social e que não precisamos seguir pelo mesmo caminho que os outros. Temos a chance de escolher agora nossa resposta para tudo o que já aconteceu em nossas vidas. Se os outros fazem isso ou não, é irrelevante. O que importa é que nós podemos analisar nosso papel nas situações, observar nossa resposta – e mudá-la.

Para aqueles que nos dizem que o mundo é duro e cruel, vale responder que conhecemos nossa força interior. Não queremos ofender; falamos isso por amor. Nossa vida é o resultado de nossas escolhas. Culpar e acusar outras pessoas, o ambiente ou outras externalidades é escolher permitir que fatores extrínsecos nos controlem.

A escolha é nossa: viver nossa própria vida ou deixar que os outros a vivam por nós. Ao fazer e manter promessas para nós mesmos e para os outros, aos poucos aumentamos nossa vontade independente até que nossa habilidade de agir seja mais poderosa do que qualquer uma das forças que agem sobre nós.

Desenvolva a imaginação criativa através da visualização
Imagine o seguinte cenário:

Gotas de suor começam a escorrer de seu rosto. É praticamente impossível respirar no intenso calor desse país latino-americano devastado pela guerra civil. A mulher que você acaba de libertar do cativeiro mantido por guerrilheiros agarra seu braço, desesperada, à beira de um colapso. Sua missão: devolvê-la com segurança para o pai, o embaixador. Você não tem armas, comida, meio de transporte nem qualquer meio de contato com o mundo. Cercado por tropas inimigas hostis, você percebe que seu frágil esconderijo logo será descoberto.

O que fazer?

Honestamente, não sabemos o que faríamos. Não sabemos o que você faria. Mas sabemos o que MacGyver faria.

Astro da série de televisão *Profissão perigo*, MacGyver é o mestre da engenhosidade. Não há situação da qual esse homem não consiga sair. Ele é o enigma da ficção policial, o homem sem armas, o homem com a *mente*. Com seu vasto conhecimento e criatividade, ele aproveita a sucata de um jipe dinamitado próximo aos arbustos nos quais está escondido para criar um espelho parabólico. Então utiliza o espelho para refletir os raios de sol na direção de um depósito de munição, que explode e distrai as tropas inimigas enquanto ele e a mulher fogem para uma cabana abandonada. Lá, ele consegue fabricar explosivos a partir de pedaços de coisas antigas e material de limpeza comum – só para o caso de algum bandido aparecer. Um rádio quebrado serve como matéria-prima para a construção de um transmissor que emite sinais para o helicóptero de resgate vir buscá-los.

Fantástico? Sim. Obviamente é pura ficção. Mas quem não gostaria de ter um gerente de marketing como MacGyver?

O "fator MacGyver", como gostamos de chamá-lo, é a encarnação da imaginação criativa. É a compreensão e a capacidade de aplicar princípios a várias situações. O fator MacGyver nos permite obter 4 ao somar 2 e 2 – e também 1 mais 3, 92 menos 88, 228 dividido por 57, uma variedade infinita de combinações fracionárias ou a raiz quadrada de 16.

O fator MacGyver ilustra a natureza empoderadora dos princípios. Se tivesse pensado em termos de método e ignorado os princípios, MacGyver e a filha do embaixador ainda estariam naquela prisão subterrânea, lamentando o fato de não terem uma granada de mão.

A compreensão do fator MacGyver é um dos aspectos mais empolgantes e energizantes da vida baseada em princípios. Os princípios são a simplicidade na extremidade oposta da complexidade. Para Alfred North Whitehead:

> Em certo sentido, o conhecimento é inversamente proporcional à sabedoria: pois os detalhes são engolidos pelos princípios. Os detalhes do conhecimento relevantes serão aplicados a situações específicas da vida, mas o hábito de aplicar princípios bem entendidos é a posse definitiva da sabedoria.[7]

Com uma sólida compreensão dos princípios, é fácil ver que a Lei da Colheita se aplica ao desenvolvimento pessoal da mesma forma que ao crescimento dos tomates – ou que o mesmo princípio de sinergia que torna possível duas tábuas suportarem mais peso juntas do que o peso suportado por cada uma separadamente somado também permite que duas pessoas encontrem uma solução melhor juntas do que sozinhas.

O processo que sugerimos para ajudar a desenvolver a imaginação criativa é a visualização: um exercício mental transcendental usado por atletas de elite e atores. Mas, em vez de usá-lo para aperfeiçoar sua performance no esporte ou seu desempenho como ator, sugerimos que experimente usá-lo para melhorar sua qualidade de vida.

Reserve um tempo para ficar sozinho, sem interrupções. Feche os olhos e visualize a si mesmo em alguma situação que normalmente o deixaria desconfortável ou em sofrimento. Algo que o tira do sério. Seu chefe o repreende. Sua filha adolescente reclama que você nunca compra roupas para ela. Seus colegas de trabalho espalham uma fofoca a seu respeito.

Use sua autoconsciência para se distanciar dos pensamentos e das sensações habituais que a situação criaria. Na sua mente, em vez de se ver reagindo como normalmente aconteceria, veja-se agindo com base em princípios que com certeza promoverão qualidade de vida. Veja-se interagindo com os outros de um jeito que combine coragem e consideração. Use o fator MacGyver para observar como aplicar princípios em situações diferentes. O valor desse exercício é multiplicado se você o utiliza para internalizar os princípios e os valores em uma poderosa declaração de missão.

A melhor maneira de prever o futuro é criá-lo. É possível usar o mesmo poder de imaginação criativa que lhe permite ver uma meta antes de realizá-la ou planejar uma reunião para criar grande parte da própria realidade antes de vivê-la.

A HUMILDADE DOS PRINCÍPIOS

A partir do paradigma de que os princípios existem – e de que só seremos eficazes quando descobrirmos e vivermos em harmonia com eles – surge o sentido de humildade. Não estamos no controle de nossa vida; os princípios é que estão. Paramos de ignorar as leis do bom senso. Cultivamos atitudes didáticas, hábitos de aprendizado contínuo. Ficamos envolvidos em uma busca contínua para entender e viver em harmonia com as Leis Básicas da Vida. Libertamo-nos da arrogância que nos cega a autoconsciência e a consciência.

Nossa segurança não é baseada na ilusão do pensamento comparativo – sou mais bonito, tenho mais dinheiro, meu emprego é melhor ou trabalho mais do que todo mundo. Nem nos sentimos inseguros se não formos tão bonitos nem se não tivermos tanto dinheiro ou prestígio quanto outra pessoa. É irrelevante. A razão de nossa segurança está em nossa integridade com o "norte verdadeiro".

Quando fracassamos, cometemos um erro ou tropeçamos em um princípio, nós nos perguntamos que tipo de lição podemos tirar da situação. Seguimos o princípio de aprender com ela, para transformarmos nossas fraquezas em virtudes. Confrontamos o comportamento com a verdade de uma forma que representa a confiança na verdade e o reconhecimento de nossa habilidade de aprender e mudar.

A humildade é a mãe de todas as virtudes. Deixamos de ser o princípio ou o fim e nos tornamos um meio, um veículo, um agente. A humildade expande todos os outros aprendizados, o crescimento e o processo. Com a humildade advinda de uma vida centrada em princípios, nós nos sentimos capazes de aprender com o passado, ter esperança no futuro e agir com confiança no presente. Essa confiança é uma garantia, com base na evidência da Lei da Colheita – observada em todo o mundo, ao longo da história, e em nossas próprias vidas –, de que, se agirmos de acordo com princípios, obteremos qualidade de vida.

A CAMINHO DA QUARTA GERAÇÃO

Nossa experiência mostra que a maioria das pessoas que pensa profundamente sobre suas experiências e a dos outros sabe que todos nós temos necessidades e capacidades básicas fundamentais à realização humana. Elas têm consciência de alguns princípios do "norte verdadeiro" que melhoram a vida. Já tiveram alguma experiência com os dons que lhes permitem alinhar sua vida com o "norte verdadeiro". De certa forma, este capítulo apenas relembra coisas que, lá no fundo, a maioria das pessoas sabe. O fato de as conhecermos – e de elas não se refletirem em nosso dia a dia – é o que provoca a frustração da lacuna entre a bússola e o relógio. Nosso problema, podemos dizer assim, "é resgatar a sabedoria que já temos".

Nossa experiência também mostra que a maioria das pessoas realmente deseja estar na quarta geração. Elas desejam colocar as pessoas na frente do tempo, a bússola na frente do relógio. Querem levar uma vida plena de sentido e contribuição. Querem viver, amar, aprender e deixar um legado com equilíbrio e alegria.

No entanto, é bastante comum que o gerenciamento do tempo tradicional se coloque no caminho. Os calendários, os cronogramas e as agendas da terceira geração ignoram as coisas importantes e se concentram apenas nas urgentes. Fomentam a culpa quando não cumprimos prazos ou não riscamos todos os itens da lista. Inibem a flexibilidade e a espontaneidade. Costumam criar um desalinhamento entre o que é realmente importante e o modo como vivemos. Por todas essas razões, muitas pessoas que usam essas ferramentas não o fazem da maneira que pretendiam.

Certamente, desejamos o grande benefício das três primeiras gerações – eficiência, definição de prioridades, produtividade, realização de metas –, mas isso não basta. Fazer mais com maior rapidez não significa fazer o que é certo. Precisamos de uma geração de teoria e ferramentas que nos possibilitem usar nossos dons para realizar nossas necessidades e capacidades básicas de forma equilibrada, baseada em princípios.

Em resumo, o poder de criar qualidade de vida não está em nenhuma agenda tampouco em alguma técnica ou ferramenta. E não está limitado à nossa habilidade de planejar um dia. Ninguém é onisciente. Não sabemos quais são as oportunidades, os desafios, as surpresas, os lamentos ou os prazeres inesperados que nos aguardam na próxima esquina.

O poder de criar qualidade de vida está dentro de nós – em nossa habilidade de desenvolver e usar nossa bússola interna de modo que possamos agir com integridade no momento da escolha –, quer estejamos planejando a semana, contornando uma crise, fazendo o que manda nossa consciência, atendendo um cliente enfurecido ou passeando. Para ser eficaz, uma ferramenta deve estar alinhada com essa realidade e aperfeiçoar o desenvolvimento e o uso dessa bússola interna.

Parte II
FOQUE PRIMEIRO O MAIS IMPORTANTE

Nesta parte, apresentaremos o processo de gerenciamento do quadrante 2 – um processo semanal de 30 minutos que lhe permitirá desenvolver qualidade de vida tendo como base necessidades, princípios e dons. À medida que nos aprofundarmos nas etapas desse processo, abordaremos questões como:

- Imagine que está planejando um dia. Como sabe o que realmente é o mais importante a fazer? O que determina suas prioridades: urgência e valores ou uma visão e uma missão empoderadoras baseadas em princípios capazes de criar qualidade de vida?
- O que você faz quando se sente dividido entre os diversos papéis que desempenha na vida, como o trabalho e a família ou as atividades comunitárias e de desenvolvimento pessoal? Correr de um lado para outro tentando fazer de tudo um pouco é o mesmo que "equilíbrio"?
- Imagine que já tem o dia planejado e de repente surge uma pessoa com uma necessidade "urgente". Como saber se o "melhor" é mudar suas prioridades? Você pode fazer essa mudança com a confiança e a tranquilidade de que está colocando o que é mais importante em primeiro lugar?
- Imagine que no decorrer do dia surge uma oportunidade inesperada. Como saber se o "melhor" é aproveitar a oportunidade ou se manter fiel ao planejamento original?

Você perceberá os benefícios do processo na primeira vez que usá-lo. Você será capaz de deslocar o foco da "urgência" para a "importância" e aprenderá a criar uma estrutura flexível para a tomada de decisão em vez de seguir uma agenda rígida.

Sua experiência será ainda mais poderosa à medida que nos aprofundarmos em cada etapa, nos Capítulos 5 ao 10. Nesses capítulos, falaremos sobre:

- o poder transformador de uma visão e de uma missão baseadas em princípios;
- como criar equilíbrio e sinergia entre os diversos papéis que desempenhamos em nossa vida;
- como estabelecer e realizar metas baseadas em princípios;
- por que a perspectiva semanal faz uma diferença tão grande ao colocarmos o mais importante em primeiro lugar;
- como agir com integridade ao fazer uma escolha – ou seja, nos momentos cruciais do dia a dia;
- como criar uma espiral ascendente de aprendizado.

No fim de cada capítulo, há sugestões de metas que podem ser definidas durante a organização da semana. Algumas ideias podem ser mais úteis do que outras. E esperamos que você tenha as próprias ideias. Depois de passar por esses capítulos, você voltará ao processo com um novo olhar. Com o tempo, será capaz de enxergar como a organização do quadrante 2 pode lhe dar plenos poderes para viver, amar, aprender e deixar um grande e duradouro legado.

A chave para a qualidade de vida é a bússola – as escolhas que fazemos todos os dias. Quando aprendemos a consultar nossa bússola interna entre o estímulo e a resposta, podemos enfrentar as mudanças sem perder o prumo, seguros de estarmos sendo verdadeiros com os princípios e com o nosso propósito, e de estarmos colocando as prioridades em primeiro lugar.

4

Gerenciamento do quadrante 2: O processo de colocação das prioridades em primeiro lugar

Onde não há jardineiro, não há jardim.

(Roger) Há algum tempo, um consultor de empresas resolveu se mudar e contratou uma amiga para desenvolver um projeto paisagístico para a nova propriedade. Ela tinha doutorado em horticultura e era extremamente capaz e criativa.

O consultor tinha uma grande visão para seu jardim e, como era bastante ocupado e viajava muito, insistiu com a amiga na necessidade de criar o jardim de modo a eliminar ou reduzir o máximo possível o trabalho de manutenção. Insistiu que deveria haver esguichos automáticos e outros aparelhos do gênero, capazes de poupar-lhe trabalho. Ele estava sempre procurando formas de reduzir o tempo que precisaria passar cuidando das coisas.

Por fim, ela parou e disse: "Fred, sei exatamente o que está querendo. Mas você precisa colocar uma coisa na sua cabeça: se não houver jardineiro, não haverá jardim!"

A maioria das pessoas consideraria fantástico colocar o jardim – ou a própria vida – no piloto automático e, sabe-se lá como, obter os mesmos resultados que só são possíveis com o cultivo cuidadoso e sistemático daquilo que gera qualidade de vida.

Só que não é bem assim que a vida funciona. Não podemos jogar algumas sementes ao léu, deixá-las ao deus-dará enquanto nos dedicamos a outros afazeres e acreditar que, ao voltarmos, encontraremos uma bela horta, pronta para encher nossa cesta com uma farta colheita de feijão, milho, batata, cenoura e ervilha. É preciso regar, cultivar e capinar regularmente a plantação se pretendemos aproveitar a colheita.

Nossas vidas produzirão de qualquer maneira. As coisas vão crescer. Mas a diferença entre a negligência e nosso envolvimento ativo como jardineiros é a mesma entre um belo jardim e um canteiro tomado por ervas daninhas.

Este capítulo descreve o processo da jardinagem. Identifica o que é importante e como devemos nos concentrar em seu desenvolvimento. Falamos sobre plantação, cultivo, rega e capinagem, e sobre como aplicar o paradigma da importância para criar qualidade de vida. É também sobre uma atividade de alta alavancagem que pode ser realizada em apenas 30 minutos semanais. E qualquer que seja sua qualidade de vida atual, o processo do quadrante 2 produzirá resultados significativos.

De certa forma, esse processo é uma espécie de atendimento de primeiros socorros para tratar a síndrome da urgência. Se você ainda não teve a oportunidade de refletir profundamente sobre as necessidades e os princípios que regem sua vida e age segundo o paradigma da urgência, ele o ajudará a deslocar o pensamento da urgência para a importância e a agir em função da importância em vez de reagir com base nas emoções ou nas circunstâncias.

Por outro lado, cria uma estrutura para você organizar seu tempo e assim se concentrar nas necessidades e nos princípios e começar a aplicá-los em sua vida. Por meio do processo de organização, você aumenta o tempo do quadrante 2 para entrar em contato com seu eu mais profundo, cria uma declaração de missão baseada em princípios que lide com as quatro necessidades e desenvolve a capacidade pessoal para entender e alinhar suas atitudes aos princípios que regem a qualidade de vida.

Em outro nível, esse processo permite transformar sua declaração de missão pessoal na base de seu cotidiano. Da missão para o momento, você se sentirá empoderado para viver com integridade e priorizar o que é mais importante de maneira equilibrada e centrada em princípios.

Ao apresentarmos as etapas do processo, vamos sugerir que as analise com muito cuidado. Anote tudo. Quanto maior for seu envolvimento, mais significativo será seu aprendizado. Sugerimos que observe a planilha apresentada adiante e então a utilize para organizar a próxima semana de acordo com o processo de seis etapas apresentado.

Os formulários usados neste capítulo são parte de um sistema organizacional que desenvolvemos baseado no quadrante 2. É fundamental ressaltar que o sistema não é uma "ferramenta mágica"; foi desenvolvido a fim de aperfeiçoar o processo de organização do quadrante 2. No entanto, o mesmo processo pode ser feito em uma agenda adaptada, um computador, um caderno ou mesmo um guardanapo de papel. É importante se certificar de que, qualquer que seja o sistema usado, ele esteja alinhado com o que você está tentando fazer. Um sistema cujo foco seja dar prioridade às atividades urgentes dos quadrantes 1 e 3 será um obstáculo aos esforços que realizar na transição para o quadrante 2.

O PLANEJAMENTO SEMANAL

Ao observar a planilha da página 92, você perceberá que ela é diferente da maioria das ferramentas de planejamento, já que se trata de uma página semanal, não diária.

A semana oferece contexto. Existe na internet um fantástico vídeo de dois ou três minutos no qual a câmera mostra uma sequência do que parecem ser grandes montanhas e vales, apresentando diversas perspectivas do relevo de uma vasta área geográfica. A cada movimento da câmera, ficamos sem saber ao certo o que estamos vendo. Seriam montanhas ondulantes de uma área inexplorada? Seriam gigantescas dunas de um deserto distante? Depois de alguns momentos, a câmera se distancia lentamente de modo que o todo se torna visível. As montanhas e vales são a inconfundível casca de uma laranja!

O planejamento diário oferece uma visão limitada. O quadro é tão fechado que em geral só conseguimos ver o que está bem na nossa frente. A urgência e a eficiência ocupam o lugar da importância e da eficácia. A organização semanal, por outro lado, oferece um contexto mais amplo do que vamos fazer. Permite que vejamos as "montanhas" do jeito que realmente são. As atividades diárias começam a assumir dimensões mais apropriadas quando vistas no contexto semanal.

PRIMEIRA ETAPA: CONECTE-SE COM SUA VISÃO E COM SUA MISSÃO

Quando começar a organizar a próxima semana, a primeira etapa é saber o que é mais importante em sua vida como um todo. O contexto dá sentido. Considere a situação toda – com o que você se importa, o que torna os momentos de sua vida significativos. A chave para essa conexão está na clareza de sua visão sobre questões como:

- *O que é mais importante?*
- *O que dá sentido à sua vida?*
- *O que você quer ser e fazer em sua vida?*

Muitas pessoas encontram as respostas a essas perguntas em uma crença pessoal ou em uma declaração de missão escrita. Essas declarações capturam o que você quer ser e o que quer fazer da vida e os princípios que sustentam o ser e o fazer. É fundamental ter clareza nessas questões, pois suas respostas influenciam todo o restante – as metas que você define, as decisões que toma, os paradigmas que segue, o modo como usa o tempo. Voltando para a metáfora da escada, uma declaração de missão pessoal oferece o critério fundamental para decidir em qual parede sua escada vai ser encostada.

Como essa questão está na base de tudo, é a primeira etapa natural do processo do quadrante 2. Por que agendar atividades e compromissos que não estão alinhados com seu propósito? A conexão com sua missão pessoal é o ponto de partida do paradigma da importância. Ela influencia de maneira significativa o modo como você realizará o restante do processo do quadrante 2. Se sua missão contém itens como crescimento pessoal, envolvimento familiar, qualidades de ser ou áreas de contribuição, revê-los reforçará essas prioridades em sua mente, criando uma poderosa estrutura de tomada de decisão nas etapas que se seguem.

No Capítulo 5, vamos nos ater à área da visão e da missão pessoais. Analisaremos como você pode criar uma declaração de missão empoderada, capaz de promover qualidade de vida e paixão.

Se você ainda não tiver uma declaração de missão pessoal, poderá ter uma noção do que é importante para você ao realizar estes exercícios:

- *Liste as três ou quatro coisas que considera prioritárias em sua vida.*
- *Considere qualquer meta de longo prazo que você possa ter estabelecido.*
- *Pense sobre os relacionamentos mais importantes de sua vida.*
- *Pense sobre as contribuições que gostaria de fazer.*
- *Reafirme o que você quer ter em sua vida: paz, confiança, felicidade, sensação de contribuição e significado.*
- *Pense sobre como você passaria essa semana se soubesse que tem apenas seis meses de vida.*

Para avaliar o impacto que uma declaração de missão pessoal poderia ter em sua vida, responda às seguintes perguntas:

- *Como uma visão clara de meus princípios, valores e objetivos básicos mudaria minha forma de usar o tempo?*
- *Como eu me sentiria em relação à minha vida se soubesse o que é de fundamental importância para mim?*
- *Seria importante ter uma declaração escrita de meu objetivo de vida? Afetaria a forma como uso meu tempo e minhas energias?*
- *Como uma reconexão semanal com essa declaração influenciaria as coisas que escolho fazer durante a semana?*

Se você tiver uma declaração de missão, este é o momento de revisá-la, antes de decidir como vai usar os próximos sete dias de sua vida. Reconecte-se com aquilo que é profundamente importante para você. Se não tiver uma declaração de missão, dedique alguns momentos para se conectar com sua bússola interna e refletir sobre o que mais importa em sua vida.

| 1 | Conecte-se à missão | 3 | Identifique as metas | 5 | Exercite diariamente a integridade no momento da escolha |
| 2 | Reveja seus papéis | 4 | Organize-se semanalmente | 6 | Avalie |

PAPÉIS	METAS	LEMBRETES	SEGUNDA-FEIRA	TERÇA-FEIRA
Físico / Social/Emocional / Mental / Espiritual — AFINAR O INSTRUMENTO		7		
		8		
		9		
M		10		
I — PAPEL 1		11		
S		12		
S		1		
Ã — PAPEL 2		2		
O		3		
PAPEL 3		4		
		5		
		6		
PAPEL 4		7		
		8		
		9		
PAPEL 5		OUTRAS PRIORIDADES	OUTRAS PRIORIDADES	
PAPEL 6				
PAPEL 7				

SEGUNDA ETAPA: IDENTIFIQUE SEUS PAPÉIS

Nossa vida é dividida em vários papéis – não no sentido de atuação ou fingimento, mas no sentido de papéis autênticos que escolhemos desempenhar. Podemos ter papéis importantes no trabalho, na família, na comunidade ou em outras áreas da vida. Os papéis representam responsabilidades, relacionamentos e áreas de contribuição.

Grande parte de nosso sofrimento se origina da percepção de que o sucesso que obtemos em um papel é alcançado à custa da negligência de outros, que talvez sejam mais importantes do que aquele ao qual estamos dando prioridade. Podemos ter um excelente desempenho como vice-presidente da empresa, mas ser um verdadeiro fracasso como pai ou marido. Talvez satisfaçamos as necessidades de nossos clientes, mas não conseguimos atender às nossas próprias necessidades de desenvolvimento e crescimento pessoais.

Um conjunto claro de papéis fornece uma estrutura natural para criar ordem e equilíbrio. Se você tiver uma declaração de missão, os papéis que desempenha na vida surgirão a partir dela. Equilibrar-se entre eles não sig-

Março 12-18 13ª Semana	MAR	FEV	D S T Q Q S S
			                1 2 3
			4 5 6 7 8 9 10
			11 12 13 14 15 16 17
			18 19 20 21 22 23 24
			25 26 27 28
				MAR	D S T Q Q S S
					                1 2 3
					4 5 6 7 8 9 10
					11 12 13 14 15 16 17
					18 19 20 21 22 23 24
					25 26 27 28 29 30 31
						ABR	D S T Q Q S S
							1 2 3 4 5 6 7
							8 9 10 11 12 13 14
							15 16 17 18 19 20 21
							22 23 24 25 26 27 28
							29 30

QUARTA-FEIRA	QUINTA-FEIRA	SEXTA-FEIRA	SÁBADO	DOMINGO
OUTRAS PRIORIDADES	OUTRAS PRIORIDADES			

nifica apenas que você dedica um pouco de tempo a cada papel, mas que, juntos, os papéis contribuem para a realização de sua missão.

O Capítulo 6 apresentará uma análise mais detalhada sobre os papéis e o equilíbrio entre eles. Por ora, limite-se a listar os papéis que vêm à sua mente do modo que achar mais conveniente. Não tenha a pretensão de defini-los com precisão logo na primeira tentativa. Talvez sejam necessárias várias semanas até você sentir que captou as diversas facetas de sua vida. Esse processo não tem uma fórmula – outra pessoa que realiza as mesmas tarefas que você talvez defina os papéis de um jeito diferente. Além disso, eles devem mudar no decorrer dos anos. Você pode trocar de emprego, associar-se a um clube, casar-se ou tornar-se pai ou avô.

Você pode definir seu papel na família apenas como "integrante". Ou pode dividi-lo em dois, por exemplo "marido" e "pai", "esposa" e "mãe", "filha" e "irmã". Algumas áreas de sua vida, como a profissional, às vezes envolvem diversos papéis: um na administração, outro no marketing, um terceiro no departamento pessoal e outro no planejamento de longo prazo. Talvez você também queira ter um papel que reflita seu desenvolvimento pessoal.

Um executivo de desenvolvimento de produtos pode definir seus papéis desta forma:

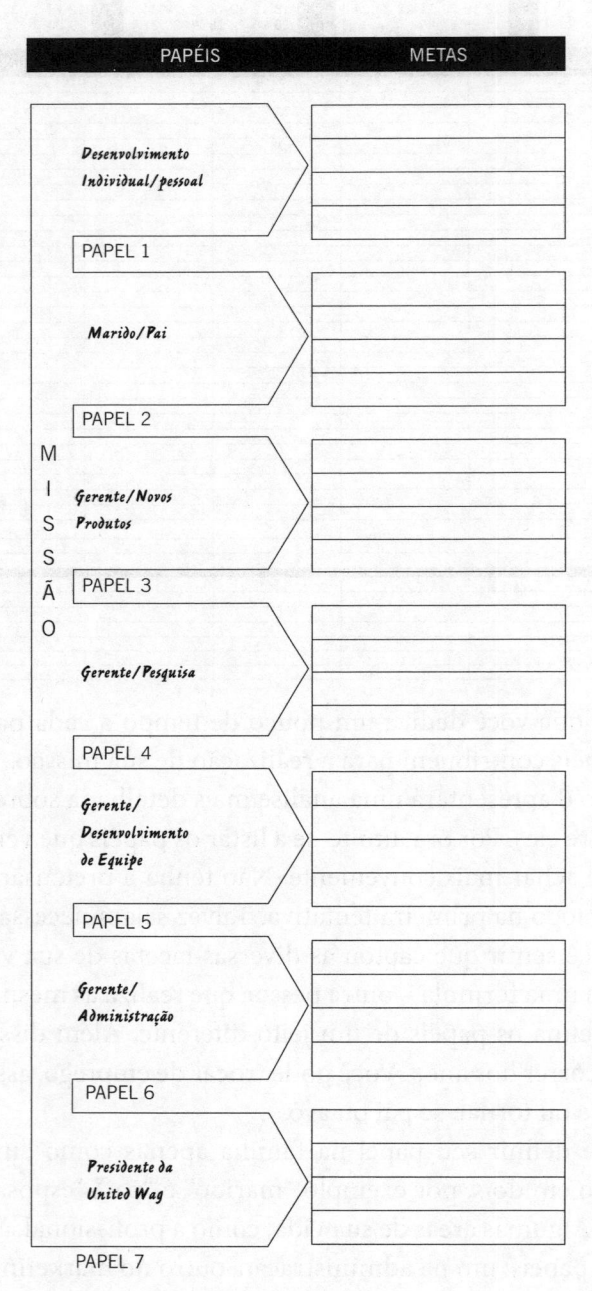

MISSÃO	PAPÉIS	METAS
	Desenvolvimento Individual/pessoal (PAPEL 1)	
	Marido/Pai (PAPEL 2)	
	Gerente/Novos Produtos (PAPEL 3)	
	Gerente/Pesquisa (PAPEL 4)	
	Gerente/Desenvolvimento de Equipe (PAPEL 5)	
	Gerente/Administração (PAPEL 6)	
	Presidente da United Wag (PAPEL 7)	

Já uma corretora de imóveis que trabalhe em regime de meio-expediente pode listar os seguintes papéis:

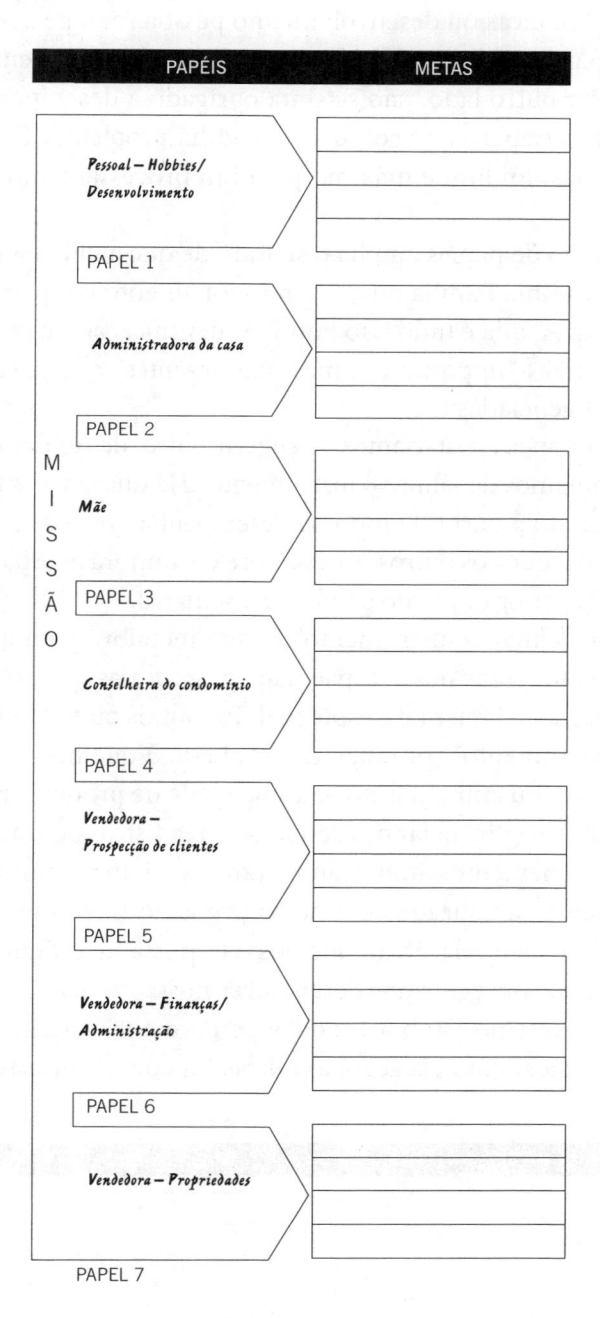

PAPÉIS	METAS
Pessoal – Hobbies/Desenvolvimento (PAPEL 1)	
Administradora da casa (PAPEL 2)	
Mãe (PAPEL 3)	
Conselheira do condomínio (PAPEL 4)	
Vendedora – Prospecção de clientes (PAPEL 5)	
Vendedora – Finanças/Administração (PAPEL 6)	
Vendedora – Propriedades (PAPEL 7)	

MISSÃO

Como os estudos mostram que é menos eficaz tentar gerenciar mentalmente mais de sete categorias, sugerimos que tente combinar funções, como administração/finanças ou desenvolvimento pessoal/equipe a fim de limitar o número de papéis. Essa medida facilitará a organização mental em torno dessas áreas. Por outro lado, não se sinta obrigado a desempenhar sete papéis. Se identificar apenas cinco ou seis, não há problema. O número sete representa apenas um limite máximo para um processamento mental confortável.

A identificação de papéis amplia o sentido de que a vida não está restrita a um emprego, a uma família ou a um relacionamento em particular e promove bem-estar. A vida é tudo isso junto. A identificação de papéis também pode destacar áreas "importantes, mas não urgentes" que atualmente estejam sendo negligenciadas.

Além desses papéis, gostaríamos de sugerir outro, de fundamental importância, que chamamos de "afinar o instrumento". Há duas razões para que esse papel seja colocado à parte: 1) todos o desempenhamos e 2) é fundamental para o sucesso de todos os outros papéis. Você encontrará esse papel representado no canto superior esquerdo da planilha semanal.

A expressão "afinar o instrumento" é uma metáfora para a energia que investimos em aumentar nossa capacidade pessoal nas quatro áreas fundamentais – física, social, mental e espiritual. Passamos tanto tempo ocupados em "tocar o instrumento" (produzindo resultados) que nos esquecemos de "afiná-lo" (manter ou aumentar nossa capacidade de produzir resultados no futuro). Podemos negligenciar os exercícios (área física) ou fracassar em desenvolver relacionamentos importantes (área social/emocional). Às vezes não nos mantemos atualizados em nossa profissão (área mental). E podemos não ser claros em relação ao que nos é importante e significativo (área espiritual). Se não conseguirmos desenvolver nossa capacidade pessoal nessas áreas, logo estaremos "robotizados" e perderemos o equilíbrio. Seremos incapazes de avançar com eficácia nas outras funções de nossas vidas.

PAPÉIS	METAS
Físico	
Social/Emocional	
Mental	
Espiritual	

AFINAR O INSTRUMENTO

Ouvimos com frequência histórias de atletas que passaram anos treinando com afinco e se preparando com rigor para participar das Olimpíadas. Eles reproduzem mentalmente seu desempenho, visualizando repetidas vezes os detalhes de sua atuação. É deles mesmos que vem a força que lhes permite obter sucesso na competição. Eles não se tornam vencedores de uma hora para outra, treinando apenas quando é possível ou conveniente. Nós também não podemos esperar que teremos a capacidade de aproveitar a vida plenamente sem cuidar ou preparar nossas fontes de energia.

Você pode achar que o "papel" de afinar o instrumento se mistura ao de desenvolvimento pessoal, definido anteriormente. Não tem problema. O importante é que nenhuma das quatro áreas seja negligenciada. Algumas pessoas usam o "afinar o instrumento" para organizar as atividades de "investimento" semanal, como exercícios físicos diários ou leitura de interesse pessoal, e usam um dos outros papéis para lidar com questões de longo prazo, como o planejamento da carreira ou a formação profissional continuada. Na verdade, trata-se apenas do que você acha que é mais conveniente e funciona melhor para você.

Também é importante perceber que esses papéis não são "departamentos" separados da vida. Eles formam um todo altamente inter-relacionado. Ao identificar seus papéis, você não vai decompor sua vida para distribuí-la em pequenos quadrados de uma página de planejamento. Você vai criar uma série de perspectivas a partir da qual poderá examinar sua vida para garantir equilíbrio e harmonia. O paradigma é sempre o da importância, interdependência e afinidade.

> Se você ainda não o fez, escreva agora seus papéis na planilha.

Agora faça a si mesmo as seguintes perguntas:

- *Um ou dois papéis que desempenho consomem todo o meu tempo? Outras áreas da minha vida não recebem o tempo e a atenção que eu gostaria de lhes dedicar?*
- *Quantas das minhas prioridades pertencem a papéis aos quais dedico pouco tempo e atenção?*

- Os papéis que selecionei se completam de modo a contribuir para a realização da minha missão?
- Que diferença faria na minha qualidade de vida se eu analisasse esses papéis semanalmente e garantisse que minhas atividades estivessem devidamente equilibradas?

Analisaremos essas e outras questões relacionadas aos papéis no Capítulo 6.

TERCEIRA ETAPA: SELECIONE AS METAS DO QUADRANTE 2 DE CADA PAPEL

Depois de identificar a estrutura de papéis, faça a si mesmo a seguinte pergunta:

Qual é a coisa mais importante que eu poderia fazer em cada papel esta semana com o intuito de obter o maior impacto positivo?

Ao analisar essa pergunta, consulte, além da sabedoria de sua mente, a sabedoria de seu coração. O que seria capaz de provocar mudanças significativas em cada um de seus papéis? Como você está se saindo na condição de marido? E como amigo? Como pai? Como funcionário? Ao analisar as atividades mais importantes em cada um dos papéis, esqueça o relógio e oriente-se por sua bússola interna. Ouça sua consciência. Concentre-se na importância em detrimento da urgência.

Se um de seus papéis estiver relacionado a seu próprio desenvolvimento, as metas podem incluir atividades como planejar um retiro pessoal, trabalhar em uma declaração de missão ou pesquisar sobre um curso de leitura dinâmica. Se você for pai, sua meta pode ser passar algum tempo de qualidade com seus filhos. Se for casado, pode desejar incluir uma noite romântica com o cônjuge. As metas relacionadas ao emprego poderiam incluir a reserva de um tempo para fazer um planejamento de longo prazo, treinar um colega ou subordinado, visitar clientes ou compartilhar suas expectativas com o chefe.

Na área de "afinar o instrumento", as metas físicas podem conter exercícios regulares ou alimentação adequada. Na área espiritual, você talvez queira fazer meditação, rezar ou ler livros inspiradores. Na área mental, pode definir a meta de fazer um curso ou realizar o próprio programa de leitura. Para o desenvolvimento social, talvez deseje trabalhar nos princípios de interdependência eficaz, como escuta atenciosa, honestidade ou amor incondicional. A chave é fazer de modo consistente tudo que for capaz de fortalecê-lo nessas áreas e de aumentar a capacidade de viver, amar, aprender e deixar um legado. "Afinar o instrumento" durante uma hora por dia dá a sensação de "vitória particular" que possibilita as vitórias públicas.

Você deve ter consciência de diversas metas que seria capaz de definir em cada uma das funções. Mas por enquanto limite-se àquela ou àquelas duas metas *mais* importantes. Você pode até sentir, ao seguir a orientação de sua bússola interna, que não deve estabelecer metas para todos os papéis nesta semana. O processo do quadrante 2 permite essa flexibilidade e o encoraja a usar sua bússola para determinar aquilo que for mais importante.

No Capítulo 7, analisaremos como você pode usar seus dons para fazer essas escolhas a fim de definir e alcançar metas baseadas em princípios capazes de promover qualidade de vida.

> Escreva suas metas na área de metas ou na planilha semanal.

PAPÉIS	METAS
Pessoal – Hobbies/ Desenvolvimento **PAPEL 1**	Fazer inscrição na aula de caratê
Administradora da casa **PAPEL 2**	Montar cardápio semanal
Mãe **PAPEL 3**	Atender a solicitações dos escoteiros
Conselheira do condomínio **PAPEL 4**	Preparar Calendário
Vendedora – Prospecção de clientes **PAPEL 5**	Marcar reunião com o gerente da Supercorp
Vendedora – Finanças / Administração **PAPEL 6**	Preparar reunião com equipe do banco
Vendedora – Propriedades **PAPEL 7**	Fazer levantamento da subdivisão de iates

(MISSÃO)

Se tiver refletido com a necessária atenção, suas metas representarão aquelas atividades que são de fundamental importância para você obter satisfação em seus papéis.

Agora faça a si mesmo as seguintes perguntas:

- *O que aconteceria se eu fizesse tudo isso na próxima semana?*
- *Como eu me sentiria em relação à minha qualidade de vida?*
- *E se eu fizesse apenas parte das tarefas?*
- *Faria uma diferença positiva em minha vida?*
- *E se fizesse isso todas as semanas?*
- *Eu seria mais eficaz do que sou agora?*

QUARTA ETAPA: CRIE UMA ESTRUTURA DE TOMADA DE DECISÕES PARA A SEMANA

Para transformar as metas alavancadoras do quadrante 2 em um plano de ação é preciso criar uma estrutura de tomada de decisão eficaz para todas as semanas. A maioria das pessoas está sempre tentando arrumar tempo para as atividades "importantes" dos quadrantes 1 e 3 em suas agendas já lotadas. Elas reagendam compromissos, delegam tarefas, cancelam eventos, adiam atividades – tudo na esperança de encontrar tempo para as prioridades. O segredo, porém, não é dar prioridade à agenda, mas agendar as prioridades.

Uma de nossas colegas compartilhou essa experiência:

Certa vez, participei de um seminário em que houve uma palestra sobre o tempo. Em dado momento, o instrutor disse: "Tudo bem, agora vamos fazer um teste." Ele se abaixou e apanhou um jarro de vidro embaixo da mesa. Colocou-o em cima da mesa, próximo a uma vasilha na qual havia algumas pedras do tamanho de um punho. "Quantas pedras vocês acham que podemos colocar dentro do jarro?", perguntou.

Ele ouviu nossos palpites e disse: "Tudo bem, vamos descobrir." Colocou uma pedra no jarro, em seguida outra e mais outra. Eu não lembro quantas ele conseguiu colocar, apenas que o jarro ficou cheio até a borda. Então, ele perguntou: "O jarro está cheio?"

As pessoas olharam para as pedras e disseram que sim.

Ele apenas soltou um "Aaah…" e apanhou um balde de cascalho embaixo da mesa. Em seguida, derramou o conteúdo dentro do jarro e deu uma pequena chacoalhada de modo que o cascalho se acomodasse nos pequenos espaços deixados pelas pedras grandes. Em seguida, sorriu e perguntou mais uma vez: "O jarro está cheio?"

Dessa vez, resolvemos embarcar na brincadeira. "Talvez não", dissemos.

"Bom!", respondeu ele. E meteu-se embaixo da mesa, de onde tirou um balde de areia. Começou a colocar a areia dentro do jarro, e ela foi ocupando todos os pequenos espaços deixados pelas pedras e pelo cascalho. Mais uma vez ele olhou para nós e perguntou: "O jarro está cheio?"

"Não!", bradamos.

"Bom!", repetiu ele, pegando em seguida um cantil de água. Ele derramou cerca de 250 mililitros no jarro. Por fim, perguntou: "Bem, que conclusão podemos tirar dessa experiência?"

Alguém disse: "Os espaços existem. Com algum esforço é possível acomodar mais coisas em nossas vidas."

"Não", retrucou ele, "não é essa a conclusão. O que a experiência nos prova é que, se você não tivesse colocado as pedras grandes primeiro, jamais teria conseguido colocar todas as outras coisas aí dentro."

Com o paradigma do "quanto mais, melhor", estamos sempre tentando encaixar mais atividades no tempo de que dispomos. Mas de que adianta fazer muitas coisas se não são as que mais importam?

As metas do quadrante 2 correspondem às "pedras grandes". Se priorizarmos as outras atividades – a água, a areia e o cascalho – para só depois tentar encaixar as pedras grandes, elas não vão caber e ainda acabarão bagunçando todo o processo.

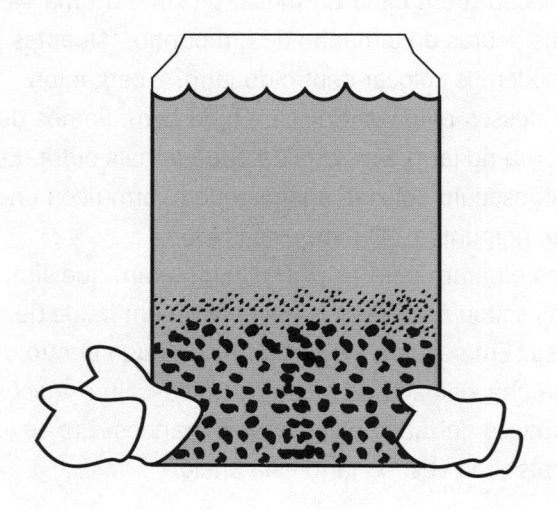

No entanto, se soubermos quais são as pedras grandes e as colocarmos primeiro, caberá uma quantidade surpreendente delas – além da areia, do cascalho e da água, que se acomodarão nos espaços entre as pedras. Independentemente das outras coisas que caberão, o fundamental é que as pedras grandes – as metas do quadrante 2 – entrem primeiro.

Ao analisar a planilha semanal, defina as metas do quadrante 2. Você vai reparar que cada dia contém duas áreas. Uma é dividida em horas para compromissos específicos e a outra oferece um espaço para listar as prioridades do dia. Para agendar as metas do quadrante 2, dedique um tempo do dia para trabalhar nelas ou liste-as como prioridade do dia. (Veja página 105.)

Em geral, o compromisso específico é mais eficaz. Digamos que as metas mais importantes da semana sejam iniciar um planejamento de longo prazo, fazer exercícios físicos e preparar a proposta para um grande projeto. Faça reuniões consigo mesmo para trabalhar nessas metas e trate esses compromissos com a mesma seriedade que dedica a reuniões com ouras pessoas. Planeje-as. Redistribua outras atividades e solicite diferentes blocos de tempo. Se esse compromisso tiver que ser alterado, reagende-o imediatamente. Dê a si a mesma consideração que daria a qualquer outra pessoa.

Em alguns casos, pode ser mais eficaz *não* agendar um horário específico para determinadas metas, limitando-se a listá-las como uma prioridade. Por exemplo, se sua meta é fortalecer o relacionamento com sua filha adolescente, é importante perceber que a oportunidade talvez não surja em uma hora determinada. Em vez de planejar uma atividade específica com ela durante a semana, pode ser mais eficaz colocar o nome dela na lista "Outras prioridades" e ficar atento a uma chance. Se não surgir na segunda-feira, faça uma seta apontando para a terça-feira. Se nada acontecer na terça, desenhe uma seta apontando para a quarta. Dessa forma, a prioridade fica registrada em sua cabeça. Assim, você pode buscar o melhor momento. Basta prestar atenção ao que acontece durante a semana.

OUTRAS PRIORIDADES	OUTRAS PRIORIDADES	OUTRAS PRIORIDADES
Tempo com Juliana		
	⟶	⟶
	⟶	⟶

Então, quando estiver lendo o jornal na noite de quarta-feira e ela puxar conversa, seu impulso será colocar o jornal de lado, não sua filha.

É claro que as atividades específicas com seus filhos também são importantes. Em geral, os diálogos espontâneos surgem quando você sai para jogar boliche ou assiste a um filme com eles. É fundamental ter sensibilidade tanto para a necessidade da meta quanto para a natureza dela ao determinar o que é mais adequado.

> Se estiver planejando a semana durante a leitura deste capítulo, reserve um tempo para agendar as metas do quadrante 2.

1 Conecte-se à missão	3 Identifique as metas	5 Exercite diariamente a integridade no momento da escolha
2 Reveja seus papéis	4 Organize-se semanalmente	6 Avalie

PAPÉIS	METAS	LEMBRETES	SEGUNDA-FEIRA	TERÇA-FEIRA	QUARTA-FEIRA	QUINTA-FEIRA
AFINAR O INSTRUMENTO						
Físico	*Fazer exercício três vezes por semana*	7	*Exercício*		*Exercício*	
Social/Emocional	*Prestar mais atenção nas reuniões — falar menos e ouvir mais*					
Mental	*Ler um capítulo de "Psicologia do adolescente"*	8		*Criar menu da semana*		
Espiritual	*Trabalhar na Declaração de Missão*					
MISSÃO						
PAPEL 1 — Pessoal — Hobbies / Desenvolvimento	*Fazer inscrição na aula de caratê*	9	*Fazer matrícula na aula de caratê*		*Preparar o material para a reunião da Supercorp*	*Reunião da Supercorp*
		10				
		11				
PAPEL 2 — Administradora da casa	*Montar cardápio semanal*	12				
PAPEL 3 — Mãe	*Atender a solicitações dos escoteiros*	1				
		2	*Preparar o projeto para o banco*	*Preparar o projeto para o banco*	*Preparar o projeto para o banco*	
		3				
PAPEL 4 — Conselheira do condomínio	*Preparar Calendário*	4				
		5				
PAPEL 5 — Vendedora — Prospecção de clientes	*Reunião com gerente de Supercorp*	6		*Projeto dos escoteiros*		
		7				
PAPEL 6 — Vendedora — Finanças / Administração	*Preparar reunião com equipe do banco*	8				
		9				
PAPEL 7 — Vendedora — Propriedades	*Levantamento da subdivisão de iates*					*Pesquisar legislação relativa a aquisição de iates*
OUTRAS PRIORIDADES			*Calendário do condomínio*	OUTRAS PRIORIDADES	*Leitura*	

Agendar as principais metas do quadrante 2 é um grande passo rumo à priorização do que é mais importante. Se não priorizarmos as atividades do quadrante 2, o frenético fluxo de atividades dos quadrantes 3 e 4 roubará todo o tempo da semana. É difícil "encaixar" aquelas atividades tão importantes do quadrante 2, cuja realização poderia fazer uma grande diferença em nossas vidas.

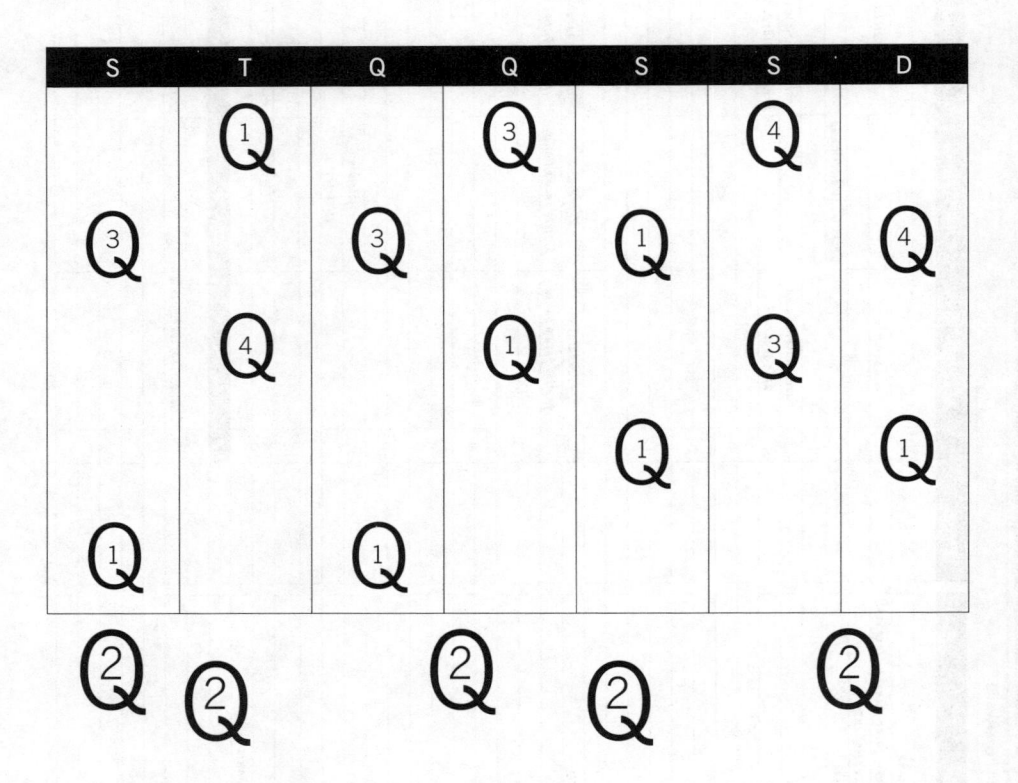

S	T	Q	Q	S	S	D
	Q1		Q3		Q4	
Q3		Q3		Q1		Q4
	Q4		Q1		Q3	
				Q1		Q1
Q1		Q1				
Q2	Q2		Q2	Q2		Q2

Mas se começarmos pelas pedras grandes, reverteremos essa tendência. Criamos a estrutura para realizar aquilo que acreditamos ser importante e poderemos "encaixar" em torno dela as outras atividades.

Depois de colocar as pedras grandes do quadrante 2, você pode tranquilamente adicionar as outras atividades – sejam reuniões ou prioridades do dia. É preciso analisar cada atividade com o máximo de cuidado e determinar o quadrante ao qual pertence. Ela pode *dar a impressão* de ser urgente. Mas será que é mesmo? Ou você só acha isso porque está sendo pressionado por algo ou alguém? A atividade é realmente importante? Ou é a sensação de urgência que a faz *parecer* importante?

S	T	Q	Q	S	S	D
		Q2				
	Q2				Q2	
Q2			Q2	Q2		Q2
Q3	Q4	Q1	Q3			Q3
	Q1			Q1		

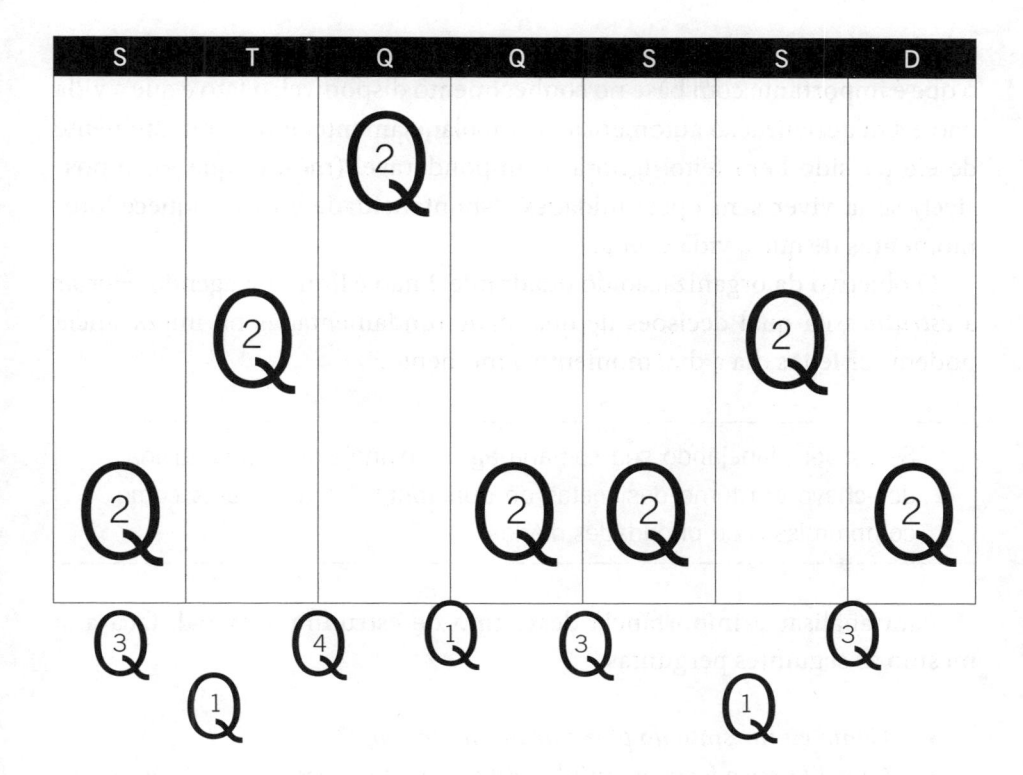

Como já dissemos, se você só souber viver no modo de crise, pensará que quase todas as suas atividades pertencem ao primeiro quadrante. Entretanto, uma análise cuidadosa provavelmente revelará uma grande quantidade de tempo gasto no terceiro quadrante. Se quiser mais tempo para investir no segundo quadrante, deve procurá-lo desperdiçado no terceiro quadrante.

Quando você começar a investir tempo no segundo quadrante, ocorrerá uma profunda mudança no tempo que dedica aos outros quadrantes. Ao começar a planejar, preparar, construir relacionamentos ou desfrutar de uma diversão de qualidade, vai perceber que perderá bem menos tempo juntando os cacos do primeiro quadrante ou reagindo às demandas urgentes dos outros no terceiro. O ideal é tentar eliminar as atividades dos quadrantes 3 e 4 e se dedicar às atividades importantes do 1 e do 2, reservando cada vez mais tempo às tarefas de preparação, prevenção e empoderamento do quadrante 2.

Ao analisar sua semana, é importante perceber que é fundamental *não* preencher todos os momentos de todos os dias com compromissos sensíveis a horário. Permita-se um pouco de flexibilidade. Por mais que tente planejar o que é importante com base no conhecimento disponível, o fato é que a vida não é a materialização automática de um planejamento, independentemente de ele ter sido bem-feito. Ignorar o imponderável (mesmo que fosse possível) seria viver sem oportunidades, espontaneidade e os enriquecedores momentos de que a vida é feita.

O objetivo da organização do quadrante 2 não é limitar a agenda. É criar a *estrutura* na qual decisões de qualidade fundamentadas na importância podem ser feitas dia a dia, momento a momento.

> Se estiver planejando sua semana agora, planeje as outras atividades-chave em torno das metas do quadrante 2 e agende-as como compromissos ou prioridades diárias.

Para analisar a importância desse tipo de estrutura semanal, faça a si mesmo as seguintes perguntas:

- *Como eu me sinto ao planejar minha semana?*
- *Que diferença faria em minha vida se eu planejasse metas do quadrante 2 para cada papel (como compromissos ou prioridades diárias) toda semana e conseguisse realizá-las?*
- *Eu consigo entender a lógica de começar pelas pedras grandes? De que forma isso me ajudará a realizar as coisas importantes?*

No Capítulo 8, faremos uma análise mais cuidadosa das três "perspectivas operacionais" que ganhamos quando deixamos a focalização diária e passamos a trabalhar com a focalização semanal.

QUINTA ETAPA: EXERCITE A INTEGRIDADE NO MOMENTO DA ESCOLHA

Depois de definir as metas da semana do quadrante 2, a tarefa diária será manter as prioridades enquanto atravessa o mar de oportunidades e desafios imprevistos. Exercitar a integridade significa aplicar a missão a cada momento com tranquilidade e confiança – quer a manutenção das prioridades implique colocar o plano em prática, quer implique fazer mudanças conscientes. Todas as etapas que percorremos até agora foram criadas com o objetivo de aperfeiçoar seu caráter e sua competência, seu julgamento, sua capacidade de consultar a bússola interna nos momentos cruciais de tomada de decisão.

Há ainda três atitudes adicionais que podem ser tomadas no início do dia para aprimorar a habilidade de colocar as prioridades em primeiro lugar:

1. Analise seu dia. Esse processo é muito diferente do planejamento diário do gerenciamento do tempo tradicional. Implica dedicar alguns momentos pela manhã para rever sua agenda e analisar seus compromissos, consultar sua bússola, avaliar o dia no contexto da semana e renovar a perspectiva que lhe permite reagir de maneira mais profunda às oportunidades ou aos desafios não previstos. Nesse momento, algumas pessoas preferem trabalhar com um espaço maior para detalhes de uma página por dia.

2. Priorize. Antes de começar a definir prioridades no sentido tradicional, pode ser útil identificar as atividades dos quadrantes 1 e 2. Essa medida impedirá que sua agenda seja sorrateiramente ocupada por atividades do quadrante 3. Ela também o ajudará a manter um contexto de bússola ou de *kairos* para o dia, cujo foco muitas vezes se volta para o relógio. Além disso, também reforça o paradigma da importância e oferece maior consciência sobre a natureza das escolhas que você faz.

Se houver necessidade de uma hierarquia mais detalhada das prioridades, você pode indicar o status de cada atividade dos quadrantes 1 ou 2. Algumas pessoas gostam de utilizar o método ABC, que atribui a cada item uma letra, de acordo com a importância. Outras preferem usar um sistema de numeração simples que exige uma decisão de priorização mais simples. (Veja páginas 110 e 111.)

Quer você use ou não esse tipo de sistema de indicação de prioridades, recomendamos que destaque, circule ou marque com um asterisco a prioridade mais importante. Isso talvez o obrigue a escolher entre duas atividades do quadrante 2 que tenham sido agendadas para o dia. Se for um daqueles dias em que não consegue concluir nada, pelo menos terá a satisfação de saber que realizou a tarefa mais importante.

5 | Exercite integridade no momento da escolha

MAR
D	S	T	Q	Q	S	S
				1	2	3
4	5	6	7	8	9	10
11	12	13	14	15	16	17
18	19	20	21	22	23	24
25	26	27	28	29	30	31

SEGUNDA-FEIRA 12 MAR
71º dia do ano,
294 dias para o fim ano

	COMPROMISSOS	IMPORTÂNCIA	ITENS DE AÇÃO
	Caminhada matinal	*Q1:*	*Depósito bancário!*
			Retornar ligação: síndico
7	*Escritório*		*Ligar para região administrativa do bairro onde moram os Barbosa*
8			*Preparar relatório de vendas para gerente de equipe*
9	*Casa Collins: Apresentar equipe*		*Pagar matrícula da aula de caratê* *Comprar livro para Duda*
10			
11			
12	*Almoço com Júlio*		
		Q2:	*Providenciar mapas da cidade para Cátia*
1			*Pegar fita para gravar o jogo do Duda*
2	*Projeto do Banco*		
			Mandar cartão de aniversário para Ana Maria
3			*Entregar camisas do Tim*
4	*Contato inicial: Gaspar e Ana Rocha*		*Confirmar data do jantar com Paulo e Valéria*
5	*Recados*		
6	*Jantar*		
7			
8	*Comitê de tarefas do condomínio*		
9	*Leitura*		

DESPESAS		TOTAL	

Gerenciamento do quadrante 2 ■ 111

| 5 | Exercite integridade no momento da escolha |

MAR
D	S	T	Q	Q	S	S
				1	2	3
4	5	6	7	8	9	10
11	12	13	14	15	16	17
18	19	20	21	22	23	24
25	26	27	28	29	30	31

SEGUNDA-FEIRA **12** MAR
71º dia do ano,
294 dias para o fim ano

	COMPROMISSOS	IMPORTÂNCIA	ITENS DE AÇÃO
	Caminhada matinal	Q1:	A1 *Depósito bancário!*
			A2 *Retornar ligação: síndico*
7	*Escritório*		B1 *Ligar para região administrativa do bairro onde moram os Barbosa*
8			B2 *Preparar relatório de vendas para gerente de equipe*
9	*Casa Collins: Apresentar equipe*		C1 *Pagar matrícula da aula de caratê*
			C2 *Comprar livro para Duda*
10			
11			
12	*Almoço com Júlio*		
		Q2:	A1 *Providenciar mapas da cidade para Cátia*
1			
			B1 *Pegar fita para gravar o jogo do Duda*
2	*Projeto do Banco*		
			B2 *Mandar cartão de aniversário para Ana Maria*
3			B3 *Entregar camisas do Tim*
4	*Contato inicial: Gaspar e Ana Rocha*		C1 *Confirmar data do jantar com Paulo e Valéria*
5	*Recados*		
6	*Jantar*		
7	*Comitê de tarefas do condomínio*		
8			
9	*Leitura*		
		DESPESAS	TOTAL

| 5 | Exercite integridade no momento da escolha |

MAR
D	S	T	Q	Q	S	S
				1	2	3
4	5	6	7	8	9	10
11	12	13	14	15	16	17
18	19	20	21	22	23	24
25	26	27	28	29	30	31

SEGUNDA-FEIRA | **12** MAR

71º dia do ano,
294 dias para o fim ano

7
8
9
10
11
12
1
2
3
4
5
6
7
8
9

DESPESAS | TOTAL

Gerenciamento do quadrante 2

SEGUNDA-FEIRA	TERÇA-FEIRA	QUARTA-FEIRA	QUINTA-FEIRA

Ao priorizar, é fundamental lembrar que essa atividade abrange apenas os itens colocados na estrutura da semana. Não são levados em consideração o grau de prioridade das oportunidades ou os desafios imprevistos. Se você tiver feito uma análise cuidadosa de seus papéis e metas, sua estrutura apresentará as principais prioridades da semana. Mas ninguém é onisciente. Podem surgir coisas mais importantes do que aquelas que foram planejadas. Consulte sua bússola para agir com integridade em relação ao que é importante, e *não necessariamente* em função de sua agenda.

3. Use algum tipo de planejamento H para o dia. Na página diária, a estrutura básica permite que você liste as atividades sensíveis a horário à esquerda e as atividades que podem ser realizadas em qualquer momento do dia à direita. Essa técnica em geral é chamada de planejamento H. Ao separar as atividades sensíveis a horário das demais, você conseguirá organizar sua agenda com mais eficácia e se manter atento aos compromissos importantes. As planilhas semanais mais objetivas colocam essas mesmas áreas acima e abaixo. (Veja páginas 112 e 113.)

Uma atividade é considerada sensível a horário se sua importância estiver associada a uma hora específica. Uma consulta médica, por exemplo, pode ser importante às 10 da manhã, mas não ter nenhuma importância às 4 da tarde (a não ser que você ainda esteja esperando no consultório do médico). O fato de uma atividade ser agendada na área "sensível a horário" não significa que, quando essa hora chegar, você automaticamente deixará de lado o que estiver fazendo e mudará o foco. Talvez você esteja envolvido em algo muito mais importante e precise refazer a agenda. O segredo estará em sua habilidade de discernir entre as duas atividades e conseguir determinar a que é mais importante naquele momento.

No decorrer do dia, certamente surgirão fatores que o obrigarão a reavaliar as atividades planejadas inicialmente – seu chefe o convoca para uma reunião, alguém lhe oferece dois ingressos para um show, alguém liga da escola porque sua filha quebrou o braço, um cliente cancela a reunião do dia.

A organização do quadrante 2 nos permite analisar como usar nosso tempo pelo paradigma da importância no lugar do paradigma da urgência. Se as situações mudarem, você poderá fazer uma pausa para consultar sua bússola com o intuito de determinar o melhor uso que pode fazer de seu tempo e energia. Quando surgir algo inesperado, a organização do quadrante 2 lhe dará a perspectiva e o poder de seguir com o que estava planejado inicialmente. E quando o imprevisto for mais importante, você poderá fazer a adaptação e a mudança com segurança, sabendo que está agindo em função de algo realmente importante, não apenas reagindo ao que é urgente.

No Capítulo 9, vamos mostrar como acessar sua bússola em qualquer momento. Vamos ensiná-lo a ser forte nas situações difíceis, como saber quando a oportunidade ou o desafio inesperado é mais importante do que o que já estava planejado, e como manter-se fiel ao plano ou mudá-lo com confiança e tranquilidade.

SEXTA ETAPA: AVALIAÇÃO

O processo do quadrante 2 estaria incompleto se a experiência de uma semana não servisse como base para aumentar a eficácia da semana seguinte. Se não aprendermos com a vida, como vamos deixar de cometer os mesmos erros, enfrentar os mesmos problemas, uma semana atrás da outra?

No fim da semana – antes de rever sua declaração de missão para começar a organizar a próxima semana –, pare por um momento para se fazer perguntas como estas:

- *Quais metas eu atingi?*
- *Que desafios enfrentei?*
- *Quais decisões tomei?*
- *Ao tomar as decisões, consegui manter as prioridades em primeiro lugar?*

No Capítulo 10, vamos sugerir questões mais específicas, reveladoras do poder dos quatro dons humanos e que vão nos ajudar a aprender com a vida. Com essa etapa final, o processo do quadrante 2 se torna um ciclo de vida e aprendizado que cria uma espiral de crescimento ascendente.

Agora imagine-se passando 30 minutos por semana das próximas 52 semanas submetendo-se a esse processo. Imagine que você tenha realizado apenas metade das metas do quadrante 2 às quais se propôs. Isso representaria mais tempo no quadrante 2 do que o que está dedicando agora? Pouco ou muito? Se fosse capaz de investir muito mais tempo no quadrante 2, que diferença isso faria na sua qualidade de vida pessoal e profissional?

O PARADIGMA E O PROCESSO

O quadrante 2 não é uma ferramenta; é uma forma de pensar. Sabemos que muitas pessoas usam as ferramentas de planejamento da segunda e da terceira gerações com o espírito da quarta geração. Por outro lado, algumas usam as ferramentas da quarta geração – inclusive seu próprio sistema de organização – com o espírito da segunda e terceira gerações, obtendo resultados muito menos eficazes.

A essência desse processo está no paradigma. Mas precisamos reconhecer que uma ferramenta que não está alinhada com o paradigma pode criar ineficácia e frustração. Não adianta tentar criar um estilo de vida de quarta geração baseado na importância utilizando uma ferramenta cujo foco esteja na definição de prioridades urgentes. Seria o mesmo que tentar atravessar um caminho no qual há alguém constantemente atirando pedras. O sistema pode sobrecarregar o paradigma de modo que você termine servindo ao sistema e obtendo apenas desvantagens, em vez de colocar o sistema a seu serviço para ajudá-lo a fazer o que está tentando.

O processo de organização do quadrante 2 reforça o paradigma da importância. O maior valor do processo não está em como ele repercute em sua agenda, mas em como ele repercute em sua mente. Quando você pensa mais em termos de importância, começa a ver o tempo de um jeito diferente. Você tem energia para colocar as prioridades onde elas devem estar de uma forma significativa.

Se você for como a maioria das pessoas com as quais temos trabalhado, será capaz de perceber alguns dos benefícios imediatos do processo de organização do quadrante 2 – a mudança do foco de pensamento da urgência para a importância, a perspectiva semanal maior, mais flexibilidade, a colocação das pedras grandes antes das outras atividades.

Mas a jornada está só começando. Este capítulo ofereceu apenas um panorama do processo de organização do quadrante 2. Os próximos seis mostrarão a profundidade e a riqueza desse processo que vai torná-lo capaz e, ao longo do tempo, permitir que mantenha como prioridade o que é prioritário em sua vida.

Tire uma cópia dos formulários deste capítulo.
Para exemplos complementares de planilhas do FranklinPlanner,
entre em contato pelo telefone (11) 5105-4400 ou pelo
site franklincovey.com.br.

5

A paixão da visão

*É fácil dizer "não!" quando há um ardente
"sim!" no fundo do coração.*

Viktor Frankl, um psicólogo austríaco sobrevivente dos campos de concentração da Alemanha nazista, fez uma descoberta significativa. Quando percebeu dentro de si a capacidade de se colocar acima das humilhantes circunstâncias, tornou-se, além de participante, observador da experiência. Ele analisou as pessoas com as quais compartilhou a provação. Queria saber por que algumas pessoas sobreviveram, enquanto a maioria tinha morrido.

Ele analisou diversos fatores: saúde, vitalidade, estrutura familiar, inteligência, habilidades de sobrevivência. Por fim concluiu que o fator preponderante, o mais significativo, era uma visão de futuro – a convicção de que eles tinham uma missão a realizar, de que havia um trabalho importante a ser feito.[1]

Os sobreviventes de campos vietnamitas e de outros lugares relataram experiências semelhantes: eram movidos por uma visão baseada no futuro, e essa foi a principal força que os ajudou a se manterem vivos.

O poder da visão é fantástico! Pesquisas indicam que crianças que visualizam "imagens do futuro" têm um desempenho escolar muito melhor e lidam com os desafios da vida com muito mais competência.[2] As equipes e organizações com um forte sentido de missão apresentam resultados muito melhores do que aquelas que não se valem da força da visão.[3] De acordo com o sociólogo holandês Fred Polak, o fator que mais influencia o sucesso das civilizações é a "visão coletiva" que o povo tem do futuro.[4]

A visão é a melhor manifestação da imaginação criativa e a principal motivação da ação humana. É a habilidade de enxergar além de nossa realidade presente, de criar, de inventar o que ainda não existe, de nos tornar o que ainda não somos. Dá a capacidade de viver a partir de nossa imaginação em vez de de nossa memória.

Neste capítulo, vamos explorar o impacto da visão pessoal sobre nosso tempo e nossa vida. Mostraremos como é possível criar uma visão empoderadora e aplicá-la em nosso cotidiano.

Todos temos uma visão sobre nós mesmos e sobre nosso futuro. E essa visão gera consequências. Mais do que qualquer outro fator, a visão influencia as escolhas que fazemos e a forma como usamos nosso tempo.

Se nossa visão for limitada – se não vai além do jogo de sexta-feira à noite ou do próximo programa na TV –, nossa tendência é fazer escolhas em função do que está diante de nós. Reagimos a tudo o que é urgente, ao impulso do momento, às nossas sensações ou humores, à nossa consciência limitada de opções, às prioridades das outras pessoas. Ficamos sem saber o que fazer, ao sabor das circunstâncias. O modo como nos sentimos em relação às nossas decisões, e até a maneira como as tomamos, muda a cada dia.

Se nossa visão for baseada na ilusão, nossas escolhas não serão fundamentadas nos princípios do "norte verdadeiro". Com o tempo, essas escolhas não conseguem promover a qualidade de vida que esperamos. Nossa visão recai nos lugares-comuns. Ficamos desiludidos, talvez até descrentes. Nossa imaginação criativa se compromete e deixamos de confiar em nossos sonhos.

Se nossa visão for parcial – se estivermos preocupados em satisfazer apenas nossas necessidades financeiras e sociais, ignorando as mentais e espirituais, por exemplo –, faremos opções que provocam desequilíbrio.

Se nossa visão for baseada no espelho social, faremos escolhas calcadas nas expectativas dos outros. Um dito afirma que "quando os homens descobriram o espelho, começaram a perder a alma".[5] Se nossa visão de nós mesmos for condicionada pelo espelho social, não manteremos contato com nosso eu mais profundo, com nossas próprias particularidades e com nossa capacidade de contribuir. Passaremos a viver a partir do roteiro que os outros escreveram para nós – família, sócios, amigos, inimigos, mídia.

E que roteiros são esses? Alguns podem parecer construtivos: "Você é tão talentoso!", "Você nasceu para jogar futebol!" ou "Eu sempre disse que você devia ser médico!". Alguns podem ser destrutivos: "Você é muito devagar!", "Você não consegue fazer nada certo!", "Você poderia ser mais como sua irmã!". Bons ou ruins, esses roteiros podem nos impedir de nos conectar com o que somos e com o que pensamos ser.

Considere ainda as imagens que a mídia projeta – cinismo, ceticismo, violência, indulgência, fatalismo, materialismo. "Notícias importantes" são más notícias.

Quando essas imagens estão na base da visão pessoal, não é de estranhar que tantas pessoas se sintam desconectadas e em conflito consigo mesmas.

A VISÃO QUE TRANSFORMA E TRANSCENDE

Quando falamos sobre a paixão da visão, estamos nos referindo a uma energia profunda e autorrenovável proveniente de uma visão abrangente, fundamentada em princípios, necessidades e dons e que vai além de *chronos* e até de *kairos*. Seu conceito de tempo é *eônico* – da palavra grega *aion*, que significa uma era, uma vida inteira ou mais. Ela vai fundo no cerne do que somos. É movida pela percepção da contribuição que apenas nós temos a capacidade de fazer – o legado que podemos deixar. Esclarece o propósito, direciona e nos dá poderes para superar nossas próprias limitações.

Nós a chamamos de "paixão" porque essa visão pode se transformar em uma força motivacional tão poderosa que, na prática, se torna a essência de nossa vida. Essa paixão está tão entranhada e integrada em todos os aspectos de nosso ser que se torna a força impulsionadora por trás de todas as decisões que tomamos. É a nossa chama interior: a explosão de sinergia que acontece quando a massa crítica é alcançada na integração das quatro necessidades fundamentais. É a energia que torna a vida uma aventura; o "sim!" ardente e profundo que nos estimula a dizer "não", com paz de espírito e segurança, às coisas de menor importância.

Essa paixão pode literalmente nos energizar a transcender o medo, a dúvida, a covardia e muitas outras coisas que nos impedem de realizar algo e deixar um legado. Pense em Gandhi, por exemplo, cuja formação foi marcada por timidez, penúria, ciúme, medo e insegurança. Basicamente, ele não gostava de se envolver com as pessoas; o negócio dele era ficar sozinho. Só passou a gostar da profissão de advogado quando começou a elaborar relacionamentos ganha-ganha entre pessoas em litígio.

No entanto, quando percebeu as injustiças cometidas contra o povo hindu, surgiu uma visão em sua mente e em seu coração. A partir dessa visão, desenvolveu-se a ideia de criação de uma comunidade experimental – um *ashram* – na qual as pessoas pudessem praticar valores igualitários. Gandhi viu como poderia ajudar o povo hindu a transformar o complexo de inferioridade que tinha em relação aos senhores ingleses e a desenvolver sua autoestima.

Depois que se concentrou em sua visão, sua personalidade fraca foi totalmente ofuscada. A visão e o propósito transformaram a personalidade de Gandhi. Ele queria amar as pessoas, servir ao povo, estar com o povo. Seu maior desejo era ajudar a redimir a nação. Por essa razão, terminou colocando a Inglaterra de joelhos e libertou 300 milhões de pessoas.

No final da vida, Gandhi fez o seguinte comentário: "Sou um homem mediano com capacidades abaixo da média. Tenho certeza absoluta de que qualquer homem ou mulher pode realizar o mesmo que eu caso se empenhe e cultive a mesma esperança e a mesma fé."[6] O poder da visão transcendente é maior do que o roteiro escrito no fundo da personalidade humana e a subordina, submerge-a, até toda a personalidade ser reorganizada na realização dessa visão.

A paixão da visão *compartilhada* energiza as pessoas a transcenderem as interações negativas sem importância que consomem grande parte de nosso tempo e esforço e comprometem a qualidade de vida.

(Stephen) Recentemente, passei dois dias trabalhando com os corpos docente e administrativo de uma universidade de uma das províncias do Canadá. Eles estavam lidando com muitas questões conflituosas, e o pensamento da escassez parecia dominá-los. O ambiente era só egoísmo, mesquinhez e acusação.

Depois de algum tempo refletindo sobre uma declaração de missão e trabalhando juntos, começaram a se aproximar de uma conclusão. Por fim, determinaram que a missão da universidade era "se tornar um centro de formação de mentores" para aquela província. O objetivo da instituição seria ajudar outras organizações a se tornarem centradas em princípios.

Quando chegaram a essa decisão, o egoísmo e a mesquinhez evaporaram. Essas pessoas se tornaram energizadas por algo mais importante, por um objetivo transcendente que tornou todo o demais irrelevante.

É isso que acontece quando as pessoas têm um verdadeiro sentido de legado, de importância, de contribuição. Ele parece tocar a parte mais profunda do coração e da alma de todos. Traz à tona o que elas têm de melhor e subjuga o restante. As mesquinharias se tornam sem importância quando as pessoas se apaixonam por um objetivo maior do que a própria individualidade.

A paixão do tipo de visão de que estamos falando tem um impacto transformador e transcendental – provavelmente o maior impacto de um fator individual sobre o tempo e a qualidade de vida.

CRIANDO E VIVENDO UMA DECLARAÇÃO DE MISSÃO EMPODERADORA

Um dos processos mais poderosos para cultivar a paixão da visão é a criação e a integração de uma declaração de missão pessoal empoderadora.

Talvez você já tenha consciência do conceito de uma declaração de missão pessoal. A ideia não é nova. Pessoas de diversas culturas já criaram declarações de fé, doutrinas pessoais e declarações semelhantes no decorrer da história. Você pode até já ter escrito a sua durante um programa de desenvolvimento pessoal da empresa ou em alguma outra atividade.

Mas, ao trabalharmos com o desenvolvimento de declarações de missão em todos os cantos do mundo, descobrimos que algumas são muito mais empoderadoras do que outras. Ao tentar escrever uma declaração de missão pela primeira vez, as pessoas com frequência tentam agradar ou impressionar alguém. Não conseguem ou não parecem dispostas a entrar em contato com seu eu mais profundo. As declarações de missão se tornam então um miscelânea de lugares-comuns, um "afazer" ticado da lista de tarefas e arquivado em algum lugar para inspiração ocasional.

É isso que acontece nas organizações, quando as declarações de missão descem do "Olimpo" da diretoria e são pavoneadas pelo departamento de relações públicas. Não há um envolvimento significativo e, por essa razão, ninguém as assimila. A declaração termina pendurada na parede, longe do coração, da mente e da vida dos indivíduos que lá trabalham.

Não se trata apenas de escrever uma declaração de fé. Estamos falando sobre o acesso e a criação de uma conexão direta com a energia profunda oriunda de um sentido de propósito e significado de vida bem definido e completamente integrado. Estamos falando sobre a criação de uma poderosa visão fundamentada nos princípios do "norte verdadeiro" que garantirão que seja exequível. Estamos falando sobre a empolgação e a sensação de aventura advindas da conexão com aquele propósito que é somente seu e da profunda satisfação que sua realização propicia.

UM EXERCÍCIO DE IMAGINAÇÃO CRIATIVA

Se você nunca tentou escrever uma declaração de missão pessoal – ou se tem uma mas gostaria de uma perspectiva diferente –, nós o convidamos a parar por alguns minutos e exercitar sua imaginação criativa. Visualize seu octogésimo aniversário ou a comemoração de suas bodas de ouro. Tente imaginar uma celebração maravilhosa em que amigos, entes queridos e companheiros de todas as caminhadas de sua vida vêm homenageá-lo. Imagine-a da maneira mais detalhada possível: o lugar, as pessoas, a decoração.

Visualize essas pessoas à medida que se aproximam, uma a uma, para cumprimentá-lo. Parta do princípio de que representam papéis que você está desempenhando neste momento – talvez como pai, professor, gerente ou líder comunitário –, e de que você desempenhou essas funções da melhor maneira possível, com todas as suas forças.

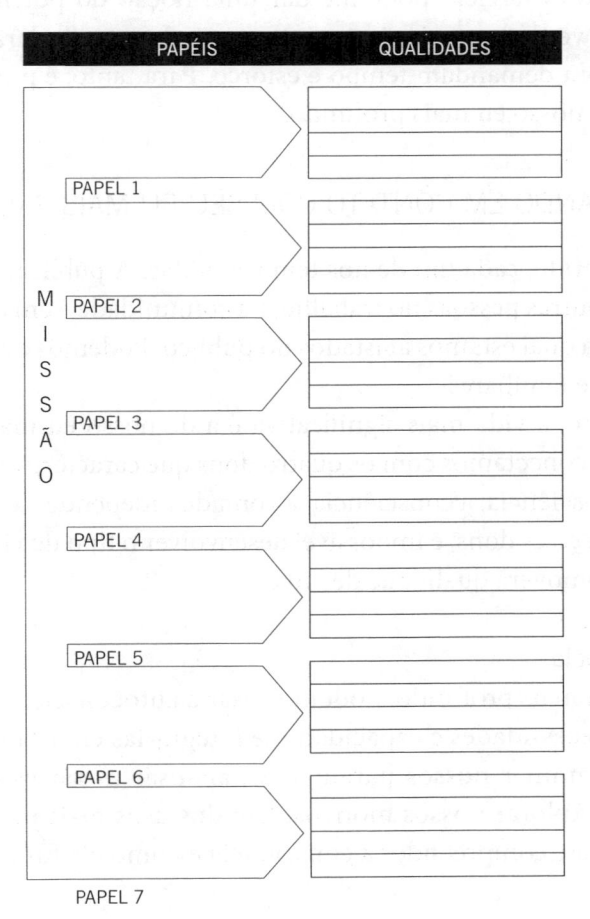

	PAPÉIS	QUALIDADES
	PAPEL 1	
M	PAPEL 2	
I		
S		
S	PAPEL 3	
Ã		
O	PAPEL 4	
	PAPEL 5	
	PAPEL 6	
	PAPEL 7	

O que essas pessoas diriam? Você seria lembrado por quais qualidades de caráter? Quais contribuições eles destacariam? Observe as pessoas ao seu redor. Que diferenças importantes você promoveu na vida delas?

Enquanto reflete, tente escrever seus papéis e, ao lado de cada um deles, as qualidades que gostaria que reconhecessem nessa ocasião.

Como você se sente em relação a essa visão do que sua vida poderia representar? E se fosse capaz de tomar essa visão, garantir que fosse baseada em princípios e conectada com seus imperativos interiores mais profundos, traduzi-la em palavras, refiná-la, usá-la como a base da organização semanal do quadrante 2, memorizá-la, visualizar sua realização, gravar na mente e no coração de modo que todos os momentos fossem inspirados por ela?

Esse rápido exercício pode lhe dar uma noção do potencial da paixão da visão. Na verdade, a criação e a integração de uma declaração de missão empoderadora demandam tempo e esforço. Para tanto, é preciso entrar em contato com nosso eu mais profundo.

ENTRANDO EM CONTATO COM SEU EU MAIS PROFUNDO

Em certo sentido, cada um de nós tem três vidas. A pública, na qual interagimos com outras pessoas no trabalho, na comunidade e em eventos sociais. A privada, na qual estamos afastados do público. Podemos estar sozinhos ou com amigos e familiares.

No entanto, a vida mais significativa é a de nosso eu mais profundo. É nela que nos conectamos com os quatro dons que caracterizam a humanidade: a autoconsciência, a consciência, a vontade independente e a imaginação criativa. Sem esses dons, é impossível desenvolver o tipo de visão empoderadora que promoverá qualidade de vida.

Autoconsciência
Em nosso eu mais profundo, podemos usar a autoconsciência para conhecer nossas necessidades e capacidades e integrá-las em um nível essencial. Podemos examinar nossos paradigmas, analisar as raízes e os frutos de nossa vida, explorar nossos motivos. Um dos usos mais poderosos da autoconsciência é compreender a consciência e como ela funciona dentro de nós.

Consciência

A consciência é nosso elo com nós mesmos e com o mundo. Só podemos descobrir nosso propósito e nossa capacidade de contribuição quando entramos em contato com nossa consciência. Reflita sobre as pessoas representadas por cada um dos papéis no exercício do aniversário ou das bodas e a oportunidade que apenas você tem de influenciar a vida delas. Ninguém mais pode ser a mãe ou o pai que você é para seus filhos. Ninguém mais pode ser o marido ou a esposa que você é para seu cônjuge. Ninguém mais pode ser o médico que você é para seus pacientes, o professor que é para seus alunos, a irmã, o amigo, o líder comunitário que é para as pessoas cujas vidas você tem o poder de inspirar. Há certas contribuições que apenas você pode dar, mais ninguém. Viktor Frankl disse que não inventamos nossa missão; nós a detectamos. Ela está dentro de nós, esperando para ser realizada.

> Todo mundo possui uma vocação ou missão específica na vida; todo mundo deve fazer uma atividade para se sentir realizado. Nisso, o sujeito não pode ser substituído, assim como sua vida não pode ser repetida. Por essa razão, a tarefa de todas as pessoas é tão particular quanto sua oportunidade específica de implementá-la.[7]

Eis o que o reformador social e escritor do século XIX William Ellery Channing tinha a dizer sobre o assunto:

> Todo ser humano tem um trabalho a fazer, obrigações a cumprir, influências para exercer, que são seus e tão somente seus, e que nenhuma consciência a não ser a sua pode ensinar.[8]

Somente quando nos conectamos com a consciência de nosso eu mais profundo podemos criar a chama interior. As declarações de missão originadas pelo pensamento da vida privada ou pública jamais terão acesso ao âmago do empoderamento pessoal.

Como o explorador, escritor e cineasta sir Laurens van der Post declarou:

> Temos que nos voltar para nós mesmos, olhar lá dentro; olhar para esse reservatório que é nossa alma; olhá-la e ouvi-la. Até você ouvir aquilo

que sonha se realizar através de você, em outras palavras – atender à batida na porta no escuro –, não será capaz de elevar esse momento no qual está aprisionado, voltar para o nível em que o grande ato de criação se passa.[9]

(Roger) Há alguns anos, conheci Tom em um seminário para estudantes universitários. Quando pedi que se apresentasse e falasse um pouco sobre suas metas, ele disse que estava se formando em engenharia civil. Pouco depois, pedi que nos contasse o que faria se tivesse um mês sem nenhum compromisso e com dinheiro à vontade.

O rosto dele brilhou como uma árvore de Natal cheia de luzes.

– Isso é fácil! – respondeu ele com entusiasmo. – Compraria uma serra, uma plaina, e... ah, um bocado de ferramentas. Colocaria tudo na minha garagem, chamaria todos os garotos da vizinhança e começaríamos a montar coisas – mesas, casas de boneca, móveis. Seria fantástico!

Ao perceber o brilho em seus olhos, não consegui deixar de lembrar a apatia com que tinha anunciado sua formação universitária alguns momentos antes.

– Você realmente gosta de ensinar, não é? – perguntei.

– Adoro! – respondeu ele de imediato.

– E você sente prazer em trabalhar com ferramentas?

– Muito!

– Você está gostando de suas aulas no curso de engenharia civil?

– Ah, não sei. Dá para ganhar um bom dinheiro com engenharia...
Sua voz sumiu.

– Tom – falei –, nunca lhe ocorreu que é possível ganhar dinheiro ensinando garotos a construir coisas com ferramentas?

Foi fascinante observar o rosto dele. Era óbvio que a decisão de trabalhar como engenheiro civil não tinha a menor relação com seus talentos e com uma noção de contribuição consciente. Mas, a partir do momento que Tom fez essa conexão, ainda que brevemente – quando de repente viu a possibilidade de realizar a própria singularidade –, ele se sentiu extremamente energizado.

Embora Tom possa ter se tornado um engenheiro civil competente, era fácil ver que seria um carpinteiro fenomenal, e esse amor pela carpintaria e por ensinar aos jovens o energizaria a se destacar nessa área.

A consciência, além de nos colocar em contato com nossa própria singularidade, nos mostra os princípios do "norte verdadeiro" universal que criam qualidade de vida. Podemos usar a consciência para alinhar nossos valores e estratégias aos princípios, garantindo que tanto os fins quanto os meios de nossa declaração de missão – tanto a contribuição quanto os métodos usados para fazê-la – sejam fundamentados em princípios.

Imaginação criativa

Uma vez conectados à consciência, podemos usar a imaginação criativa para visualizar e dar uma expressão cheia de sentido para a visão e os valores inspirados pela consciência, criando uma declaração de missão pessoal empoderadora. É o projeto que antecede a construção; a mentalização que antecede a materialização.

Depois de escrever uma declaração de missão, podemos usar nossa imaginação criativa para nos ver vivenciando-a – de manhã no trabalho, à noite quando voltamos para casa, nos momentos em que estamos cansados, quando nossas expectativas não foram atendidas, nas situações de desapontamento. É possível usar a mente para enfrentar e resolver de modo criativo os desafios mais difíceis à nossa integridade. Podemos viver a partir de nossa imaginação em vez de fazê-lo a partir de nossa memória.

Vontade independente

Quando colocar em prática nossa declaração de missão significar nadar contra a corrente, se opor ao ambiente ou a hábitos e roteiros profundamente enraizados, poderemos usar a vontade independente; agir em vez de deixar que as coisas simplesmente aconteçam.

A paixão da visão nos dá uma nova compreensão da vontade independente. Sem a paixão da visão, "disciplina" é submissão e restrição – controle-se, cerre os dentes, abra seu caminho através da vida. O paradigma básico é que se não houver um controle rígido vamos nos dar mal. Se fôssemos deixados com nossas motivações internas, não seríamos capazes de fazer escolhas eficazes.

Mas a paixão da visão libera o poder que conecta a disciplina à palavra da qual se origina: discípulo. Tornamo-nos seguidores de nossos imperativos interiores, subordinando voluntariamente o menos importante a esse profundo e ardente "sim!". No lugar do controle, passamos a focalizar a liberação.

A chave para a motivação é o motivo. Ele é o *porquê*. É o ardente e profundo "sim!" que nos facilita dizer não ao que é menos importante.

CARACTERÍSTICAS DAS DECLARAÇÕES DE MISSÃO EMPODERADORAS

Temos a oportunidade de ler centenas de declarações de missão em todos os cantos do mundo e acreditamos ser uma experiência de humildade ver com tanta clareza a intimidade do eu mais profundo de outras pessoas. Ao ler cada expressão, nós nos sentimos em um terreno sagrado.

Essas declarações são incrivelmente diversificadas. Variam de algumas palavras a diversas páginas. Algumas são expressas em música, poesia e pintura. Cada visão pessoal é única.

Mas uma das maiores provas da realidade do "norte verdadeiro" está no fato de quase todas as declarações afirmarem as Leis Básicas da Vida. Os princípios fundamentais e o reconhecimento das quatro necessidades e capacidades – viver, amar, aprender, deixar um legado – são apresentados em todas as culturas, nacionalidades, religiões e raças. Independentemente de quem sejam ou de onde estejam, as pessoas percebem o "norte verdadeiro" quando entram em contato com seu eu mais profundo.

As declarações de missão capazes de deixar as pessoas mais empoderadas parecem ter uma série de outras características em comum. Esta lista pode ser de grande utilidade na hora que você escrever sua declaração de missão ou de avaliar uma que já tenha escrito.

Uma energizante declaração de missão:

1. representa o que há de melhor e mais profundo dentro de você. É criada a partir de uma sólida conexão com seu eu mais profundo;
2. é a realização de seus talentos únicos. É a expressão de uma capacidade de contribuir que apenas você possui;
3. é transcendente. É baseada em princípios de contribuição e em propósitos maiores do que seu próprio eu;
4. satisfaz e integra as quatro necessidades e capacidades humanas fundamentais. Contém a satisfação das dimensões físicas, sociais, mentais e espirituais;
5. é baseada em princípios que produzem qualidade de vida. Tanto os fins quanto os meios são baseados nos princípios do "norte verdadeiro";

6. lida com visão e princípios baseados em valores. Não basta ter valores sem visão – você quer ser bom, mas quer ser bom em alguma coisa. Por outro lado, a visão sem valores pode criar um ditador. Uma declaração de missão lida com o caráter e com a competência; o que você quer ser e o que você quer fazer na vida;
7. lida com todos os papéis significativos da vida. Representa um equilíbrio entre a vida pessoal, familiar, profissional, comunitária – quaisquer que sejam os papéis que você sinta necessidade de desempenhar;
8. é escrita para inspirá-lo, não para impressionar outra pessoa. Ela se comunica com você e o inspira no nível mais essencial.

Uma declaração de missão com essas características terá a abrangência, a profundidade e os fundamentos baseados em princípios necessários para empoderá-lo. Para ajudá-lo a criar uma declaração de missão pessoal, incluímos um minisseminário com exercícios detalhados, instruções e exemplos no Apêndice A.

DA MISSÃO PARA O MOMENTO

Mesmo com um poderoso documento escrito, é fundamental perceber que é impossível traduzir a missão para a vida cotidiana sem cultivá-la semanalmente – refletindo sobre ela, memorizando-a, escrevendo-a em seu coração e mente, revendo-a e usando-a como a base da organização do quadrante 2 semanal. Você também pode achar útil realizar um retiro pessoal – talvez anual – com o objetivo de avaliá-la e atualizá-la.

Infelizmente, muitas pessoas que vivem com o paradigma da eficiência da terceira geração do gerenciamento do tempo costumam ver o ato de escrever uma declaração de missão pessoal como outro "afazer" ticado de uma lista de tarefas. Como disse uma mulher:

Escrevi minha declaração de missão e me senti muito bem com ela. Mas logo a arquivei e mentalmente a risquei da minha lista de tarefas.

Os meses se passaram sem nenhum problema: eu continuava tendo êxito nos negócios, definia novas metas, minha vida pessoal progredia. Estava cada vez mais focada no "ter" – queria ter um carro novo, uma casa nova.

Escrevi a meta: "Quero construir essa casa." Então, o que preciso fazer? Poupar uma quantidade específica de dinheiro, qualificar-me para a hipoteca – esse tipo de coisa. Eu achava que estava fazendo tudo certo.

Então, certa noite, eu me vi sentada sozinha em minha bela casa nova sem conseguir entender por que não me sentia feliz. Pensei que uma vez que tivesse conseguido o financiamento, uma vez que os papéis estivessem assinados, eu teria tudo pelo que vinha lutando. Mas só sentia um vazio. "Está faltando algo", pensei. Essas coisas não estavam me trazendo a felicidade que eu imaginava.

Enquanto pensava, olhei para minha declaração de missão arquivada e a li. Durante o tempo de construção da casa, não dei nem sequer uma olhada nela.

Naquele momento, vi que não continha nenhuma referência a valores materiais. Tudo era "ser": "Eu quero ser uma boa pessoa", "Quero ser um bom exemplo", "Na hora certa, quero ser uma boa mãe".

Comecei a chorar. Pensei que assim que eu conseguisse o carro, a casa ou o que fosse eu seria feliz. Mas, ao olhar para tudo o que adquiri, vi que não era nada daquilo que eu queria ser.

Uma declaração de missão empoderadora não é um "afazer" a ser riscado da lista de tarefas. Para ser empoderadora, ela deve se tornar um documento vivo, parte de nossa natureza de modo que o critério que colocamos nela também faça parte de nós, do nosso cotidiano. Outra pessoa compartilhou esta experiência:

Pouco tempo depois de escrever minha declaração de missão pessoal, minha esposa e eu tivemos um desentendimento com alguns amigos muito íntimos. Não sabíamos exatamente por que aquilo tinha acontecido. Só sabíamos que era uma coisinha à toa, que devia ter sido superada com o tempo, mas que se tornou a gota d'água e então deixamos de ser amigos.

Passamos dois meses lamentando esse fato. Chegamos a nos encontrar em alguns eventos e nem sequer nos cumprimentamos. Minha esposa e eu conversávamos sobre o assunto na hora de dormir. Não havia um dia que eu não pensasse em meus amigos e em como poderia reatar a relação.

Certa noite, voltando para casa, tive um estalo – o modo como venho lidando com essa situação está em harmonia com minha missão pessoal? Como um amigo? Parte da minha missão diz respeito a aprender algumas das lições da vida e ser capaz de entendê-las e amadurecer com elas de modo que possa ensiná-las aos outros – não apenas à minha família, mas também aos amigos e a quem quer que possa ter o mesmo problema.

Percebi então que a forma como tinha agido não era coerente com minha missão, e naquele instante, por mais estranho que pareça, deixei de sofrer e de me sentir culpado. Sabia que precisava entender toda a experiência, aprender com ela – o que houve de errado e como aconteceu – e fazer as pazes. Naquele momento, eu estava pronto para pegar minha missão, aplicá-la ao problema e dizer: "Esta é minha missão e este é o modo como escolhi lidar com a situação." Voltei para casa e bolei um plano de ação para construir uma ponte sobre aquele abismo. Naquele momento, minha missão se tornou uma realidade.

Procurei meu amigo e pedi-lhe as mais sinceras desculpas, explicando como a situação tinha sido dolorosa para mim e para minha esposa. Senti-me humilde e dócil. Estava realmente interessado em saber como ele se sentia e o que tinha acontecido de errado.

Ele baixou a guarda e mostrou-se disposto a falar sobre o motivo do problema e até sobre como ele e a esposa também poderiam ter agido errado. Estabelecemos uma comunicação profunda e resolvemos a questão. Em seguida, reunimo-nos com nossas esposas, que tiveram uma experiência semelhante.

Foi libertador. Cheguei até a achar que o sofrimento valera a pena, afinal tinha sido fundamental para que eu percebesse a importância e a realidade de uma declaração de missão. Naquele momento, vi que ela estava viva, que era um documento vivo.

A partir dessa experiência, fui capaz de avaliar outras situações em diferentes papéis e responsabilidades e me perguntar se aquilo fazia parte de minha missão. Entendi que a noção de administração do tempo do quadrante 2 e de priorizar o que realmente importa tinha de ser colocada em prática. Hoje sou capaz de transformar esse documento em uma espécie de transparência, colocando-o em cima de qualquer situação para escolher a melhor resposta.

A maioria das pessoas que se sente empoderada por sua declaração de missão percebe que a certa altura a declaração parece ganhar vida. Elas a assumem. É delas. A conexão vital é feita entre a missão e o momento na vida. Em seguida, com a semeadura e o cultivo contínuos, a declaração de missão se torna o principal fator a influenciar todos os momentos de escolha.

UM LEGADO DE VISÃO

A criação e a vivência de uma declaração de missão empoderadora influenciam profundamente a maneira como usamos nosso tempo. Quando falamos sobre o gerenciamento do tempo, parece ridículo nos preocuparmos com velocidade antes de direção, em economizar minutos quando talvez estejamos desperdiçando anos. A visão é a força fundamental que conduz tudo em nossa vida. Estimula a dar a contribuição que apenas nós podemos fazer e a realizá-la com paixão. Ela nos fornece plenos poderes para colocar as prioridades em primeiro lugar, as bússolas antes dos relógios, as pessoas na frente das agendas. A criação e a integração de uma declaração de missão pessoal empoderadora é um dos investimentos mais importantes do quadrante 2.

E ao viver, amar e aprender com o sentido dado a nossas vidas, começaremos a aprender que talvez o legado mais importante que podemos deixar é a visão. A maneira como nossos filhos e os outros veem a si mesmos e o futuro tem um profundo efeito na nossa qualidade de vida.

METAS DO QUADRANTE 2 PARA CULTIVAR A PAIXÃO DA VISÃO

- Defina semanalmente o tempo do quadrante 2 a fim de cultivar uma vida interior rica, para alimentar um lugar tranquilo dentro de si mesmo no qual possa acessar e consultar sua bússola.
- Agende um retiro pessoal para fazer o Seminário de Declaração de Missão (Apêndice A) e escrever uma declaração de missão pessoal.
- Reserve um tempo para avaliar e revisar sua declaração de missão atual.
- Decore a declaração de missão.
- Defina uma meta diária para "afinar o instrumento" a fim de viver sua declaração de missão.
- Reveja sua declaração de missão semanalmente, antes de começar a organizá-la.
- Mantenha um diário para registrar como as experiências, escolhas e decisões são afetadas por sua declaração de missão pessoal.
- Leia as declarações de missão escritas por outras pessoas no decorrer da história. Considere o impacto dessas declarações na vida delas e na sociedade.
- Ajude seus filhos ou pessoas que vivem perto de você a elaborarem as próprias declarações de missão. Plante a semente da visão nos outros.

6

O equilíbrio dos papéis

O equilíbrio não está no este/aquele; está no e.

Provavelmente a dor mais profunda e expressa com mais frequência na área de gerenciamento do tempo deriva da falta de equilíbrio.

Muitas pessoas que se submetem à experiência da declaração de missão tomam consciência de um jeito duro e doloroso de importantes áreas da vida que estavam negligenciando. Elas percebem que investiram muito tempo e energia em apenas uma área – negócios, esportes ou serviços comunitários – à custa de outras áreas vitais, como saúde, família ou amigos. Outros têm mais consciência de seus diversos papéis, mas se sentem divididos entre eles, que ainda por cima parecem estar em permanente conflito, disputando seu tempo e sua atenção limitados.

É comum ouvirmos comentários como este:

Gostaria de conciliar minha vida familiar e profissional. Só que a empresa em que trabalho não me considera empenhado a menos que eu chegue cedo e trabalhe até tarde e também nos fins de semana.

Chego em casa exausto. Levo trabalho e não tenho energia nem tempo para dedicar a minha família. Mas eles precisam de mim. Há bicicletas para consertar, histórias para ler, atividades domésticas para fazer, assuntos para debater. E eu preciso deles. O que é qualidade de vida senão compartilhar o tempo com as pessoas que mais amo?

E isso porque ainda não falei dos meus outros papéis. Gostaria de ser um bom vizinho. Quero ajudar minha comunidade. E também preciso de algum tempo para mim, para me exercitar e ler.

Estou sendo puxado em tantas direções – e todas são importantes! Como é possível fazer tudo?

O conflito mencionado com maior frequência é entre os papéis familiares e profissionais. O sofrimento mais comum diz respeito aos relacionamentos e à ausência de desenvolvimento pessoal. A sensação das pessoas é esta: "Não consigo cuidar de todas as áreas de minha vida todos os dias. Algumas coisas importantes estão simplesmente sendo ignoradas. Quanto mais eu corro para dar conta, mais desequilibrado me sinto."

Se você viu o filme *Karatê Kid,* deve se lembrar da cena na praia em que o velho Sr. Miyagi ordena que o jovem aluno Daniel se mantenha equilibrado na arrebentação. "Aprenda a se equilibrar! Aprenda a se equilibrar!", diz ele.

Durante horas, o garoto luta em vão contra as ondas, sem conseguir manter o equilíbrio. Quando se vira à procura do mestre, ele está equilibrado em cima de um toco de madeira. Nessa posição, Miyagi executa intricados movimentos marciais, demonstrando perfeito equilíbrio enquanto com um pulo troca o pé no qual se apoia.

Podemos ouvir a voz de nosso eu mais profundo: "Aprenda a se equilibrar! Aprenda a se equilibrar!" Mas, na maior parte do tempo, nos sentimos como Daniel, sendo derrubado pelas poderosas forças que parecem vir de todas as direções.

O QUE É O EQUILÍBRIO?

Obviamente, o equilíbrio é um princípio do "norte verdadeiro". Vemos suas manifestações em tudo o que nos cerca – o equilíbrio da natureza, da balança comercial, dos poderes, da alimentação. Como acontece com qualquer princípio, uma das testemunhas mais poderosas de sua realidade é a consequência de viver com seu oposto: o desequilíbrio. Uma infecção no ouvido que nos faz perder o equilíbrio, um passo em falso que nos faz cair durante uma partida de basquete ou o próprio desconforto de levar uma vida desequilibrada são provas da existência e da importância do princípio.

Mas como cultivar o equilíbrio em nossa vida? Trata-se apenas de uma questão de correr de um lado para outro todos os dias a fim de dar conta de tudo? Ou existe outro jeito, mais eficaz, de obtê-lo para criar uma poderosa influência nos resultados que estamos obtendo?

Pare um momento e reveja os papéis que você listou quando estávamos no processo de organização do quadrante 2.

Como você encara esses papéis? De modo geral, no Ocidente, somos programados desde a infância para tratar esses papéis como "compartimentos" separados da vida. Frequentamos diferentes aulas na escola, temos matérias diferentes, lemos livros diferentes. Conseguimos um A em biologia e um C em história e nunca passou por nossa cabeça que possa haver qualquer relação entre as duas disciplinas. Não vemos nenhuma ligação entre o papel que desempenhamos no trabalho e nosso papel em casa, e nenhum dos dois tem a ver com outros papéis, como desenvolvimento pessoal ou serviço comunitário. Por essa razão, pensamos em termos de "este ou aquele" – e só podemos nos concentrar em um papel de cada vez.

Essa compartimentalização se revela em nosso caráter. De algum jeito, o que somos no trabalho não tem vínculo com o que somos em casa. O que fazemos em nossa vida particular é descolado do que fazemos publicamente.

Em *The Unschooled Mind* (no Brasil, *A criança pré-escolar*), Howard Gardner mostra o impacto do pensamento compartimentalizado.[1] As pessoas com formação acadêmica avançada apresentam excelente desempenho quando trabalham da forma como foram treinadas. Mas, se você lhes der um teste no qual a situação ou a circunstância são diferentes, não terão apenas um desempenho pior – serão reprovadas! Elas não conseguirão fazê-lo. Porque só sabem pensar de um jeito.

O problema está na forma como encaramos o problema. Essa compartimentalização é baseada na ilusão, e tentar viver a ilusão é extremamente desgastante.

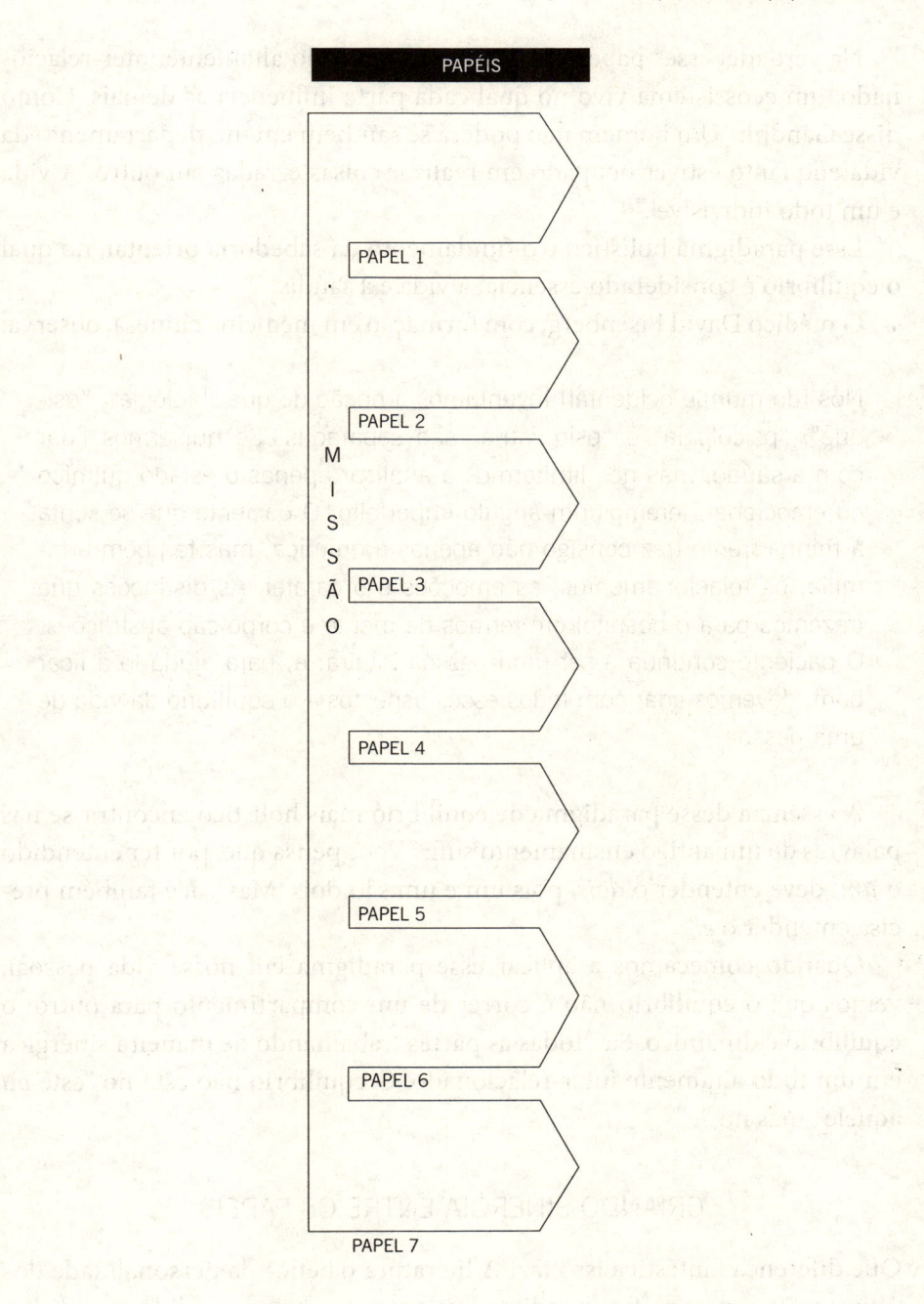

O equilíbrio dos papéis ■ 137

```
        PAPÉIS
        ┌─────────┐
        │ PAPEL 1 │
        └─────────┘
        ┌─────────┐
    M   │ PAPEL 2 │
    I   └─────────┘
    S
    S   ┌─────────┐
    Ã   │ PAPEL 3 │
    O   └─────────┘

        ┌─────────┐
        │ PAPEL 4 │
        └─────────┘

        ┌─────────┐
        │ PAPEL 5 │
        └─────────┘

        ┌─────────┐
        │ PAPEL 6 │
        └─────────┘

        ┌─────────┐
        │ PAPEL 7 │
        └─────────┘
```

Na verdade, esses papéis são partes de um todo altamente inter-relacionado, um ecossistema vivo no qual cada parte influencia as demais. Como disse Gandhi: "Um homem não poderá se sair bem em um departamento da vida enquanto estiver ocupado em realizar coisas erradas em outro. A vida é um todo indivisível."[2]

Esse paradigma holístico é o fundamento da sabedoria oriental, no qual o equilíbrio é considerado essencial à vida e à saúde.

O médico David Eisenberg, com formação em medicina chinesa, observa:

> Nós [do mundo ocidental] inventamos a noção de que "biologia", "psique", "psicologia" e "psiquiatria" são separadas. Se quisermos lidar com a saúde, mas nos limitarmos a analisar apenas o estado químico ou emocional, teremos um ângulo imperfeito. O paciente que se senta à minha frente traz consigo não apenas a química, mas também a família, os relacionamentos, as emoções e o caráter. As distinções que trazemos para o hospital em termos de mente e corpo são abstrações. O paciente continua a ser uma pessoa inteira, e, para ajudá-lo a ficar bom, devemos lidar com todos esses aspectos – o equilíbrio da vida de uma pessoa.[3]

A essência desse paradigma de equilíbrio mais holístico encontra-se nas palavras de um antigo ensinamento sufi: "Você pensa que, por ter entendido o *um*, deve entender o *dois*, pois um e um são dois. Mas você também precisa entender o *e*."[4]

Quando começamos a aplicar esse paradigma em nossa vida pessoal, vemos que o equilíbrio não é correr de um compartimento para outro; o equilíbrio é dinâmico. São todas as partes trabalhando de maneira sinérgica em um todo altamente inter-relacionado. O equilíbrio não está no "este *ou* aquele", mas no "*e*".

CRIANDO SINERGIA ENTRE OS PAPÉIS

Que diferença fantástica isso faz! A literatura da ética da personalidade dos últimos 70 anos nos fez acreditar que, para ser bem-sucedido em alguns papéis, deveríamos assumir uma personalidade diferente – como se a personalidade fosse um casaco ou um par de sapatos. Isso cria fragmentação, duplicidade. A realidade, porém, é que a pessoa que acorda, toma banho e prepara o café da manhã é a mesma que interage com os clientes no escritório, faz apresentações para a diretoria, treina o time infantil de basquete, arruma a garagem e vai à igreja. O que quer que sejamos, carregamos isso para todos os papéis que desempenhamos.

E o que vale para o caráter também vale, em grande parte, para a competência. Embora existam algumas competências específicas associadas a cada papel, os princípios do "norte verdadeiro" nos energizam com competências básicas para todos os papéis, criando uma poderosa sinergia entre eles.

(Rebecca) Eu me lembro da época em que Roger estava na faculdade e eu ficava em casa com as crianças. À noite, quando conversávamos sobre as matérias que ele estava estudando, ficava cada vez mais claro para nós que os princípios que funcionavam em um cenário comercial poderiam ser aplicados na liderança e na administração de uma casa. Foi emocionante descobrir que os princípios de empoderamento que desenvolviam funcionários responsáveis e competentes podiam ser traduzidos para estimular crianças de 3 e 4 anos a arrumarem o quarto.

Também percebemos que muitos dos princípios que estabeleciam relacionamentos fortes e positivos na família podiam ser aplicados com resultados significativos em um cenário comercial. Compreendemos que a confiança era a base de uma sinergia corporativa eficaz; a integridade era fundamental para a influência corporativa duradoura.

Parecia que, uma vez concentrados nos princípios, nossas diferentes funções deixavam de ser compartimentos que segmentavam e separavam nossa vida. Elas se tornavam avenidas de aplicação de princípios universais. Tornou-se um fascinante desafio ver que poderíamos aplicar os mesmos princípios de diferentes formas nas várias áreas de nossa vida.

Essa sinergia entre os papéis poupa grande parte do tempo e energia gastos na solução de problemas. Um princípio como a proatividade – assumir a responsabilidade pessoal por sua vida – é tão energizante na hora de lidar com um adolescente rebelde quanto no momento de tratar com um cliente irado, um chefe exigente ou um assistente direto frustrado. A empatia – colocar-se no lugar do outro – cria o mesmo tipo de confiança e empoderamento tanto em equipes de trabalho quanto nas amizades, nas famílias e nos órgãos de assistência comunitária.

Essa sinergia nos dá plenos poderes para analisarmos nossos papéis com a mentalidade de um MacGyver. Por exemplo, convidar sua filha adolescente para uma partida de tênis atenderá tanto a meta de fazer exercícios para o desenvolvimento pessoal quanto a de fortalecer o relacionamento com sua filha. Se precisarmos inspecionar a fábrica e treinar um novo assistente, podemos levá-lo conosco e treiná-lo durante a inspeção.

A compreensão dessa sinergia nos ajuda a transcender a dicotomia "este ou aquele". Uma mulher que escolhe ter filhos e estar com eles pode transcender a dolorosa dicotomia cronológica entre a maternidade e a carreira. Ela se torna empoderada pela visão de que seu papel de mãe é uma importante contribuição para a sociedade. Desenvolve caráter e competência que também a energizam para a realização de outros papéis.

> (Rebecca) Costumo enfrentar problemas por causa do estigma associado às mulheres que investem o melhor de seu tempo e de si mesmas na maternidade. É como se a sociedade considerasse menos importante criar crianças competentes do que produzir lucro na linha de montagem de uma fábrica.
>
> Uma mulher que escolhe se concentrar na maternidade, e o faz a partir de um sentido claro da própria visão pessoal, torna-se verdadeiramente empoderada em seu papel. Ela reconhece o valor de seus esforços na formação do caráter dos futuros líderes da sociedade. E, durante o processo, desenvolve competência e caráter para desempenhar outros papéis. Talvez uma segunda carreira ou outra faculdade estejam em seus planos, mas isso não a distrai da tarefa que tem diante de si. Não é uma questão de capacidade, mas de escolher como contribuir.

A transcendência do pensamento do isto ou aquilo está se tornando crítica para as organizações contemporâneas. É a própria sociedade que sofre quando, por causa de sua segmentação, demora a reconhecer e transpor as habilidades do competente administrador doméstico – seja homem ou mulher – para o mercado de trabalho. Pesquisas indicam que os chamados atributos femininos (desenvolvidos no exercício da maternidade) são as capacidades fundamentais necessárias ao gerenciamento eficaz das emergentes culturas democráticas de nossas organizações.⁵ Mas por que só agora estamos chegando a essa conclusão?

No século V a.C., Xenofonte registra que o soldado Nicomaquides ficava irritado quando era preterido por outro homem – recomendado apenas pela excelência com que administrava a casa e o coro – para uma vaga de general. Em resposta, Sócrates observou: "Qualquer que seja a atividade de um homem, ele será bem-sucedido se souber do que precisa para ser um bom presidente e for capaz de consegui-lo, seja na direção de um coro, de uma família, de uma cidade ou de um exército... Por essa razão, não desmereça a capacidade de um homem que administra uma casa; pois a única diferença entre a condução dos negócios privados e os assuntos públicos está em sua magnitude."⁶

Quando vemos nossos papéis como partes segmentadas da vida, desenvolvemos uma mentalidade cronológica de escassez. Dedicá-lo a um papel significa que não podemos usá-lo em outro. É o ganha-perde: um papel ganha, os outros papéis perdem. Competimos com nós mesmos. Envolvemo-nos em uma profecia de autossatisfação e saímos à busca de evidências que justifiquem a posição em que nos encontramos.

No entanto, os princípios nos energizam com a mentalidade da abundância. Podemos pensar em uma situação ganha-ganha com relação a todos os papéis em nossas vidas, para vê-los como partes de um todo altamente inter-relacionado.

TRÊS PARADIGMAS QUE CULTIVAM O EQUILÍBRIO

Ao realizar o processo de organização do quadrante 2 pela primeira vez, a maioria das pessoas encara os papéis como uma grande forma de organizar informações e tarefas. Embora a nova perspectiva nos ofereça essa vantagem, o maior benefício que obtemos é compreender mais profundamente os papéis, o que nos estimula a criar sinergia e equilíbrio em nossa vida. Gostaríamos de sugerir três paradigmas fundamentais que desenvolvem essa compreensão mais profunda.

1. Nossos papéis "naturais" surgem a partir de nossa missão

Qual é a origem dos papéis que desempenhamos? Se não estivermos dispostos a procurá-los em nosso eu mais profundo, provavelmente eles serão uma combinação da impressão que temos de nós mesmos e do espelho social.

Mas, quando investimos neles, são como os galhos de uma árvore. Crescem naturalmente a partir de um tronco comum – nossa missão, a realização de nossas necessidades e capacidades – e de raízes comuns – os princípios que dão sustentação e vida. Nossos papéis se tornam os canais por meio dos quais vivemos, amamos, aprendemos e deixamos um legado.

(figura: árvore com PAPÉIS nos galhos, MISSÃO no tronco e PRINCÍPIOS nas raízes)

Essa profunda conexão com a visão confere paixão e energia a nossos papéis. Por exemplo, quando os pais começam a detectar a poderosa singularidade de seu papel – a oportunidade **única** de impulsionar o crescimento e o desenvolvimento de uma nova vida e a força produtiva que ela representa para as futuras gerações –, eles se tornam energizados e livres para transcender roteiros ruins, práticas ultrapassadas, vícios das gerações anteriores. Em vez de os passarem adiante, eles os alteram. Esses pais se tornam figuras de *transição* no lugar de figuras de *transmissão*. Um sentido de legado os estimula a lidar consigo mesmos de um modo transformacional, em vez de transacional.

Por outro lado, os papéis em desacordo com necessidades, princípios e missão – um papel profissional sem um significado além da segurança financeira; um relacionamento baseado em ilusões, não em princípios; serviços comunitários feitos em função das expectativas de outros, não da convicção interna – não têm poder de sustentação, pois não fluem desse ardente "sim!" interior.

Todo papel tem importância vital. O sucesso em um não pode justificar o fracasso em outro. O sucesso nos negócios não pode justificar o fracasso de um casamento; o sucesso na comunidade não pode justificar o fracasso como pai. O sucesso ou o fracasso em qualquer papel afeta todos os outros papéis e a vida de forma geral.

Sem a consciência do contexto de nossos papéis, podemos privilegiar alguns deles em detrimento de outros com extrema facilidade. É por isso que semanalmente reservamos o tempo no processo de organização do quadrante 2 para escrever nossos papéis.

Como disse um ocupado executivo:

> Sou executivo de uma empresa há 17 anos, e nesse tempo todo já saí para almoçar com muitas pessoas. Só que, ao escrever sobre meus papéis, comecei a pensar na categoria "marido" e percebi que não tinha o hábito de convidar minha esposa para almoçar. E considero meu relacionamento com ela um dos mais importantes de minha vida.
>
> Então, em consequência da organização semanal, passamos a almoçar juntos e isso nos aproximou ainda mais. Nossa comunicação melhorou, o que me levou a perceber outras formas em que posso melhorar como marido. Ao rever semanalmente meu papel como marido, acredito que estou fazendo um trabalho muito melhor.

Escrever sobre nossos papéis toda semana nos mantém conscientes de todos eles e nos ajuda a prestar atenção nas dimensões importantes de nossa vida. Mas isso não significa necessariamente que tenhamos que definir uma meta para todas as funções em todas as semanas. Nem que nossos papéis são os mesmos ou que tenhamos que desempenhar todos eles todas as semanas. O equilíbrio da própria natureza nos ensina o princípio do tempo e das estações. Há momentos em nossa vida em que o desequilíbrio é o equilíbrio, quando um foco de curto prazo contribui para a missão de toda uma vida.

Uma mãe com uma criança recém-nascida, por exemplo, passa muitas horas amando, servindo e cuidando do bebê. Durante um tempo, sua vida parece desequilibrada. Mas a análise da vida a partir de uma perspectiva eônica – a concepção de que o equilíbrio é viver, amar, aprender e deixar um legado – dá contexto e significado a esse desequilíbrio temporário. Outras vezes, o desequilíbrio de curto prazo cria equilíbrio de longo prazo, como no envolvimento em um projeto significativo de contribuição, como no cuidado de um parente mais velho ou ao abrir um novo negócio. Há ocasiões em que o investimento de todas as nossas energias pode fazer a diferença entre o sucesso e o fracasso, a mediocridade e a excelência. E esse investimento, ou a ausência dele, tem profundas implicações para as pessoas no futuro – a esposa, as crianças, os funcionários, os colegas de trabalho, a comunidade como um todo. Durante os períodos de desequilíbrio consciente, podemos nos sentir mais à vontade se listarmos apenas um ou dois papéis na nossa organização semanal. Essa providência pode tirar um grande peso das costas de alguns indivíduos; outros preferem ter uma ideia do contexto ao conservar os papéis diante de si, embora não definam metas para cada um deles.

O fator vital de qualquer escolha no que diz respeito ao equilíbrio é uma conexão profunda com a voz de nossa consciência. Como vivemos em um ambiente marcado pelo *fazer* humano mais do que o *ser* humano, o desequilíbrio muitas vezes nos leva a esquecer a missão ou os princípios. No lugar de ser conduzido pela missão, somos movidos pela urgência.

Como disse Carol Orsborn, fundadora da Overachievers Anonymous:

> Existem épocas em que trabalhar até o limite máximo da resistência e da capacidade por um longo período é necessário e até gratificante. Não me arrependo, por exemplo, das longas horas que investi durante o estabelecimento de nosso negócio. Não vejo problema em ficar até altas horas movida pela inspiração de captar algum pensamento novo para este livro.
>
> O problema real surge, porém, quando eu – e isso se aplica a qualquer um – inconscientemente entro em um ciclo intenso de trabalho e me esqueço de desacelerar depois que a descarga de adrenalina já serviu ao seu propósito. [7]

Apenas quando mantemos uma comunicação aberta com nosso eu mais profundo é que temos a sabedoria para fazer escolhas eficazes. A psicóloga Barbara Killinger observa que:

> A sabedoria advém do... equilíbrio. Os workaholics são muito inteligentes, interessantes, na maioria das vezes espirituosos e encantadores,

mas lhes falta essa sabedoria interior. A crise na vida deles é uma confirmação disso. O bom julgamento é aquele em que nossas ideias e nossos pensamentos lógicos e racionais são apoiados por uma "sensação" intensa de que a decisão é correta, e você se sente à vontade com as consequências de sua ação. A sabedoria interior vai mais longe porque, além de a decisão parecer correta, está profundamente enraizada em seus valores e suas crenças. Algo lá dentro lhe permite responder "sim!".[8]

Conhecemos pessoas cujas carreiras vitoriosas tiveram de ser temporariamente interrompidas para que se dedicassem a um filho envolvido com drogas. Sabemos de pessoas com renda anual superior a 1 milhão de dólares que se aposentaram antes do tempo apenas para treinar o time de futebol do bairro. Já vimos algumas sacrificarem o tempo com a família e os amigos para focarem em projetos que acreditavam ser importantes para a humanidade. E todas elas se sentiram maravilhosamente bem com as decisões que tomaram! Elas foram motivadas pela missão. Estavam firmemente conectadas a seu eu mais profundo.

Uma mulher que parece ter criado essa conexão interior nos contou esta experiência:

Faço parte da direção de uma instituição de assistência a adolescentes grávidas. É uma organização maravilhosa, na qual tenho um enorme prazer em trabalhar. Durante algum tempo, coordenei como voluntária o comitê de relações públicas.

Fiquei afastada por dois meses para me adaptar ao meu novo emprego. Também passei um tempo importante com minha família. Todo mundo tinha certeza de que eu voltaria logo à direção da casa. Mas eu tive de dizer: "Não, eu não participarei do comitê este ano. Não quero criar expectativas que não serei capaz de cumprir." Fiquei arrasada.

Descobri que a âncora é saber que não há problema em confiar ainda mais em mim mesma e ter a consciência de que posso me distanciar facilmente das situações. Essa percepção foi libertadora. Aprendi a dizer "não" em deferência a um "sim" muito maior em minha vida.

Algumas vezes, perco a sintonia e recaio em antigos hábitos. Há contratempos. Há certas horas decisivas para as quais temos que apresentar respostas imediatas. Mas, com o conhecimento interno e o conforto no qual estou amparada, posso me readaptar rapidamente e recuperar meu equilíbrio.

Quando seguir nossa voz interior nos leva a curtos períodos de desequilíbrio, podemos envolver os outros cujas vidas estejam afetadas por esse foco e trabalhar com eles para desenvolver um equilíbrio interdependente.

(Rebecca) Quando resolvemos trabalhar neste livro, o desequilíbrio que achei que isso traria para minha vida me deixou bastante desconfortável. Embora tenha participado de uma série de serviços comunitários e de outros projetos literários, a família foi minha maior paixão e minha principal área de contribuição nos últimos 25 anos. As escolhas que fiz ao longo dos anos para estar presente para meu marido e meus filhos eram baseadas em uma missão. Só que esse trabalho também despertou minha paixão. Ele estava atrelado a outros valores e outros papéis que também são parte vital da minha rotina.

Pensei sobre o que deixaria de fazer se escolhesse escrever. Ainda há três crianças em casa que precisam de ajuda nas aulas de música e nos deveres de casa, de transporte para a escola, de refeições nutritivas e de um ouvido atento. Tenho um grande desejo de reforçar a ligação e aprofundar os vínculos mais profundos com os filhos já casados. O prazer de realizar essas tarefas me trazia sofrimento, pois eu sabia que, durante um tempo, teria que relegá-las a um segundo plano, insuficiente para me deixar satisfeita como mãe.

Roger e eu escrevemos e cuidamos juntos de nossos filhos de modo que pudéssemos prover as necessidades básicas dos que ainda moram conosco, e os avós nos ajudaram com as aulas de música e o transporte para a escola. Mas o verdadeiro ponto da virada aconteceu quando criamos uma sinergia entre esse projeto e a necessidade que nossos filhos têm de deixar um legado. Parte de nossa missão familiar é "usar com sabedoria nosso tempo, nossos talentos e nossos recursos para abençoar os outros". Quando nos sentamos com as crianças e as envolvemos no propósito deste livro, compartilhamos uma visão que continha o poder dessa parte de nossa missão. Elas ficaram entusiasmadas e dispostas a ajudar em tudo o que estivesse ao seu alcance. Alguns de nossos filhos já casados envolveram-se diretamente no projeto. Outros ajudaram de diferentes formas. Certo sábado, eles e seus cônjuges apareceram para colaborar em pesquisas de campo.

Tivemos que fazer sacrifícios, mas as crianças estavam dispostas a auxiliar nas diversas formas necessárias de maneira a tornar o projeto possível. Em vez de nos afastar da família, ele nos aproximou ainda mais. É algo que fizemos juntos. E todos crescemos no processo.

Quando nossos papéis se originam da missão, da visão e dos princípios, o "equilíbrio" se torna uma questão mais profunda do que o gerenciamento do tempo em compartimentos estanques da vida. O equilíbrio está em viver, amar, aprender e deixar um legado, e nossos papéis criam os caminhos sinérgicos, algumas vezes sazonais, por meio dos quais nós o alcançamos.

2. Cada papel representa um território

A natureza possui um grande equilíbrio interdependente. Uma árvore é parte de um imenso ecossistema. Seu bem-estar afeta e é afetado pelo bem-estar de outros seres vivos em torno dela. A realidade dessa interdependência mostra que é fundamental reconhecer cada papel como um território.

Um território é um encargo. Podemos chamar de administrador "a pessoa à qual se confiam a responsabilidade e o cuidado do território". Somos administradores de nosso tempo, nossos talentos, nossos recursos. Temos territórios no trabalho, na comunidade e em casa.

PAPÉIS	PESSOAS

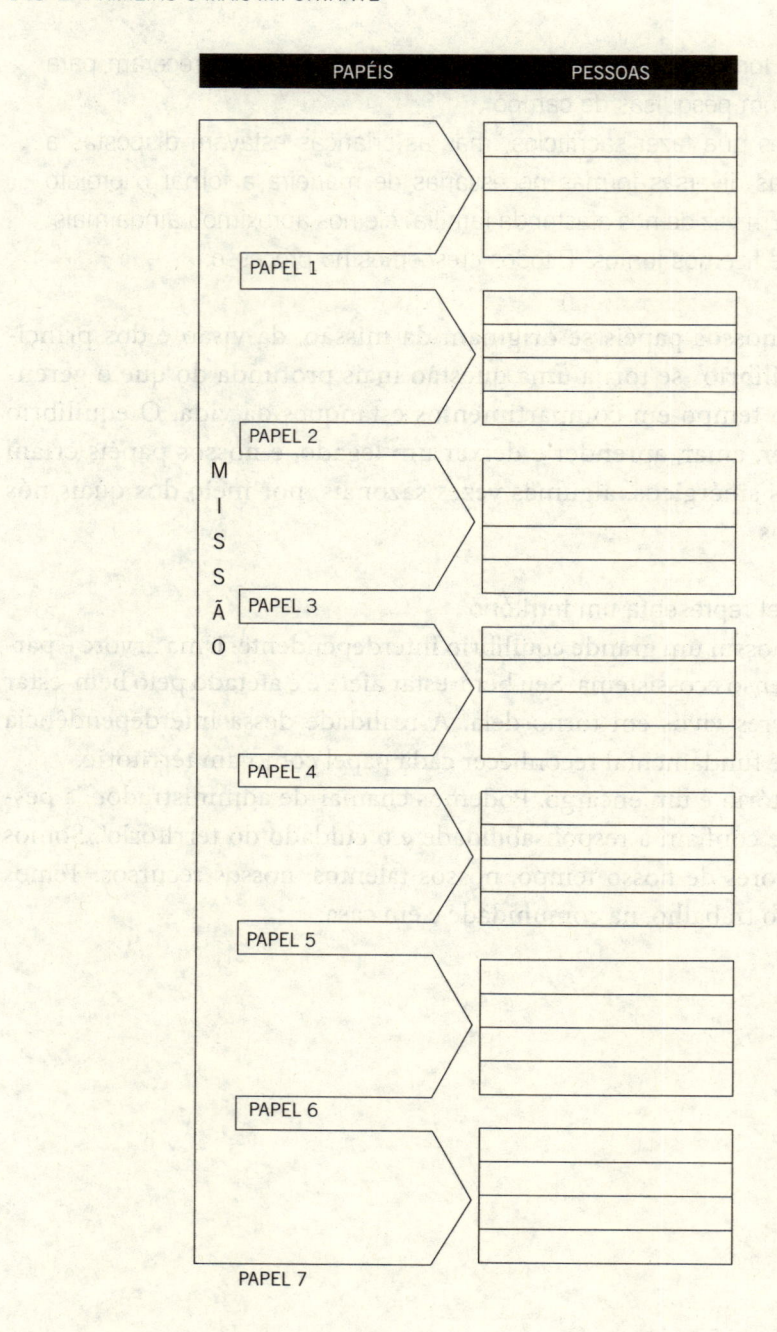

MISSÃO

- PAPEL 1
- PAPEL 2
- PAPEL 3
- PAPEL 4
- PAPEL 5
- PAPEL 6
- PAPEL 7

O território envolve a necessidade de prestar contas a alguém ou algo superior ao seu próprio eu. Se pensamos em alguém ou algo como um Criador, futuras gerações ou a sociedade em geral, essa é uma ideia com a qual teremos de nos preocupar mais cedo ou mais tarde. Tomamos consciência desse fato de um modo drástico, por intermédio de questões como o meio ambiente, a dívida interna e a aids. A "propriedade" lhe dá a liberdade de fazer o que bem quiser e entender, desde que não prejudique ninguém. Mas a ideia de que podemos destruir ou usar indevidamente um recurso sem que sejamos penalizados é uma ilusão. Estamos criando resultados que comprometem a qualidade de vida das futuras gerações.

Não há como escapar da responsabilidade. Nós faremos a diferença de uma forma ou de outra. *Somos* responsáveis pelo impacto que nossa vida causa. O que quer que façamos com o que quer que tenhamos – dinheiro, bens, talentos, até o tempo – será um legado para as próximas gerações. E, independentemente de nosso roteiro, podemos exercer os dons humanos e escolher o tipo de administradores que desejamos ser. Não devemos deixar violência, dívida, recursos naturais comprometidos, egoísmo ou ilusão para nossos herdeiros. Podemos deixar um meio ambiente saudável, propriedades bem administradas, um sentimento de responsabilidade, uma herança de valores baseados em princípios e a visão da contribuição. Ao fazê-lo, estaremos melhorando a qualidade de vida tanto no presente quanto no futuro.

A figura da página anterior pode ser útil para você analisar seus papéis em termos de territórios e identificar as pessoas a que você sente que deve prestar contas de suas ações em cada um dos papéis.

Na Parte III, analisaremos em profundidade a forma como podemos criar acordos de desempenho que lidem com a realidade plena da natureza interdependente de nossos papéis.

3. Cada papel contém quatro dimensões

Cada papel possui uma dimensão física (demanda ou cria recursos), uma espiritual (conecta a missão e os princípios), uma dimensão social (envolve relacionamentos com outras pessoas) e uma mental (precisa de um aprendizado).

Vamos nos aprofundar mais nas dimensões social e mental. Todos os papéis têm um relacionamento – sejam com os membros da família, os colegas de trabalho ou os amigos. Até o papel profissional do faxineiro do prédio que trabalha sozinho à noite envolve o relacionamento com os indivíduos para os quais trabalha e aqueles que se beneficiam de seu trabalho.

Perceber essa dimensão social vital nos permite colocar as pessoas à frente das agendas. Os executivos que veem o próprio papel em termos de *tarefas* ficam facilmente frustrados com as "interrupções" dos funcionários; aqueles que veem seu papel em termos de *pessoas* encontram profunda satisfação nas oportunidades de atender a necessidades, estimular e ajudar. As donas de casa que veem o próprio papel apenas como a função de arrumar camas, fazer faxina e preparar refeições têm dificuldade de lidar com um filho que não quer realizar as tarefas. Aquelas que encaram o papel do ponto de vista de cuidar dos membros da família encontram prazer em um momento no qual possam ensinar algo a uma criança.

Em vez de uma orientação de tarefa que vê os relacionamentos como empecilhos, a consciência da dimensão social de cada papel nos ajuda a desenvolver uma orientação para as pessoas, que estabelece relacionamentos enriquecedores e gratificantes com aquelas com quem convivemos e trabalhamos.

Cada papel também tem uma dimensão mental de aprendizado, crescimento, ampliação da compreensão e habilidade. Parte significativa da eficácia de qualquer papel é o equilíbrio entre desenvolver e fazer, entre a produção (P) e o aumento da capacidade de produção (CP). Observamos esse fenômeno na executiva que busca em um seminário ajuda para aprender a ser mais eficaz em seu papel como empresária. Observamos isso no professor que dedica parte das férias de verão a um curso para aprimorar sua didática. Vemos na mãe ou no pai que lê ou faz cursos para aprimorar as habilidades como pais.

Avaliando nossa vida como um todo, o equilíbrio P/CP envolve renovação permanente nas quatro dimensões. Implica investimento de tempo em exercícios, leitura, contato com nosso eu mais profundo a fim de melhorar nosso caráter e nossa competência, a energia e a sabedoria que levamos para todos os papéis que desempenhamos.

A ORGANIZAÇÃO DO QUADRANTE 2 CULTIVA O EQUILÍBRIO

O equilíbrio natural é um equilíbrio dinâmico que se manifesta de três formas importantes em nossa vida.

- O equilíbrio primário é o equilíbrio interno entre nossas dimensões física, social, emocional e espiritual. Não há equilíbrio na vida exterior sem equilíbrio em nossa vida interior – sem a sinergia criada quando vivemos, amamos, aprendemos e deixamos um legado em conjunto.
- O equilíbrio secundário está em nossos papéis. É um equilíbrio sinérgico, um eventual desequilíbrio temporário, no qual as partes trabalham juntas a fim de criar um todo maior.
- O equilíbrio P/CP é o equilíbrio entre o desenvolvimento e a realização que nos dá poderes para agir com mais eficácia, aumentando nossa capacidade de realização.

Vejamos como o processo do quadrante 2 desenvolve a abundância e o equilíbrio em nossa vida.

Ao revermos nossa missão semanalmente, nós nos conectamos com a paixão e a perspectiva. Ficamos concentrados no equilíbrio interior fundamental de nossas dimensões física, social, mental e espiritual que dá significado ao equilíbrio externo em nossa vida.

Ao revermos nossos papéis, nós os vemos como os caminhos para realizarmos nossa missão. Vemos suas dimensões social, mental e espiritual, além da física. Procuramos formas de criar sinergia entre elas e as necessidades e capacidades dos outros.

O primeiro papel na planilha semanal, "afinar o instrumento", é o único cujo título é impresso. Os demais estão em branco. Isso se deve ao fato de que "afinar o instrumento" é nosso papel de CP pessoal. Ele nos lembra que não podemos usar tanto o instrumento a ponto de não termos tempo de afiná-lo. Por meio desse papel, renovamos cada uma das quatro dimensões diariamente e aumentamos nosso caráter e nossa competência, a energia e a sabedoria que trazemos para todos os outros papéis que desempenhamos.

Para desenvolvermos ainda mais o equilíbrio dos papéis no processo de organização do quadrante 2, podemos esclarecer as expectativas em torno deles.

Organização das informações por papéis
O arquivamento de anotações de acordo com cada papel – em detrimento dos critérios cronológico e alfabético – agiliza e facilita o trabalho de pesquisa, graças à associação mental.

Em seu *planner* organizador, você pode criar um compartimento para cada papel. Então, quando tomar notas, poderá arquivá-las na seção do papel correspondente. Se fizer uma pesquisa de preços para a reforma que fará em casa, coloque-a no papel que inclui gerenciamento doméstico. Se tiver uma ideia para um novo produto, coloque-a no papel de trabalho relacionado a desenvolvimento de produtos. Se receber informações relacionadas ao trabalho comunitário, coloque-as no papel de liderança da comunidade. Se as anotações forem sobre o aniversário do cônjuge, tamanho do sapato dos filhos e caderneta de vacinação do cachorro, coloque-as no papel familiar.

Algumas pessoas chegam a manter uma lista de telefones e endereços para cada papel. Por exemplo, anotam os números de telefone dos colegas de trabalho e arquivam na seção destinada a papel profissional, e os telefones de serviços como limpeza de carpete e lavagem de janelas na seção destinada a gerenciamento doméstico.

Quando não houver mais necessidade de acesso imediato às anotações, você poderá transferi-las para um arquivo criado de acordo com seus papéis. As informações profissionais podem ser arquivadas na gaveta reservada para as atividades que desempenha no trabalho. Pode haver uma pasta para cada papel (para facilitar a identificação, crie cores-código), que em seguida pode ser subdividida de acordo com informações mais específicas de cada papel. Os projetos em andamento podem ser organizados por papel e, ao serem concluídos, transferidos para a respectiva gaveta. As informações familiares – por exemplo, ideias de presentes, tamanhos de roupa ou metas relacionadas ao exercício da paternidade – podem ser organizadas em outra gaveta, em um arquivo de cartões ou em uma ferramenta de planejamento pessoal destinada ao papel em questão. Seus planos de desenvolvimento pessoal, como uma lista de livros a serem lidos, um registro de exercícios ou uma lista de desejos, podem ser arquivados no espaço destinado ao papel individual. A área de trabalho do computador também pode ser organizada de acordo com os papéis, dando acesso imediato às informações eletrônicas de cada um deles.

A organização de informações de acordo com os papéis é consistente com seu processo mental. A tentativa de adotar elaborados sistemas de arquivamento desenvolvidos por outras pessoas, caso você não tenha a mesma estrutura mental de quem os criou, costuma redundar em fracasso.

A organização de informações por papel também reforça o foco no quadrante 2, fazendo-o pensar mais naquilo que é importante, mas não necessariamente urgente. Isso porque toda vez que você fizer uma anotação, consultar um número telefônico, uma informação arquivada ou usar o computador, pensará de acordo com os relacionamentos e territórios importantes que mantém em sua vida.

Definir expectativas em torno dos papéis
Para muitas pessoas, é bastante útil definir cada papel de maneira mais detalhada do que o modo como eles aparecem na declaração de missão pessoal. A criação de uma declaração de missão ou de um acordo de desempenho destinado a um papel específico oferece essa definição e também cria expectativa compartilhada para outras pessoas envolvidas na realização do papel.

Se você for marido e pai ou esposa e mãe, por exemplo, você e seu cônjuge poderão sentir a necessidade de expressar sua visão e seus valores compartilhados de paternidade/maternidade. No trabalho, pode sentir a necessidade de fazer um acordo claro com seu chefe no que diz respeito ao papel que você desempenha dentro da empresa. Falaremos sobre visão compartilhada e acordos de desempenho de maneira mais aprofundada no Capítulo 12. Esses acordos podem ser arquivados na respectiva seção do papel em seu *planner* ou organizador a fim de serem acessados prontamente e analisados com frequência.

O EQUILÍBRIO PRODUZ ABUNDÂNCIA

A compreensão de "equilíbrio" e "papéis" de forma holística nos dá força para transcender as limitações convencionais impostas pelo tempo cronológico. A mentalidade cronológica nos leva a ver nossos papéis como compartimentos de vida segmentados e antagônicos que disputam nossos limitados recursos de tempo e energia. Esse paradigma cria a mentalidade da escassez. Trata-se da situação "ou isto ou aquilo". E não há como fazer tudo.

No entanto, com esses paradigmas mais holísticos, vemos nossos papéis pelas lentes do "e". Percebemos uma profunda conexão entre os papéis que desempenhamos e uma oportunidade fantástica de agir de maneira sinérgica. Eles criam a mentalidade da abundância. O tempo pode ser um recurso limitado, mas nós não. Ao criarmos sinergia entre os papéis, há mais de nós para investir no tempo de que dispomos.

METAS DO QUADRANTE 2 PARA CULTIVAR O EQUILÍBRIO DOS PAPÉIS

- Avalie sua declaração de missão e os papéis que desempenha a fim de se certificar de que os papéis se originam da missão e que sua missão contém todos os papéis importantes que desempenha.
- Analise cada um de seus papéis em termos de relacionamentos e responsabilidades. Você pode achar de grande valia utilizar a figura apresentada na página 148.
- Organize o *planner* ou organizador em torno de seus papéis.
- Organize seu arquivo ou área de trabalho do computador em torno de seus papéis.
- Trabalhe em declarações de missão ou acordos de desempenho para cada um dos papéis que desempenha.

7

O poder das metas

Você pode querer fazer o que é certo, e pode inclusive querer fazê-lo pelas razões certas. Mas, se não aplicar os princípios certos, poderá vir a dar com a cara na porta.

Um dos elementos mais comuns de toda a literatura de autoajuda e administração é a ideia do poder das metas. Disseram-nos para definir metas de longo prazo, de curto prazo, diárias, mensais, pessoais, organizacionais, metas para uma vida. As virtudes das metas "mensuráveis, específicas e com prazo definido" foram pregadas no púlpito dos livros de autoajuda por gerações.

Não há dúvida de que a definição de metas é um processo poderoso. Ele é baseado no mesmo princípio de foco que nos permite convergir raios de sol difusos em uma força poderosa o bastante para dar início a um incêndio. É a manifestação visível da imaginação criativa e da vontade independente. É o exemplo vivo do ditado "Devagar se vai ao longe", da transformação da visão em um feito exequível, acionável. É um denominador comum entre indivíduos e organizações bem-sucedidos.

Mas, a despeito de seu valor óbvio, nossa experiência e nossos sentimentos com relação às metas são confusos. Alguns podem definir metas heroicas, exercitar uma disciplina férrea e pagar o preço de conquistas fantásticas. Outros não conseguem manter uma simples resolução de passar dois dias sem comer doces. Alguns veem as metas como o principal fator na formação do destino de indivíduos e nações; outros as veem como idealismo superficial que não resiste no mundo "real". Alguns perseguem as metas, não importa o que aconteça. E algumas metas nos perseguem, não importa o que aconteça. Há autores que afirmam que, se pensarmos positivamente, poderemos fazer qualquer coisa; outros nos avisam para não ficarmos dando murro em ponta de faca.

DUAS ÁREAS DOLOROSAS

Em todas as nossas experiências relacionadas à definição de metas, parece haver duas grandes áreas dolorosas: 1) o golpe em nossa integridade e a coragem quando não alcançamos as metas; e 2) os resultados algumas vezes devastadores quando as alcançamos.

Retiradas da conta bancária de integridade

Como já dissemos, cada um de nós tem o que se pode chamar de "conta bancária de integridade", que reflete a quantidade de confiança que depositamos em nós mesmos. Quando estabelecemos e cumprimos compromissos, como a definição e a conquista de metas, estamos fazendo depósitos. Aumentamos nossa própria confiabilidade, nossa habilidade de assumir e manter compromissos conosco e com os outros. Um equilíbrio alto nessa conta é uma grande fonte de força e segurança.

Entretanto, quando não alcançamos as metas, fazemos retiradas, o que se torna uma fonte de dor. Com o passar do tempo, retiradas frequentes nos fazem perder a segurança em nossa habilidade de assumir e manter compromissos e a confiança em nós mesmos e nos outros. O cinismo e a racionalização se seguem, e essas atitudes nos afastam do poder de definir e alcançar metas que importem. Então, quando precisamos da força de caráter para encarar desafios fundamentais em nossa vida, simplesmente não a encontramos lá.

> (Stephen) Certa vez trabalhei como assistente em um exercício de sobrevivência na selva e levei um grupo de estudantes para uma caminhada noturna. Nós terminamos o exercício em um vale no qual tivemos que atravessar um rio agarrados a uma corda. Estávamos exaustos, fatigados e desidratados. Havia 24 horas que não comíamos nem bebíamos nada, mas sabíamos que, do outro lado do rio com cerca de 12 metros de largura, um bom café da manhã nos esperava.
>
> Como um dos líderes do grupo, eu devia seguir na frente. Comecei a jornada com determinação e até um pouco de arrogância. Fiquei me exibindo na corda, fazendo malabarismos. Só que na metade do percurso as forças começaram a me faltar. Testei todas as técnicas que conhecia – do simples estímulo ao poder da vontade à visualização da minha figura do outro lado do rio, saboreando o café da manhã –, mas

em certo momento cheguei a ter medo de tirar a mão da corda para me mexer. Não confiava que minha outra mão suportaria o peso do meu corpo.

Então, eu caí. Minhas forças haviam acabado. Eu estava balançando em minha corda de segurança sobre as águas revoltas. Os estudantes adoraram! "O orgulho se vai antes da queda." No fim das contas, a maioria deles teve a mesma experiência. Foram poucos os que completaram a travessia intactos.

A criação da força de caráter é como a criação da força física. Ao ser testada, se você não a tiver, nenhuma maquiagem será suficiente para disfarçar o fato de que ela não está lá. Não dá para fingi-la. É preciso força para definir uma meta heroica, para trabalhar em problemas crônicos em vez de procurar soluções rápidas, para manter os compromissos quando a maré da opinião pública se volta contra você.

Há muitas razões para não realizarmos nossas metas. Algumas vezes, elas são irreais. Criamos expectativas que não refletem o menor sentido de autoconsciência. As resoluções de ano-novo são exemplos típicos. De repente, esperamos mudar a forma como comemos, nos exercitamos ou como tratamos as pessoas simplesmente porque o calendário mudou de 31 de dezembro para 1º de janeiro. É como esperar que um de nossos filhos aprenda a engatinhar, comer com garfo e dirigir um carro no mesmo dia. Essas metas são ilusórias e não levam em consideração nossos próprios limites ou os princípios do crescimento natural.

Algumas vezes, estabelecemos metas e nos esforçamos para alcançá-las, mas as circunstâncias mudam ou nós mesmos mudamos. Uma nova oportunidade surge; há uma guinada na economia; outra pessoa aparece no contexto; assumimos uma perspectiva diferente. Se nos agarramos às metas, elas se tornam mestres em vez de servos. Mas se as deixamos escapar, com frequência nos sentiremos incomodados ou culpados por não termos conseguido honrar o compromisso assumido. É difícil manter um bom equilíbrio em nossa conta bancária de integridade quando mudamos constantemente nossas metas ou não conseguimos alcançá-las.

As escadas na parede errada

Embora deixar de alcançar metas possa causar grande sofrimento, realizá-las também pode ser um problema. Algumas vezes, conquistamos certas metas à custa de elementos importantes em nossa vida. É a síndrome da "escada na parede errada", ou seja, galgar a proverbial escada do sucesso apenas para descobrir que ela estava apoiada na parede errada.

Um de nossos associados nos confessou a seguinte experiência:

> Há vários anos, um homem anunciou a amigos e vizinhos que sua meta para o ano era ganhar 1 milhão de dólares. Ele era um empresário que tinha o seguinte lema: "Dê-me uma boa ideia e eu posso vender 1 milhão." Ele desenvolveu e patenteou um produto recreativo fantástico, e em seguida viajou por todo o país para vendê-lo.
>
> De vez em quando, o homem fazia uma viagem de cerca de uma semana com um de seus filhos. A esposa argumentava que era um hábito ruim, porque, quando voltavam, as crianças não queriam mais saber de rezar e fazer os deveres de casa. "Eles passam a semana inteira na farra. Não leve as crianças se não for ajudá-las a fazer o que elas deveriam estar fazendo."
>
> Bem, no fim do ano, o homem anunciou que havia alcançado sua meta: juntar 1 milhão de dólares. Logo depois, no entanto, ele e a esposa se divorciaram. Dois filhos se envolveram com drogas. Outro teve uma crise emocional. Basicamente, a família se desintegrou.
>
> Esse homem tinha se concentrado apenas em uma meta, na qual apostou todas as fichas. Mas ele não computou o custo total. Esse dinheiro lhe custou muito mais do que valia.

Quando somos consumidos por uma única meta, ficamos como cavalos com antolhos, incapazes de enxergar outra coisa. Algumas vezes, nossas metas são do tipo "bater e correr" e deixam atrás de si um grande estrago. Outras vezes, podem ser bem-intencionadas, mas sua realização gera resultados indesejáveis. Um participante de nosso programa na Rússia compartilhou a seguinte experiência:

> Gorbachev queria restringir o uso do álcool e impedir que o povo russo bebesse tanto. Foi como a Lei Seca norte-americana, e teve resultados semelhantes: em vez de se voltarem para atividades mais produtivas, como era esperado, as pessoas trocaram o álcool pelos narcóticos. O governo alcançou a meta de reduzir o consumo de álcool de maneira significativa, mas não conseguiu o que queria.

Em geral, definimos metas com a expectativa de que sua realização criará mudanças positivas e qualidade de vida. Mas muitas vezes as mudanças não são tão positivas. A realização da meta influencia outras áreas da vida de forma negativa. E quando nos vemos cara a cara com os resultados, ficamos decepcionados.

À luz desse dilema "decepcionado se o fizer, arruinado se não o fizer" em relação às metas, não surpreende que muitos se sintam incomodados com o processo de definição de metas.

É possível ter o poder sem os problemas? Estabelecer uma conta bancária de integridade forte ao definir e alcançar metas significativas de modo regular? Ser capaz de abandonar, mudar ou mesmo alcançar apenas parte de uma meta e ainda assim manter ou mesmo aumentar a conta bancária de integridade? Garantir que nossas escadas estejam apoiadas nas paredes certas?

Afirmamos que é possível – e até que podemos ter acesso a um aumento significativo no poder de definição de metas. A chave é usar nossos quatro dons humanos de forma sinérgica para estabelecer e alcançar metas baseadas em princípios.

UTILIZAÇÃO DOS QUATRO DONS HUMANOS

Quando bem realizada, a definição de metas tradicional é forte porque acessa o poder de dois de nossos dons exclusivos: a imaginação criativa e a vontade independente.

Usamos nossa imaginação criativa para visualizar e conceber possibilidades além de nossa experiência direta. Usamos nossa vontade independente para fazer escolhas, transcender nossa formação, roteiro e circunstância. Quando definimos uma meta, estamos dizendo: "Posso visualizar algo diferente do que está posto e escolho concentrar meus esforços para criá-lo." Usamos nossa imaginação para manter a meta em mente e nossa vontade independente para superar as dificuldades para alcançá-la.

O poder desses dois dons é notável: é o poder de uma vida com propósito, o processo fundamental de mudança de consciência. Só que apenas uma pequena parte do poder está disponível para nós.

O que costuma faltar no processo de definição de metas é o poder dos dois outros dons:

- **consciência** – a profunda conexão entre as metas e a missão, as necessidades e os princípios; e

- **autoconsciência** – a análise abrangente e precisa de nossa capacidade e do equilíbrio da conta bancária de integridade.

Vamos examinar com mais profundidade esses dois dons a fim de entender como eles podem nos energizar para definir e conquistar metas significativas.

A consciência alinha a missão e os princípios

A consciência é poderosa porque alinha a missão e os princípios e nos orienta no momento da escolha. O momento em que definimos uma meta – o instante em que decidimos conscientemente concentrar nosso tempo e nossa energia na direção de um objetivo em particular – é o momento da escolha. O que determina essa escolha? É o espelho social, as agendas dos outros, os valores cujos princípios, necessidades e capacidades fundamentais estão intrincados? Ou é uma chama interior profunda, baseada em princípios, conectada com a consciência e focada na necessidade de contribuição?

As metas que são conectadas ao nosso eu mais profundo têm o poder da paixão e do princípio. Elas são movidas por nossa chama interior e estão baseadas nos princípios do "norte verdadeiro".

Uma das melhores formas de acessar esse poder é fazer-se três perguntas vitais: "O quê?", "Por quê?" e "Como?".

O quê?

O que quero realizar? Qual é a contribuição que desejo fazer? Qual é o objetivo que tenho em mente?

Um "o quê" baseado em princípios se concentra no crescimento e na contribuição. Não basta definir e alcançar metas que aumentem a qualidade de vida. Bons e maus exemplos da história definiram e alcançaram metas. A diferença está naquilo em que cada um escolheu se concentrar. Em geral encontramos o que procuramos. Quando definimos metas que estão em harmonia com a consciência e os princípios que criam qualidade de vida, estamos procurando – e encontraremos – o melhor.

Por quê?

Por que quero fazer isso? Minha meta provém da missão, de necessidades e de princípios? Ela me estimula a contribuir por meio de meus papéis?

No contexto da missão e da visão, o "o quê" pode ser mais fácil de identificar do que o "porquê" e o "como".

(Roger) Depois de falar sobre a importância da missão e dos papéis em um seminário, perguntei a um dos participantes se ele estaria disposto a realizar o processo de definição de metas comigo na frente do grupo. Ele concordou.
— Tudo bem, escolha um papel — comecei. — Um papel que goste de desempenhar.
— Pai.
— Em sua opinião, qual é a meta mais importante que você poderia trabalhar nesse papel?
— Melhorar o relacionamento com meu filho de 14 anos.
— Por quê?
— Bem, nosso relacionamento não anda muito bom.
— Então, por que quer melhorá-lo?
— Meu filho está enfrentando vários desafios na escola, com os amigos e a pressão que eles fazem. Sinto que está sendo empurrado em direções que não são produtivas. Acho que é importante eu estar por perto nessa fase da vida dele.
— Por quê?
— Porque posso ajudá-lo a se manter no caminho certo e a ser produtivo.
— Por quê?
— Porque ele precisa.
— Então, por que você quer fazer isso?
— Para ajudá-lo.
— Por quê?
Ele estava começando a ficar um pouco nervoso.
— Porque eu sou o pai dele! É minha responsabilidade!
— Mas por que você quer fazer isso?
A frustração era visível em seu rosto.
— Bem, porque... porque...
Duas pessoas próximas da mesa não conseguiram se conter.
— Porque você o ama! — as duas gritaram ao mesmo tempo.
Estava escrito em seu rosto. Estava refletido em suas palavras. Era tão evidente que as pessoas ao redor podiam perceber o profundo amor que ele sentia pelo filho. Talvez ele não conseguisse expressá-lo por causa do

ambiente do seminário ou talvez ele não tivesse feito a conexão com essa chama interior.

No momento em que as duas pessoas disseram as palavras, um sorriso envergonhado abriu-se em seu rosto.

– É isso mesmo! – confirmou ele. – Eu o amo.

Todos nós pudemos sentir a força e a paz que inundou o homem.

Sem essa conexão profunda, nos sentimos compelidos a desenvolver autocontrole suficiente para alcançar nossas metas, para resistir até o fim, arrastando-nos aos trancos e barrancos até a linha de chegada, como se essa fosse a última coisa que tivéssemos a fazer na vida. Não há conexão com nossas fontes de energia profundas, nossas convicções, nossas experiências. Trabalhamos contra nós mesmos, sem saber por que (ou mesmo se) queremos realizar uma meta em particular. Os compromissos que assumimos em um momento de entusiasmo não têm o poder de nos sustentar até a plena realização de nossas metas.

A chave para a motivação é o motivo. É o "porquê". É o que nos dá a energia para nos mantermos fortes nos momentos difíceis. O motivo nos dá a força para dizer "não" porque estamos em conexão com um ardente "sim!". Se a meta não estiver em conexão com um profundo "porquê", ela pode até ser boa, mas em geral não será a melhor. Precisamos questionar a meta. Se ela estiver conectada, precisamos empurrar nosso pensamento e sentimento até criar um fluxo aberto entre a paixão da visão e a meta. Quanto mais forte a conexão, mais forte e mais firme será a motivação.

Como?

Como vou fazer isso? Quais são os princípios-chave que me darão energia para alcançar meu propósito? Que estratégias posso usar para implementar esses princípios?

Uma vez alinhados o "o quê" e o "porquê", estamos prontos para nos deter no "como". Definir o "como" costuma reduzir a escolha entre estilos de pensamento e gerenciamento de controle e liberação. Se nosso paradigma é o do controle, partimos do pressuposto de que as pessoas precisam ser altamente supervisionadas a fim de produzirem ou terem um desempenho aceitável. Se nosso paradigma é o da liberação, acreditamos que, dada a liberdade, a oportunidade e o suporte, as pessoas trazem à luz o que há de maior e melhor dentro delas e realizam grandes feitos.

A forma como vemos os outros em termos de controle ou liberação em geral reflete a forma como enxergamos a nós mesmos. Se tivermos uma perspectiva de controle, presumimos que temos de nos manter na linha se quisermos realizar algo. Se temos uma perspectiva de liberação, vemos nossa tarefa de liderança primária como a criação de condições ideais para a liberação das capacidades internas. Se nosso foco na definição de metas estiver baseado no dom da vontade independente – arrancada a fórceps, disciplina férrea, não importa o quê –, isso é uma boa indicação de que nosso paradigma básico é o do controle.

(Roger) Então, eu disse:
– Tudo bem, mas como você vai demonstrar seu amor?
– Não sei. Preciso criar as oportunidades.
– E o que mais?
– Tenho que investir tempo.
– E o que mais?
– Não sei. – Ele suspirou. – Para dizer a verdade, estou morrendo de medo. Já tentei antes e não funcionou. Algumas vezes, tenho a impressão de que, quanto mais me esforço, mais complico a situação.

Começamos então a falar sobre os princípios que poderiam ser aplicados no relacionamento dele com o filho. Conversamos sobre confiabilidade – se você quer construir uma relação de confiança, torne-se merecedor de confiança. Assuma e mantenha compromissos. Seja leal mesmo com quem está ausente. Conversamos sobre empatia – procure primeiro entender. Respeite.

Ele percebeu então que, por mais que quisesse desesperadamente ajudar seu filho, seus esforços jamais seriam eficazes se estivesse construindo um relacionamento baseado na ilusão de que poderia controlá-lo com boas intenções, não na realidade de que poderia liberá-lo com a liderança baseada em princípios e amor.

Nas situações avaliadas durante os seminários, as pessoas costumam escolher o papel profissional, não o familiar. A maioria tem uma percepção imediata de "o quê" deve fazer:
"Aumentar as vendas em 5% esse mês."
"Reduzir o custo operacional em 3% até o fim do trimestre."
"Aumentar o moral da equipe no escritório."

Mas, quando entramos no processo do "porquê", elas logo reconhecem que suas motivações são negativas, econômicas, com foco no que é externo, ou urgente:

"Se não fizer isso, vou perder meu emprego."

"Se não alcançar essa meta, vou perder a credibilidade e me sentirei muito mal."

"Temos um problema real que precisa ser resolvido antes que se alastre."

Quando as pressionamos a fim de obter respostas mais profundas, as histórias costumam tomar um rumo diferente:

"Se fizer isso, vou sentir que realizei meu trabalho e sou merecedor do salário que recebo."

"Gosto da sensação de que realizei algo útil e melhorei a qualidade do serviço oferecido ao cliente."

"Eu realmente me preocupo em fazer desse mundo um lugar melhor para se viver."

Muitas empresas estão tão concentradas nas dimensões econômicas e físicas que nunca alcançam as motivações mais profundas. Elas não conseguem reconhecer ou lidar com as necessidades sociais, mentais e espirituais. Não permitem que as pessoas entrem em contato naturalmente com o que se passa no coração delas – a necessidade que têm de amar, aprender, viver para algo maior do que elas mesmas –, embora essa conexão seja a melhor fonte de energia, de criatividade e de lealdade que os empregadores procuram.

Quando entramos na questão do "como", as pessoas que escolhem um papel profissional simplesmente acham que devem "fazer das tripas coração".

– Preciso meter as caras e fazer isso.
– Você já tentou isso antes?
– Sim.
– Funcionou?
– Não.

Em seguida, falamos sobre alguns princípios do "norte verdadeiro" que poderiam fazer diferença. Avaliamos os princípios da interdependência – empatia, honestidade, capacidade de assumir e manter compromissos, construção de relacionamentos. Analisamos os princípios da visão compartilhada, os acordos de ganha-ganha e o alinhamento de sistemas. Logo fica claro que não basta saber o que fazer, nem mesmo desejar ardentemente fazê-lo.

Fazer o que é certo pela razão certa e da forma certa é a chave para a qualidade de vida, e isso só pode vir do poder de uma consciência treinada que nos alinhe com a visão, a missão e o "norte verdadeiro".

A autoconsciência nos capacita a construir a integridade

Nossa confiabilidade é tão alta quanto o equilíbrio de nossa conta bancária de integridade. Como nossa integridade é a base de nossa autoconfiança e da confiança que inspiramos nos outros, uma das maiores manifestações de liderança pessoal eficaz é o exercício do cuidado e da sabedoria na construção de um equilíbrio positivo nessa conta.

Primeiramente, nós a construímos por meio do exercício da vontade independente em assumir e manter os compromissos. Mas, sem a autoconsciência, não temos a sabedoria necessária para gerenciá-la. Podemos definir metas muito ambiciosas, transformando os potenciais depósitos em grandes débitos quando fracassamos em conquistá-las. Por outro lado, podemos definir metas muito tímidas, depositando centavos quando poderíamos depositar quantias maiores. Podemos até deixar passar oportunidades diárias, semanais, momentâneas de fazer depósitos porque estamos muito ocupados em culpar as circunstâncias ou outras pessoas por nossa própria incapacidade de alcançar as metas.

A autoconsciência envolve uma honestidade pessoal profunda. Ela surge em decorrência de perguntas e respostas a questões difíceis:

- "Será que realmente quero fazer isso?"
- "Estou disposto a pagar o preço?"
- "Tenho a força necessária?"
- "Aceito a responsabilidade por meu próprio crescimento?"
- "Estou estabelecendo mediocridade quando deveria conquistar excelência?"
- "Estou culpando e acusando os outros por minha própria incapacidade de definir e alcançar metas?"

A autoconsciência pede que comecemos do ponto em que nos encontramos – sem ilusões ou desculpas – e nos ajuda a definir metas realistas. Por outro lado, não nos permite admitir a mediocridade. Ela nos ajuda a reconhecer e respeitar nossa necessidade de ampliar os limites, de crescer. Como grande parte das frustrações na vida é resultado de expectativas não correspondidas, a capacidade de definir metas que sejam a um só tempo realistas e desafiadoras já é meio caminho andado na direção de nos empoderar para cultivar a paz e o crescimento positivo.

Autoconsciência é ouvir a voz da consciência. Ajuda a reconhecer que há princípios independentes de nós, a entender a futilidade de tentar criar nossas próprias leis. Ela nos ajuda a ser humildes e nos manter abertos ao crescimento e à mudança, e também a perceber que não somos oniscientes ou onipotentes quando definimos uma meta. De acordo com o que diz nossa consciência – e diante de tudo de bom que podemos fazer –, nós escolhemos o que é melhor, pela melhor razão e planejamos fazê-la da melhor maneira.

Só que a situação pode mudar. Nós podemos mudar. E não podemos agir com integridade sem estarmos abertos a essa mudança.

A autoconsciência nos dá poderes para perguntar: estou permitindo que o bom tome o lugar do melhor? O melhor pode ser a meta que definimos. O melhor pode estar na oportunidade não prevista, no novo conhecimento, nas novas oportunidades criadas pela ampliação da consciência. Se a mudança é movida basicamente pela urgência, pelo estado de ânimo ou pela oposição, ela nos afasta do melhor. Se a mudança é movida pela missão, pela consciência e pelos princípios, ela nos move na direção do melhor. Ter autoconsciência para saber a diferença entre o bom e o melhor é fazer os depósitos mais importantes em nossa conta bancária de integridade.

A integridade significa mais do que perseguir uma meta a qualquer custo. É um processo integrado que cria uma conexão aberta entre a missão e o momento.

COMO DEFINIR E ALCANÇAR METAS BASEADAS EM PRINCÍPIOS

Sem os princípios, as metas jamais produzirão resultados que aumentem a qualidade de vida. Você pode querer fazer o que é certo, e pode até querer fazê-lo pelas razões certas. Mas, se não aplicar os princípios corretos, dará com a cara na porta. Uma meta baseada em princípios contém todas as três: o que é certo, a razão certa, a forma certa.

A definição de uma meta baseada em princípios envolve o uso pleno e sinérgico dos quatro dons humanos:

- Por meio da consciência, entramos em contato com a paixão da visão e da missão e o poder dos princípios.
- Por meio da imaginação criativa, visualizamos a possibilidade e maneiras sinérgicas e criativas de alcançá-la.
- Por meio da autoconsciência, definimos metas realistas e permanecemos abertos a mudanças conscientes.
- Por meio da vontade independente, fazemos escolhas intencionais e as levamos adiante; temos a integridade de colocar nossas ideias em prática.
- O processo de definição de metas baseado em princípios é mais eficaz quando inclui: 1) definição de metas contextuais, 2) criação de uma lista de "talvez" e 3) definição de metas semanais.

1. Definição de metas contextuais

A maioria das pessoas acha muito útil conectar metas semanais com o contexto oferecido pela declaração de missão, estabelecendo assim metas de longo e médio prazos. No entanto, os termos "longo prazo" e "médio prazo" colocam essas metas em uma estrutura cronológica.

Embora a adequação ao momento possa ser uma questão importante, afirmamos que outras questões, como o relacionamento com pessoas e com outras metas e eventos, são mais bem reconhecidas por meio de metas contextuais. O termo "contextual" nos lembra que a liderança pessoal não se restringe a ter uma visão ampla – também significa ter uma compreensão abrangente.

Se você se organizar em torno de papéis, poderá manter em sua agenda uma página de metas contextuais para cada papel a fim de facilitar o acesso. O formato "o quê/por quê/como" é uma maneira eficaz de registrar essas metas. Por exemplo, uma meta contextual para seu papel de "afinar o instrumento" pode ser mais ou menos assim:

O QUÊ:
Minha meta é manter um corpo saudável e bem-condicionado.

POR QUÊ:
Por estas razões:
- Ter a força, a resistência e o porte físico necessários para realizar minhas missões com eficácia.

- Ser um exemplo de vida saudável para meus filhos e outras pessoas.
- Construir minha força de caráter pessoal.

COMO:
- *Boa alimentação:* aumentar o consumo de frutas, legumes e verduras frescos, carboidratos complexos, grãos, aves e peixe; reduzir o consumo de açúcares, gorduras, sal e carne vermelha; e fazer refeições menores e mais frequentes.
- *Preparo físico:* fazer 30 minutos de exercícios aeróbicos quatro vezes por semana; entrar para um time de basquete; e dormir sete horas por noite, indo para a cama cedo e me levantando ao raiar da manhã seguinte.
- *Conexão corpo/mente:* pensar de forma positiva em relação ao meu corpo e minha saúde; passar a ler; frequentar seminários e workshops para aprender mais sobre saúde.
- *Foco:* prestar atenção em problemas de saúde específicos.

Esse formato "o quê/por quê/como" conecta a missão, os princípios e as metas. Ao definir suas metas semanais, você pode rever as metas contextuais para fazer a conexão de imediato e selecionar uma pequena ação que o leve na direção delas.

Analisar uma meta dessa forma reafirma a interconectividade de nossa vida. Embora sua meta possa ser considerada uma meta "física" e arquivada no papel "afinar o instrumento", pense como ela está inter-relacionada com cada uma das outras dimensões e com todos os outros papéis.

Por exemplo, muitas pessoas relatam que um dos maiores benefícios do exercício físico regular não se dá propriamente na dimensão física, mas na espiritual – o crescimento da integridade e da firmeza de caráter. A dimensão mental – aprender mais sobre saúde, cultivar pensamentos saudáveis e reduzir o estresse – exerce um poderoso impacto na eficácia dessa meta física. Fazer exercícios acompanhado de amigos ou familiares pode criar uma experiência social enriquecedora para além da atividade física em si. O desenvolvimento da saúde nos estimula nas dimensões física, mental, social e espiritual de todos os nossos papéis.

A consciência de interconectividade nos mantém abertos ao pensamento da abundância e nos dá energia para criar uma sinergia poderosa entre nossas metas.

2. Criação de uma lista de "talvez"

Um dos problemas que temos ao lidar com metas é que toda vez que lemos um livro, frequentamos um seminário ou batemos papo com alguém, saímos da experiência com uma ideia sobre algo que realmente gostaríamos de fazer. Não estamos prontos para definir uma meta, mas também não queremos perder a ideia.

Na maioria das vezes, deixamos a ideia vagando em uma sala de espera cerebral já superlotada, entrando e saindo de nossa consciência, distraindo-nos da tarefa do momento e causando uma vaga inquietação relacionada a algo que ficou por fazer. Ou a colocamos em uma lista genérica de tarefas que acumula itens mais rapidamente do que somos capazes de realizá-los, misturando temas de alta prioridade com fatos de pouca importância e que constantemente nos lembram de tudo que não temos feito.

Muito mais eficaz do que isso é uma lista de "talvez", uma relação de atividades que você gostaria de realizar para cada papel. Sempre que lhe ocorrer uma ideia, anote-a na lista de "talvez" do respectivo papel envolvido para avaliação futura. Escrever não significa que se trata de uma meta ou um compromisso. Talvez você faça; talvez não. Trata-se apenas de uma informação a ser considerada em uma organização futura. Sua integridade não está em jogo.

A anotação de ideias em uma lista de "talvez" dissipa a ansiedade e a distração e ao mesmo tempo as mantém acessíveis para avaliação futura. Durante a organização semanal, você pode passar os olhos nessa lista e transformar algum item em uma meta da semana, mantê-lo na lista para uma apreciação futura ou descartá-lo, porque não era mesmo importante.

3. Definição de metas semanais

Quando definimos nossas metas semanais, o formato "o quê/por quê/como" se torna mais uma forma de pensarmos sobre nossos papéis e nossas metas. Quando definimos as metas, analisamos cada papel e, em seguida, paramos por um momento entre o estímulo e a resposta para fazer a seguinte pergunta:

O que há de importante para esse papel que eu poderia fazer nesta semana de forma a gerar o maior impacto positivo possível?

A resposta a essa pergunta pode ser encontrada em uma sensação ou impressão que surge enquanto analisamos nossa missão e nossos papéis. Um homem compartilhou a seguinte experiência:

Quando revejo meus papéis semanalmente, é comum surgirem ideias de atividades específicas que preciso fazer, sobretudo em meu papel de pai. Sempre tenho alguma ideia sobre um de meus filhos. Acho que estou mais consciente das necessidades individuais deles, mais sensível e aberto às oportunidades para fazer algo especial.

A resposta pode vir em decorrência da análise das metas contextuais em cada papel ou de uma ideia que colocamos na lista de "talvez". Quando fazemos uma análise crítica dessas coisas, conectamos nosso eu mais profundo e nossa situação atual. Criamos o contexto que dá sentido a nossas metas.

CARACTERÍSTICAS DE METAS SEMANAIS EFICAZES

Tenha em mente que metas semanais eficazes contêm cinco características:

1. *Elas são movidas pela consciência.* Uma meta eficaz está em harmonia com nossos imperativos interiores. Não é definida em função da urgência ou de uma reação a algo ou alguém. Não é um reflexo do espelho social. A necessidade de realizá-la deve vir do fundo do coração e estar em harmonia com nossa missão e com os princípios do "norte verdadeiro". Precisamos ser sensíveis à voz de nossa consciência, sobretudo ao selecionarmos metas para os papéis em que nossa influência é maior. Também devemos manter o equilíbrio. É importante lembrar que não somos obrigados a definir uma meta para cada papel semana após semana. Há ainda pequenos períodos de desequilíbrio, quando a sabedoria deixa claro que fizemos a escolha certa ao decidirmos não criar metas para alguns papéis naquela semana.

2. *Em geral, elas são metas do quadrante 2.* O processo de organização do quadrante 2 conecta automaticamente o "o quê" e o "porquê". Por essa razão, as metas que selecionamos em geral são importantes, mas não necessariamente urgentes. Também podemos selecionar algumas metas do quadrante 1, que são a um só tempo urgentes e importantes, mas as selecionamos primeiro pelo fato de serem importantes.

3. *Elas refletem nossas quatro necessidades e capacidades básicas.* Há boas metas que implicam ação na dimensão física, mas que podem estar relacionadas a compreender e a ser (a dimensão espiritual), a relacionamentos (a dimensão social) e ao desenvolvimento ou aprendizado (a dimensão mental). Muitas pessoas se sentem insatisfeitas e desequilibradas pelo fato de as metas em geral estarem relacionadas ao tempo e ao corpo. Ignorar a realidade de outras dimensões limita drasticamente nossa capacidade de levar uma vida plena de sentido, além de nos privar da fantástica sinergia que pode ser criada entre as metas.

4. *Elas estão em nosso Centro de Foco.* Cada um de nós tem o que chamamos de círculo de preocupação, que abrange tudo com o que nos preocupamos: a saúde, uma reunião com os superiores, os planos para o fim de semana de seu filho adolescente, a política externa do presidente, a ameaça de uma guerra nuclear.

    Mas há outro círculo, que em geral faz parte do Círculo de Preocupação, denominado Círculo de Influência. Esse círculo define a área de preocupações sobre a qual podemos de fato agir. Talvez não sejamos capazes de influenciar a política externa do presidente ou de dirimir a ameaça de uma guerra nuclear, mas podemos fazer algo a respeito de nossa saúde. Também podemos exercer alguma influência sobre os planos do fim de semana de nosso filho.

    Porém o uso mais eficaz de nosso tempo e energia em geral está em um terceiro círculo: o Centro de Foco.

    Nesse círculo, encontram-se as coisas com as quais estamos preocupados, que estão dentro de nossa capacidade de influência que estão alinhadas com nossa missão e que são oportunas. Empregar tempo e esforço em qualquer outro círculo diminui nossa eficácia. Quando atuamos em nosso Círculo de Preocupação, basicamente estamos perdendo tempo com situações que não temos capacidade de controlar ou influenciar. Quando atuamos em nosso círculo de influência, fazemos coisas boas, mas talvez estejamos comprometendo o tempo que dedicaríamos a algo melhor. Quando definimos e alcançamos metas que estão no Centro de Foco, maximizamos o uso de nosso tempo e esforço.

Círculo de Preocupação

Círculo de Influência

CENTRO DE FOCO

É interessante notar que, ao agirmos assim por um tempo, aumentamos nosso Círculo de Influência automaticamente. Encontraremos formas positivas de influenciar mais pessoas e circunstâncias.

5. *Elas são determinações ou concentrações.* Pode ser de grande utilidade distinguir entre *determinações* – aquilo que você está determinado a fazer, não importa "o quê" ou "como"; e *concentrações* – áreas de atividade em torno das quais você se concentra. Ao determinar que vai fazer algo, você coloca sua integridade em jogo. Isso acontece quando é vital enfrentar a situação, manter seu compromisso, cumprir com o que disse que ia fazer. A única justificativa para voltar atrás em uma determinação seria você se convencer plenamente – por meio da consciência e da autoconsciência – de que a "melhor" meta definida por alguma razão tornou-se apenas "boa". Somente então, você poderia mudar com integridade.

Ao definir uma concentração, você identifica uma área na qual deseja investir tempo e energia. Procure oportunidades para fazê-lo.

Siga na direção delas. Não arrisque sua integridade. Se decidir fazê-lo, perderá o tempo e a energia que investiu, mas não fará débitos de sua conta bancária de integridade.

Lembre-se de que não precisa colocar sua integridade em jogo toda vez que definir uma meta semanal. Na verdade, é importante administrar seus verdadeiros compromissos com muito cuidado, tendo sensibilidade e sabedoria para manter o superávit de sua conta bancária de integridade. Tal cuidado entretanto não pode impedi-lo de tentar realizar seu propósito.

CONFIANÇA E CORAGEM

Definir e trabalhar na direção de uma meta em particular é um ato de coragem. Quando exercitamos a coragem de definir e lutar por metas que estão conectadas aos princípios e à consciência, em geral obtemos resultados positivos. Com o passar do tempo, estabelecemos uma espiral ascendente de confiança e coragem. Nossos compromissos se tornam mais fortes do que nossos humores. Em algum momento, nossa integridade deixa de ser uma questão relevante. Desenvolvemos coragem para definir desafios cada vez maiores, metas até mesmo heroicas. Esse é o processo de crescimento, por meio do qual somos tudo o que podemos ser.

Por outro lado, quando exercitamos coragem na definição de metas que não estão profundamente arraigadas em princípios e na consciência, costumamos obter resultados indesejáveis que conduzem ao desencorajamento e à descrença. O ciclo é revertido. E por fim acabamos perdendo a coragem de definir todos os tipos de metas, por menores que sejam.

O poder da definição de metas baseadas em princípios é o poder dos princípios – a confiança de que as metas estabelecidas produzirão qualidade de vida, de que nossas escadas estão apoiadas nas paredes certas. É o poder da integridade, a capacidade de definir e alcançar metas plenas de sentido com regularidade, a capacidade de mudar com confiança quando o "melhor" se torna apenas o "bom". É o poder dos quatro dons humanos trabalhando juntos para desenvolver a paixão, a visão, a consciência, a criatividade e a força de caráter que propiciam o crescimento.

Acessar esse poder é criar uma espiral ascendente que nos capacita a continuar colocando as prioridades em primeiro lugar.

IDEIAS DO QUADRANTE 2
PARA CULTIVAR O PODER DAS METAS

- Use o formato "o quê/por quê/como" a fim de definir metas contextuais em cada um de seus papéis.
- Crie uma lista de "talvez" para cada papel em seu *planner* ou organizador.
- Durante a semana, escreva, no papel adequado, as ideias sobre metas que lhe vierem à cabeça. Observe como se sente ao colocar essas ideias nas listas de "talvez". Ao planejar sua próxima semana, consulte as listas de ideias para obter metas.
- Ao definir as metas semanais, pare por um momento e entre em contato com sua consciência. Faça o que acredita ser mais importante em cada papel.
- Reflita sobre o modo como está usando cada um de seus dons humanos ao definir e alcançar os objetivos da semana.
- Identifique cada uma de suas metas semanais como uma "determinação" ou "concentração". No fim da semana, avalie de que modo essa distinção influenciou sua atitude em relação à meta, seu progresso para conquistá-la e o equilíbrio de sua conta bancária de integridade.

8

A perspectiva semanal

A prioridade é uma questão de contexto.

Os fotógrafos profissionais trabalham com um conjunto de lentes variadas. Eles usam objetivas ultra-grande-angulares e objetivas grande-angulares para captar imagens de campo muito extenso. Usam lentes telefotográficas para aproximar um objeto, lentes normais para captar a imagem que mais se aproxima da visão do olho humano e uma lente micro para trabalhar com ampliações. Parte do conhecimento específico deles é saber qual lente é adequada para alcançar o resultado desejado.

Assim como um fotógrafo, parte de nosso conhecimento na liderança pessoal é saber quando focalizar de forma mais eficaz. Na maioria das vezes, as ferramentas e técnicas de gerenciamento do tempo se concentram no planejamento diário, e parece haver uma boa razão para isso. O dia é a menor unidade de tempo natural completa – o sol se levanta e se põe, e deparamos com uma nova agenda a cada 24 horas. Podemos planejar o dia, definir metas, marcar encontros e estabelecer as atividades prioritárias. E o que não puder ser feito em um dia, pode ser planejado, agendado e priorizado no seguinte. Nada se perde, tudo se reaproveita no reino da natureza.

O problema com o foco no planejamento diário, porém, é semelhante ao de atravessar uma rua olhando através da lente telefotográfica: só enxergamos o que está bem na nossa frente – o que está próximo, urgente e nos pressionando. Por essa razão, estamos sempre dando prioridade às crises. Embora o objetivo da maioria das abordagens de planejamento diário seja nos ajudar a colocar o que é mais importante em primeiro lugar, a realidade é que ele nos mantém focados no que é urgente. A perspectiva é insuficiente para abranger o resultado.

É claro que também não podemos nos dar ao luxo de voltar todas as atenções para o contexto geral. Se não traduzimos a visão em ação, perdemos o contato com a realidade e nos tornamos idealistas sonhadores, sem credibilidade conosco mesmos e com os outros.

Todos nós enfrentamos esse dilema.

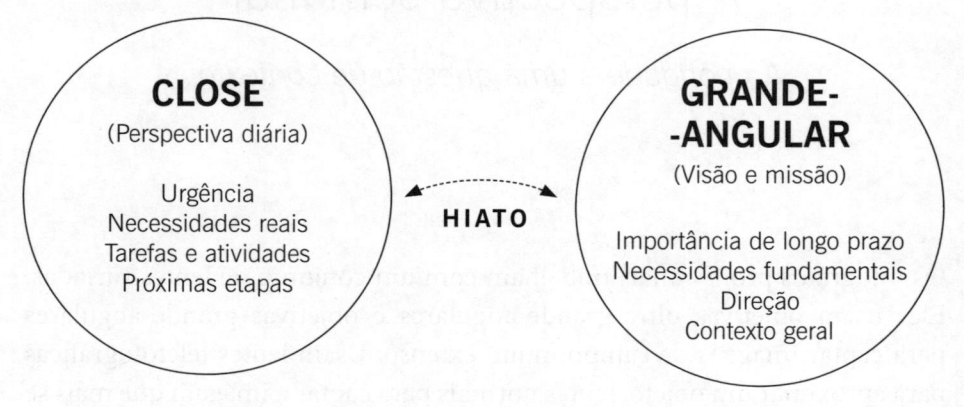

CLOSE
(Perspectiva diária)

Urgência
Necessidades reais
Tarefas e atividades
Próximas etapas

HIATO

**GRANDE-
-ANGULAR**
(Visão e missão)

Importância de longo prazo
Necessidades fundamentais
Direção
Contexto geral

Então, como resolver esse dilema, mantendo as coisas em foco e, ao mesmo tempo, em perspectiva?

A perspectiva semanal oferece uma solução sinérgica alternativa que relaciona o contexto geral ao dia de forma equilibrada e realista.

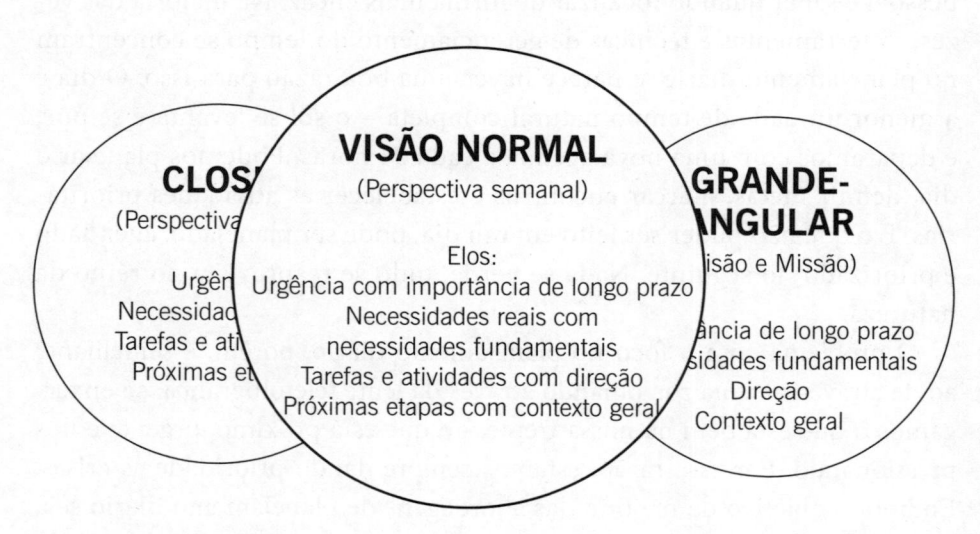

CLOSE
(Perspectiva diária)

Urgência
Necessidades reais
Tarefas e atividades
Próximas etapas

VISÃO NORMAL
(Perspectiva semanal)

Elos:
Urgência com importância de longo prazo
Necessidades reais com
necessidades fundamentais
Tarefas e atividades com direção
Próximas etapas com contexto geral

**GRANDE-
-ANGULAR**
(Visão e Missão)

Importância de longo prazo
Necessidades fundamentais
Direção
Contexto geral

Como essa perspectiva cria conexões vitais, a semana se torna a "lente normal" que dá a perspectiva mais apurada para o estabelecimento de uma vida com equilíbrio.

TRÊS PERSPECTIVAS OPERACIONAIS

A semana é uma colcha de retalhos da vida. Contém os dias úteis, as noites, o fim de semana. Ela é próxima o suficiente para ser altamente relevante, mas distante o bastante para oferecer contexto e perspectiva. É o padrão internacional: muitas empresas, escolas, repartições públicas e outros segmentos da sociedade programam-se dentro da estrutura semanal. Além disso, a semana nos oferece três perspectivas operacionais de grande utilidade: 1) renovação equilibrada, 2) todo-partes-todo, e 3) conteúdo no contexto.

1. Renovação equilibrada

A perspectiva semanal nos obriga a planejar uma renovação (um momento de lazer e reflexão) semanal e diária.

Renovação semanal

A maioria das culturas aceita a noção de renovação semanal. O mundo judaico-cristão, por exemplo, honra um descanso semanal – um dia a cada sete dias expressamente dedicado à reflexão e à renovação do compromisso. O mundo acadêmico amplia esse conceito ao instituir o período sabático – um ano de licença concedido a cada sete anos e dedicado ao desenvolvimento pessoal do professor universitário. Os exemplos mais comuns de renovação semanal são as atividades de fim de semana, que podem incluir esportes ou eventos sociais recreativos com a família e os amigos.

A organização do quadrante 2 nos ajuda a tornar a renovação semanal parte de um estilo de vida equilibrado. Em vez de viver um dia após o outro pressionado pela urgência até nos sentirmos esgotados e fugirmos para o quadrante 4, podemos planejar proativamente recriação e renovação genuínas como uma mudança de ritmo necessária entre períodos criativos. A renovação não é uma atividade alienante, destituída de propósito. Contém atividades valiosas do quadrante 2, por exemplo:

- Criação, reparação ou renovação de relacionamentos com familiares e amigos.
- Renovação do compromisso com valores profundos por meio de atividades religiosas.
- Recuperação das energias por meio do descanso e do lazer.

- Desenvolvimento de aptidões por meio de interesses e hobbies especiais.
- Contribuição por meio do serviço comunitário.

A experiência nos ensina o imenso valor da renovação semanal. Quando somos pressionados pela urgência e trabalhamos um dia após o outro e também nos fins de semana, sem mudança de atividade ou de ritmo, parece que perdemos nosso espaço, nossa energia e nossa perspectiva em todas as áreas da vida. É como ler uma frase que atravessa páginas sem qualquer vírgula ou ponto, ou como ouvir uma peça musical sem refrão. Quando finalmente fugimos para o quadrante 4, a mudança de ritmo nos dá algum alívio, mas em geral nos sentimos vazios e insatisfeitos – nem renovados nem recriados.

A liderança pessoal cultiva a sabedoria de reconhecer nossa necessidade de renovação e garantir que cada semana ofereça atividades de natureza genuinamente recreativa.

A própria organização semanal do quadrante 2 é uma atividade de renovação. Por intermédio dela, renovamos a consciência de nossas necessidades e capacidades e os princípios do "norte verdadeiro". Renovamos nossa conexão com os quatro dons humanos e nosso compromisso com um caminho de contribuição, de uma vida voltada para propósitos maiores do que nossa individualidade. Renovamos a paixão da visão, o equilíbrio dos papéis, o poder das metas. Depois de experimentar a organização semanal, um homem escreveu:

> Eu costumava passar as noites de domingo no quadrante 4, vendo televisão. Mas percebi que essa era a hora da semana em que tinha mais paz de espírito. Tinha participado de cultos religiosos. Tinha passado algum tempo com a família. Tudo isso cria um excelente quadro mental para a renovação de minha missão, meus papéis e minhas metas. Então, agora reservo as noites de domingo para planejar a semana que vai se iniciar.

Algumas pessoas preferem organizar a semana na tarde de sexta-feira, antes de sair do escritório. Outras preferem as manhãs de domingo ou a primeira hora da manhã de segunda-feira. O importante é fazer isso quando estiver sozinho para se conectar com seu eu mais profundo. Sem renovação regular, as pessoas costumam ser puxadas em outras direções. Em vez de agir, reagem.

Renovação diária
A perspectiva semanal oferece o contexto para o equilíbrio da renovação diária. Se você fosse dedicar uma hora por dia para renovação, por exemplo, poderia interpretar o "equilíbrio" da seguinte maneira: 15 minutos para praticar exercícios, 15 minutos para ouvir sua filha adolescente, 15 minutos para estudar e 15 minutos para meditar.

Mas veja como suas possibilidades são ampliadas se você utiliza a perspectiva semanal. Especialistas em saúde dizem que, para obter o "efeito de treinamento", deve investir pelo menos 30 minutos três vezes por semana em exercícios vigorosos e repousar o corpo entre um dia de atividade e outro. Dedicar-se à renovação física nesses três dias terá um efeito mais positivo do que fazer 15 minutos de exercícios leves diários. Nos dias em que não praticar as atividades vigorosas, poderá fazer sessões de alongamento ou caminhar – talvez aumentando o valor dessa atividade ao realizá-la com seu cônjuge ou ouvindo música. Nesses dias, você poderia dedicar mais tempo à leitura de textos relacionados à sua área profissional ou mesmo de livros inspiradores. Embora a natureza e o tempo de cada atividade varie de uma semana para outra, você estará afinando o instrumento de forma equilibrada, ideal.

2. Todo-partes-todo
Ao fazermos uma análise crítica de nossa declaração de missão, veremos o todo: o contexto geral, o objetivo em mente, o sentido do que fazemos. Mas, se nos ativermos ao todo, vamos nos tornar sonhadores idealistas. Por isso, precisamos nos voltar para as partes – nossos papéis e nossas metas. Para tanto, damos um close em cada parte de nossa vida. Só que também não podemos nos esquecer das partes, sob o risco de tornarmos nossa vida mecanizada, compartimentalizada ou fragmentada.

Então, como parte do processo, voltamos a reagrupar as partes no todo, casando as forças de todas as perspectivas por meio da lente normal da organização semanal.

(Todo)   (Partes)   (Todo)

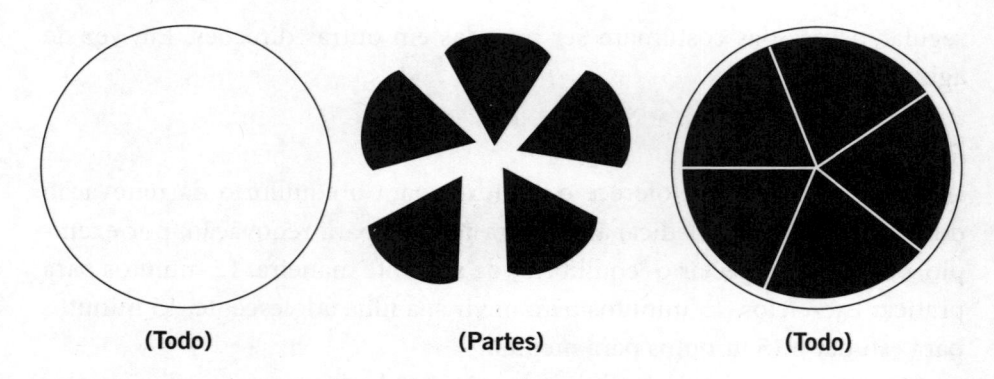

Ao reagruparmos as partes, poderemos observar o modo como se inter-relacionam. Enxergaremos como cada parte da vida – trabalho, família, desenvolvimento pessoal, serviço comunitário – nos capacita a contribuir e cumprir nossa missão. Vemos como cada parte contribui para todas as outras, como o caráter e a competência em determinado papel nos beneficia em todos os outros.

Essa perspectiva "todo-partes-todo" nos permite criar sinergia e remover barreiras artificiais entre os papéis e as metas.

Criar sinergia entre as metas
O pensamento "todo-partes-todo" nos qualifica a criar sinergia entre os papéis e as metas. Reconhecemos que algumas atividades podem ser combinadas e, com isso, realizadas de um jeito ainda melhor do que se fossem executadas separadamente. Percebemos que outras atividades não devem ser combinadas, pois precisam de foco exclusivo. Assim, conseguimos ajustar o restante das atividades com sabedoria, tendo noção de como cada uma influencia as demais.

Por exemplo, ao fazer a organização semanal, é possível combinar a meta familiar "desenvolvimento do relacionamento com meu filho" com a meta de afinar o instrumento "exercitar-se", planejando um horário para fazerem natação juntos. Dá para combinar a meta de aprendizagem de um novo idioma com uma meta de serviço comunitário ao nos oferecermos como voluntários para trabalhar com grupos de imigrantes que necessitem de assistência social.

Quando começamos realmente a desenvolver a mentalidade de abundância, descobrimos uma série de outras formas de sintetizar ainda mais metas. Podemos preparar nossa refeição semanal, conhecer os novos vizinhos e nos livrarmos da tarefa de cozinhar no dia da reunião mensal do clube ao preparar comida suficiente para três refeições de uma só vez – servindo uma para a família, levando outra para os novos vizinhos e congelando a terceira de modo que não tenhamos de perder tempo cozinhando o jantar na noite da reunião do clube. As possibilidades são incontáveis. São infinitas as formas pelas quais podemos criar sinergia em nossa vida, de modo que jamais deveremos vê-la com uma perspectiva segmentada, linear.

A ideia, no entanto, não é abarrotar a agenda com o maior número possível de atividades ou tentar fazer tudo de uma vez só. Não estamos nos candidatando ao cargo de Super-Homem ou de Mulher-Maravilha. O objetivo é usar nossa imaginação criativa para reunir formas sinérgicas baseadas em princípios para realizar metas que criem resultados ainda melhores do que aqueles que seriam obtidos se fossem realizadas isoladamente.

Um bom teste é observar como você se sente ao fazer as conexões. Se achá-las forçadas ou artificiais, é sinal de que está violando um princípio – talvez esteja querendo abraçar o mundo com as pernas – e de que a melhor abordagem seria realizar as atividades isoladamente. Quando as atividades se agruparem naturalmente, você sentirá paz e capacidade renovada, pois estará agindo em harmonia com os princípios. Em vez de entrarem em conflito ou se antagonizarem, as partes de sua vida estarão trabalhando juntas com beleza e harmonia.

Existem diversas maneiras de captar essa sinergia na planilha semanal. Uma delas é desenhar linhas unindo metas e transferindo a atividade sinérgica para o dia apropriado da semana.

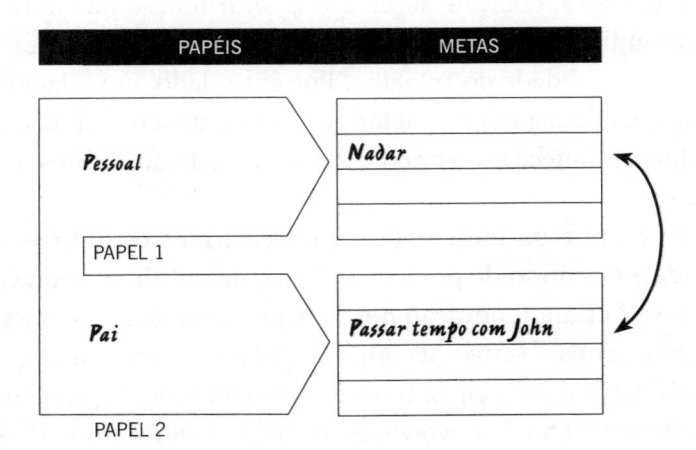

PAPÉIS	METAS
Pessoal	Nadar
PAPEL 1	
Pai	Passar tempo com John
PAPEL 2	

Outra é escrever as atividades sinérgicas na coluna de lembretes e colocar um asterisco ou outro sinal de identificação nas atividades que representam suas metas.

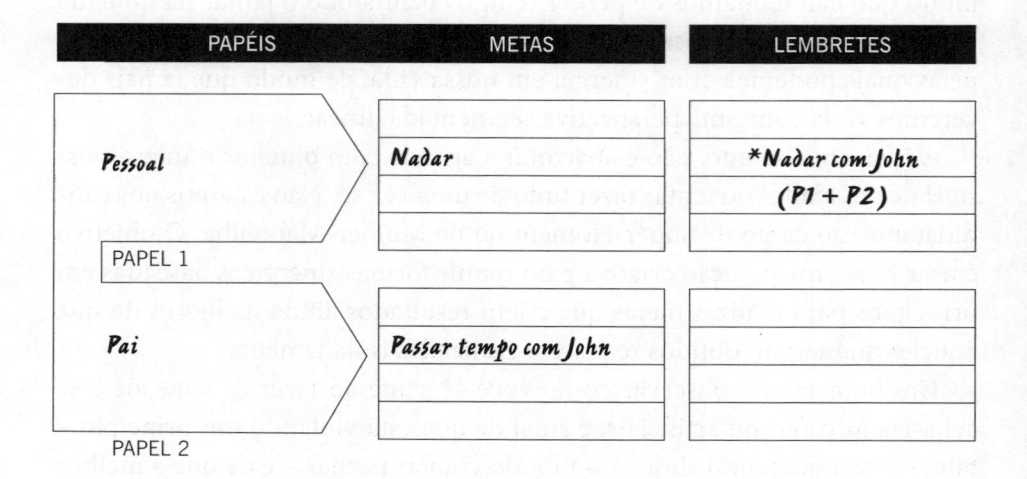

PAPÉIS	METAS	LEMBRETES
Pessoal (PAPEL 1)	Nadar	*Nadar com John (P1 + P2)
Pai (PAPEL 2)	Passar tempo com John	

Uma vez criada a sinergia, podemos alocar as atividades escolhidas na semana, sejam como compromissos ou prioridades do dia.

Remoção das barreiras artificiais
Com frequência construímos barreiras entre o tempo dedicado ao trabalho, à família e a nós mesmos. Agimos como se o que fazemos em uma área não tivesse a menor relação com o que fazemos nas outras. No entanto, sabemos que essas barreiras são artificiais. Um dia ruim no escritório pode dar uma sensação de desesperança e ausência de contribuição que influencia a vida pessoal e familiar. Os conflitos pessoais e familiares, por sua vez, talvez comprometam a qualidade do trabalho. Por outro lado, um relacionamento familiar de qualidade pode impactar positivamente o trabalho, e quando algo maravilhoso acontece no serviço, desejamos compartilhá-lo com a família e os amigos.

A vida é um todo indivisível. Ao conectarmos os diversos aspectos de nossa vida e o sentido de propósito global, descobriremos que a renovação em um papel criará renovação nos demais. No trabalho, é possível nos conectar com alguns objetivos da organização e encontrar satisfação ao contribuir para eles. Podemos encontrar satisfação no serviço que oferecemos para nossos clientes ou no desenvolvimento das pessoas que treinamos ou com as quais trabalhamos. Quando investimos e nos conectamos de maneiras que trazem crescimento e contribuição, descobrimos que a pessoa que volta para casa à noite depois do trabalho é mais forte e melhor do que aquela que saiu pela manhã.

Em casa, podemos investir na renovação pessoal que nos fortalece em todos os nossos papéis. O tempo com a família tem o poder de criar laços mais profundos à medida que colaboramos com as pessoas que amamos. É possível trabalhar com nossa família para contribuir com nossas comunidades e amigos. Quando investimos em uma vida pessoal, familiar e social enriquecedora, sentimos que a pessoa que vai trabalhar de manhã é mais forte e melhor do que aquela que chegou em casa na noite anterior.

O pensamento "todo-partes-todo" nos permite enxergar os relacionamentos e criar as conexões que nos conduzem ao crescimento, à contribuição e à realização; não à fragmentação, ao acovardamento e ao egocentrismo. Torna-se uma forma inconsciente de nos capacitar para integrar nossa vida e costurar uma bela padronagem a partir de seus elementos. É a "visão" da abundância que nos conduz ao fazer abundante e à vida abundante.

3. Conteúdo no contexto

A prioridade é uma questão de cenário ou do contexto geral em que algo acontece. Por exemplo, se lhe dissessem neste momento que alguém próximo está enfrentando um problema sério e precisando de ajuda, você provavelmente deixaria o livro de lado e iria ajudá-lo. Por quê? Porque o contexto em que é tomada a decisão sobre o melhor uso para o seu tempo mudou.

A organização semanal coloca *conteúdo* – nossas atividades – no *contexto* do que é importante. É a renovação do contexto geral que nos coloca em contato com os propósitos e os padrões de vida. Ela cria uma poderosa estrutura que representa o que acreditamos ser as maiores prioridades e o que devemos fazer para colocá-las em primeiro lugar nos próximos sete dias. Quando as urgências nos empurram, nossos humores nos puxam ou oportunidades inesperadas nos acenam, temos algo sólido para comparar com o valor da mudança. Podemos colocar conteúdo no contexto e escolher o "melhor" no lugar do "bom".

Como observou um dos adeptos da organização semanal:

Antes de praticar a organização semanal, eu dava um pulo toda vez que o telefone tocava. Se alguém me dissesse que havia uma reunião do comitê, eu ia. Agora posso dizer algo mais ou menos assim: "Adoraria participar, mas nesse horário tenho um compromisso com minha filha." Algumas vezes, preciso cancelar um encontro com um amigo por causa de problemas no trabalho, mas, se for importante, remarco. Só agendo o que é realmente importante.

A organização do quadrante 2 não dá prioridade ao que está na agenda, mas agenda as prioridades. Não preenche todas as brechas de tempo com atividades agendadas; mas coloca as pedras grandes primeiro e depois adiciona o cascalho, a areia e a água.

O objetivo não é encher o recipiente até a borda, mas certificar-se de que as pedras grandes estão lá dentro e que ainda há espaço para acomodar uma eventual mudança movida pela consciência.

Para ajudar a manter o conteúdo no contexto, muitas pessoas criam zonas de tempo e preservam o tempo de preparação.

Criação de zonas de tempo

As zonas de tempo são grandes blocos de tempo intercambiáveis que reservamos para atividades importantes específicas. Se a atividade familiar for importante para você, reserve as manhãs de sábado para se dedicar a ela ao organizar a semana. Assim, você não vai marcar um encontro ou um compromisso profissional nesse horário. E, ao planejar outras tarefas e metas, você criará o hábito de reservar esse tempo para as atividades familiares.

Se for um ativo líder comunitário ou membro de um clube que se reúne duas quintas-feiras à noite por mês, deve reservar todas as noites de quinta-feira para essa atividade. Quando não houver reunião, terá a opção de trabalhar em algo relacionado à associação ou fazer outra atividade compatível com esse papel.

No trabalho, talvez você queira reservar uma manhã por semana para conversas individuais com a equipe. Quando as pessoas quiserem vê-lo, basta canalizar os encontros para essa zona de tempo estabelecida. Você pode reservar outro bloco de tempo durante a semana para visitar clientes em potencial, ler periódicos especializados ou trabalhar no planejamento de longo prazo.

As zonas de tempo conseguem oferecer um modelo para a organização semanal mais eficaz. A ideia não é preencher toda a semana com zonas de tempo, mas destacar alguns períodos específicos para se dedicar a atividades de grande importância.

Há uma série de vantagens na utilização de zonas de tempo. A primeira delas é ter um horário reservado para as atividades altamente prioritárias, que em geral pertencem ao quadrante 2. Ela também passa uma sensação de ordem tão clara que as outras pessoas acabam percebendo e se adequando. Ao saberem que suas noites de quinta-feira são dedicadas ao clube, não vão interrompê-lo no meio da semana com questões relacionadas a isso, deixando-as para discuti-las no horário que é dedicado a essa atividade.

Como as zonas de tempo costumam ser intercambiáveis, você tem mais flexibilidade para administrar os compromissos agendados na semana. Por exemplo, se alguns amigos lhe oferecem ingressos para um show na quinta-feira, você pode mudar o tempo da família para quinta, levá-los para o show e fazer o trabalho relacionado ao clube na manhã de sábado. Ao longo da semana, você terá realizado as tarefas a que se propôs em ambos os papéis.

As zonas de tempo também ajudam a esclarecer expectativas com relação às outras pessoas. Se você tem um assistente que agenda reuniões para você, as zonas de tempo podem dar poder aos dois. Uma vez definidas as zonas de tempo nas segundas, quartas e sextas entre as 10 da manhã e as quatro da tarde para agendar seus compromissos, seu assistente saberá que você não marcará nada nesses horários sem consultá-lo primeiro. Da mesma forma, você sabe que o assistente não marcará nenhum compromisso fora desse horário sem perguntar antes a você.

SEGUNDA-FEIRA	TERÇA-FEIRA	QUARTA-FEIRA	QUINTA-FEIRA	SEXTA-FEIRA	SÁBADO	DOMINGO
7						
8						
9	Conversas individuais com a equipe				Tempo dedicado à família	
10						
11						
12						
1 Prospecção de novos clientes						
2						
3						
4						
5						
6						
7			Trabalho no clube			
8						
9						
OUTRAS PRIORIDADES	OUTRAS PRIORIDADES	OUTRAS PRIORIDADES	OUTRAS PRIORIDADES	OUTRAS PRIORIDADES	OUTRAS PRIORIDADES	OUTRAS PRIORIDADES

Tempo reservado para a preparação
Grande parte de nossa frustração e ansiedade vem da sensação de estar despreparado. Muitas atividades se tornam urgentes em consequência da falta de preparação adequada. Por meio da organização semanal, criamos uma estrutura que permite e estimula a preparação.

Por exemplo, se você deve fazer uma apresentação importante em uma reunião marcada para a manhã de sexta-feira, talvez precise reservar algum tempo na quarta para se preparar e na quinta para revisá-la. Se planeja trabalhar no jardim no sábado pela manhã, talvez deva sair para comprar sementes ou ferramentas na sexta-feira.

As experiências bem-sucedidas que a maioria de nós gostaria de ter na vida dificilmente ocorrem por acaso. Elas são quase sempre uma conquista, o resultado de um planejamento cuidadoso que colocamos em prática por meio da preparação. O momento de clareza que surge quando organizamos a semana nos dá a perspectiva de reservar o tempo necessário para tornar possível essa preparação. Obviamente somos muito mais eficazes se estamos preparados. Mas mesmo quando a situação muda, o tempo investido na preparação nos permite reconhecer com muito mais rapidez e eficácia o valor e o custo da alteração e nos mover na direção certa.

Uma vez obtida a perspectiva semanal, você achará difícil limitar-se à miopia da visão do dia. O conteúdo no contexto permitirá que você tome decisões mais inteligentes e mais eficazes.

A DIFERENÇA NA QUALIDADE DE VIDA

A tentativa de colocar as prioridades em primeiro lugar por meio de um único paradigma cronológico dimensional é simplista. É o mesmo que dizer que as coisas importantes de nossa vida e nossa capacidade de realizá-las dependem de relógios automáticos e calendários impressos.

No entanto, a perspectiva mais abrangente criada pelo processo de organização semanal gera níveis de visão e existência completamente novos. A melhor forma de entender a diferença é experimentando. Ouvimos com frequência comentários como estes:

> Antes eu vivia só para trabalhar, mas agora as coisas mudaram. Sinto como se tivesse tirado um grande peso de meus ombros e voltei a ter

prazer. Aumentei minha produtividade e ainda assim tenho tempo para meus outros papéis. Minha vida voltou a ter equilíbrio.

Estou descobrindo uma quantidade significativa de tempo de qualidade. Antes, eu vivia dizendo que o dia tinha poucas horas e as semanas poucos dias para a quantidade de coisas que eu tinha para fazer. Às vezes, ainda recaio nos velhos hábitos, mas me traz conforto saber que estou ancorado e equilibrado e que posso me ajustar rapidamente. Vivo momentos de correria, determinados trabalhos são urgentes e inadiáveis, mas a recompensa é que posso reservar algum tempo para mim e saber, realmente saber, que isso é tão importante quanto qualquer emergência de cliente do quadrante 1. Antes, eu pensava que deveria ocupar todas as horas do dia. Depois, percebi que a questão não era agendar todas as pequenas tarefas, mas trabalhar no sentido de cuidar primeiro do que é mais importante.

A mudança mais visível ocorreu na relação com meus filhos. As segundas-feiras eram sempre dias de roda-viva, com minha filha indo para a aula de equitação e meu filho saindo para treinar futebol e toda a família tentando se reunir para jantar entre esses eventos. Ao organizar minha semana, sugeri para minha esposa que aproveitássemos a ocasião para fazer um programa especial com as crianças, cada qual saindo para jantar com uma delas antes ou depois do evento, e isso colocou nosso foco na criança, não no alvoroço em torno da programação dela. Na última segunda-feira, depois de duas semanas praticando essa dinâmica, meu filho pegou minha mão enquanto estávamos saindo da lanchonete a caminho do treino dele. "A segunda-feira é meu dia favorito da semana, pai", revelou ele enquanto seguíamos para o carro. "Não importa qual de vocês está comigo. Gosto de conversar com vocês."

Há questões de qualidade de vida que simplesmente não podem ser vistas por um paradigma cronológico míope. A simples adição de uma planilha semanal a um sistema de planejamento diário já cria uma diferença significativa. Mas há uma diferença ainda mais poderosa se adotamos o paradigma de *kairos* ou da abundância: o momento em que notamos que todas as partes de nossa vida são importantes para nossa missão e que a sinergia entre as partes cria energia no todo. A vida se torna um ciclo produtivo de aprendizado crescente e contínuo, relacionamentos realizados e contribuição significativa.

A perspectiva semanal cultiva o equilíbrio e uma visão abrangente, oferecendo o contexto para se fazer escolhas eficazes, momento a momento, considerando o que decidimos colocar em primeiro lugar em nossa vida.

METAS DO QUADRANTE 2
PARA CULTIVAR A PERSPECTIVA SEMANAL

- Designe uma hora específica da semana para fazer a organização do quadrante 2. Escolha um lugar propício à instrospecção e à contemplação.
- Durante a semana, anote as situações com as quais você está lidando de um jeito diferente por causa da perspectiva semanal. Registre-as em seu *planner* ou organizador. No fim da semana, avalie a experiência.
- Reserve um dia durante a semana para renovação, reflexão e confirmação do compromisso – não apenas para o lazer. Nesse dia, não faça o que em geral faz nos outros dias. Depois de um mês, avalie o efeito em sua vida.
- Se você vive ou trabalha com outras pessoas, promova uma reunião de organização semanal com elas. Procure uma forma de coordenar suas atividades de modo que todos possam alcançar seus objetivos.

9

A integridade no momento da escolha

*A qualidade de vida depende do que acontece
no espaço entre o estímulo e a resposta.*

Suponha que no fim de semana você tenha usado meia hora de qualidade no processo do quadrante 2, conectando-se com seu eu mais profundo. Você reviu sua missão e seus papéis; identificou metas importantes. Transformou tudo em um plano de ação para a semana. Então, quando o dia começou, você revisou o planejamento do dia, reconectou-se rapidamente com a importância e fez qualquer ajuste consciente que considerou necessário. Você está convencido de que identificou as prioridades e tem um bom plano para mantê-las em primeiro lugar durante as próximas 24 horas.

Então, começa o dia da maneira como você o planejou. Mas, por alguma razão, o desenrolar dele não sai de acordo com o plano.

- Você está no fim de uma reunião com um de seus funcionários quando de repente ele desabafa e revela algumas questões profundas que afetam o trabalho dele. Você está preocupado com o rapaz, mas tem outra reunião importante marcada para dali a 10 minutos e também se preocupa com as outras cinco pessoas que se organizaram para o encontro. O que fazer?
- A diretora da escola de sua filha liga para você pedindo que participe de uma força-tarefa especial a fim de levantar fundos para os equipamentos do parquinho. Você tinha decidido recentemente que não ia aceitar nenhum novo compromisso porque já anda sem tempo para a renovação pessoal e para dedicar à família. Mas você se importa com sua filha e com o que a diretora está tentando fazer, e também sabe que tem talento, recursos e contatos que fariam a diferença nesse projeto. O que você diz?

- Depois de trabalhar intensamente por diversas horas em um projeto, percebe que seu rendimento está diminuindo. Você acha que, se parasse para ler um pouco ou fazer um lanche, poderia recuperar as energias. Mas o prazo está estourando e talvez essa pausa não seja um tempo de renovação, mas uma fuga. Como decidir?

Esses exemplos podem não ter a ver com seu caso em particular, mas, qualquer que seja a circunstância, você sabe que cada dia traz desafios inesperados, novas oportunidades, razões ou desculpas para não fazer o que estava planejado.

- *Como você reage a esse tipo de situação?*
- *Quais escolhas faz?*
- *Como se sente em relação a elas?*
- *Qual é seu sentimento ao fazê-las?*
- *Como está no fim do dia? Frustrado, sentindo-se inquieto porque não conseguiu fazer tudo o que havia planejado, exausto por causa do esforço de correr de um lado para outro tentando dar conta? Ou está tranquilo, com a consciência do dever cumprido e profundamente satisfeito com o fato de ter colocado as prioridades em primeiro lugar?*

Esses desafios não são frutos de uma imaginação fértil; fazem parte da vida real. E por mais poderosa que seja a organização do quadrante 2, nem ela nem nenhum outro processo de planejamento nos torna capazes de prever ou controlar tudo o que vai acontecer. Se nossa ideia de gerenciamento do tempo eficaz é delimitar o caminho por meio de uma lista de tarefas e de reuniões agendadas, a frustração será inevitável. A natureza da maioria dos dias violará essa expectativa, além de nos fazer perder uma das dimensões mais enriquecedoras e plenas de sentido da vida. E é bastante provável que, em boa parte de nosso tempo, não consigamos colocar as prioridades em primeiro lugar.

Qualquer semana ou dia ou momento da vida é um território desconhecido. Nunca foi vivido antes. Caímos de paraquedas em um terreno que não conhecemos, e, embora o mapa que criamos seja útil, nossa habilidade para navegar com eficácia dependerá, em grande medida, da qualidade de nossa bússola interna, da força dos dons que nos possibilitam detectar e nos alinhar com o "norte verdadeiro" a qualquer momento. É por isso que o propósito da organização do quadrante 2 é nos capacitar para viver com integridade no momento da escolha. Qualquer que seja o desvio no caminho, qualquer que seja a nova estrada construída depois da criação do mapa, poderemos contar com nossa bússola interna para nos manter na direção certa.

O MOMENTO DA ESCOLHA

O momento da escolha é o momento da verdade. É nele que testamos nosso caráter e nossa competência. Considere estes fatores que influenciam o momento da escolha:

- Urgência (coisas que estão pressionando e se aproximando).
- Espelho social (coisas que são agradáveis e populares).
- Nossas expectativas.
- Expectativas dos outros.
- Nossos valores internos (o que acreditamos ser importante no longo prazo).
- Nossos valores operacionais (o que queremos no curto prazo).
- Nosso roteiro.
- Nossa autoconsciência.
- Nossa consciência.
- Nossas necessidades fundamentais.
- Nossos desejos.

Com todos esses fatores exercendo sua parcela de influência sobre nós, é importante lembrar que um momento de escolha é apenas isso: um momento de escolha. Se reagimos automaticamente a uma ou mais dessas influências, damos poderes para as circunstâncias ou para outras pessoas nos controlarem, ou podemos usar nossos dons humanos para tomar uma decisão consciente, orientada por nossa consciência – a nossa escolha.

Como percebeu Viktor Frankl nos campos de concentração nazistas:

> Nós, que vivemos nos campos de concentração, podemos nos lembrar dos homens que percorriam os alojamentos confortando os outros, dando-lhes seu último pedaço de pão. Eles podem ter sido poucos em núme-

ro, mas ofereceram a prova necessária de que se pode tirar tudo de um homem, menos a última das liberdades humanas: escolher sua atitude em um dado conjunto de circunstâncias.

E sempre havia escolhas a fazer. Todo dia, toda hora, oferecia a oportunidade de tomar uma decisão, uma decisão que determinava se você se submeteria ou não aos poderes que ameaçavam roubar seu próprio eu, sua liberdade interior; que determinava se você se tornaria ou não um joguete das circunstâncias...[1]

Podemos achar que é conveniente viver com a ilusão de que as circunstâncias ou as outras pessoas são responsáveis pela qualidade de nossa vida, mas a realidade é que somos responsáveis por nossas escolhas. E embora algumas dessas escolhas pareçam pequenas ou insignificantes na hora, essas decisões se juntam, como minúsculos regatos de água na montanha que se reúnem para criar um rio poderoso, para nos levar com força crescente para o destino final. Com o tempo, nossas escolhas tornam-se hábitos do coração. E, mais do que qualquer outro fator, esses hábitos do coração influenciam nosso tempo e nossa qualidade de vida.

A ESCOLHA BASEADA EM PRINCÍPIOS

A essência da vida baseada em princípios é assumir o compromisso de ouvir a consciência e viver de acordo com ela. Por quê? Porque, entre todos os fatores que influenciam o momento da escolha, é esse que sempre apontará para o "norte verdadeiro". Ele inevitavelmente produz qualidade de vida.

Para demonstrar a diferença dessa escolha baseada em princípios, gostaríamos que você realize uma experiência. Pedimos que invista profundamente nela, pois, ao vivenciá-la, compreenderá a essência deste capítulo.

Pense um pouco nos relacionamentos com os quais você se preocupa profundamente e que em sua opinião precisam ser melhorados. Pode ser com um cônjuge, um de seus pais, um filho, um chefe, um funcionário, um amigo. Enquanto pensa nesse relacionamento, tente entrar em contato com seu eu mais profundo e faça a seguinte pergunta:

Que atitude eu poderia tomar que seria capaz de melhorar de maneira significativa a qualidade desse relacionamento?

Ao fazer essa pergunta, alguma resposta lhe vem à mente?

Você acredita que, ao tomar essa atitude, melhoraria a qualidade do relacionamento?

Como você sabe?

Quando nos fazemos essas perguntas, sentimos imediatamente que algo específico poderia ser feito para mudar a situação. Sabemos que isso melhoraria a qualidade do relacionamento.

– Como você sabe?

– Sabendo.

Para a maioria das pessoas, essa resposta não significa que já tenham tomado essa mesma atitude nessa circunstância ou em qualquer outra. Não é necessariamente a extensão direta do pensamento linear. É apenas nosso eu profundo que sabe a coisa "certa" a fazer e a confiança de que, ao fazê-la, produziria resultados de qualidade.

– A resposta que você deu está em harmonia com os princípios do "norte verdadeiro"?

– Sim.

– Ela está em seu Círculo de Influência?

– Sim.

– Pode até ser difícil, mas é algo que está a seu alcance?

– Sim.

Esse profundo conhecimento interior parece nos levar imediatamente para o que há de mais centrado em princípios e alavancador que podemos fazer para a qualidade de vida em uma situação em particular. É o mesmo tipo de conhecimento que você deve ter experimentado ao trabalhar em sua declaração de missão ou ao preparar sua organização semanal.

Agora, e se a cada dia, a cada momento, você fosse capaz de acessar esse profundo conhecimento interior? E se, no calor da batalha do dia, você fosse capaz de tomar decisões não em função da urgência, da pressão social, das expectativas dos outros, do medo de sofrer, por conveniência ou atrás de uma solução rápida, mas baseado nesse conhecimento interior? E se fosse capaz de executar as decisões com eficácia? Faria alguma diferença em sua vida?

(Stephen) Há alguns anos, palestrei para um grupo de estudantes universitários sobre a importância de ouvir e viver em harmonia com a consciência. No processo, fizemos um exercício no qual os encorajei a entrar em contato com seu eu mais profundo e a ouvir a voz da consciência. "O que você pode fazer para ser um aluno melhor? O que pode fazer para ser um filho ou uma filha melhor, um colega de turma melhor? O que pode fazer para viver com mais integridade?"

No fim do evento, uma jovem aproximou-se e perguntou como saber se o que estava ouvindo seria realmente sua consciência. O que ela estava perguntando era uma questão que muitas pessoas levantam: "Como saber se o que estou ouvindo é a voz da consciência do meu eu mais profundo ou alguma outra voz, consciência social, roteiro, meus pensamentos secretos?"

– Quando fizemos esse exercício você sentiu ou percebeu algo? – perguntei.

– Ah, sim – respondeu ela. – Sei de muitas coisas que preciso fazer para melhorar como pessoa.

– Então, sugiro que esqueça sua pergunta. Basta fazer essas coisas. Assim, conhecerá sua voz interior, que dará a resposta à sua pergunta.

Observei a expressão dela e completei:

– Acho que você não gostou da resposta.

– Não – respondeu ela.

– Por que não?

Ela suspirou.

– Não tenho mais desculpas.

Um ano depois, fui na mesma universidade falar sobre outro assunto. Essa mesma jovem aproximou-se no fim do encontro e apresentou-se novamente, lembrando-me da pergunta que tinha feito no ano anterior. Ao me recordar do episódio, perguntei:

– Então, o que aconteceu?

– Obedeci minha consciência! – respondeu ela. – Levei aquelas coisas a sério.

– O que você fez?

– Comecei a estudar literatura clássica para valer. Reconciliei-me com certos indivíduos que tinha pensado que poderia esquecer porque não gostava deles. Tornei-me mais cooperativa em casa, mais útil. Parei de empurrar os estudos da faculdade com a barriga. Percebi que tinha um território como estudante, outro com minha família e um terceiro com a igreja. Tentei ser mais simpática com meus irmãos. Deixei de contrariar meus pais. Tornei-me uma pessoa menos defensiva e raivosa. – Ela fez uma pausa e em seguida disse: – Agora sei com bastante clareza a diferença entre aquela voz e as muitas outras vozes internas e externas.

Vários anos mais tarde, estava palestrando para outro grupo – em outro estado, na verdade –, e ela se aproximou de mim mais uma vez.

– Você estaria interessado em um terceiro depoimento? – perguntou ela. Disse-lhe que sim, então ela contou: – É inacreditável como minha vida mudou depois que percebi que tenho meu próprio guia interior. Passei a ter uma noção de direção no que faço e, desde que siga esse guia, tudo parece conspirar para fazer com que as coisas para as quais eu aponte aconteçam.

Essa é a essência da vida baseada em princípios. É a criação de um canal aberto com esse profundo conhecimento interior e a ação com integridade em relação a ele. É ter o caráter e a competência de ouvir e viver de acordo com sua consciência.

Isso obviamente não é uma solução rápida. Como descobriu essa jovem, é preciso bastante esforço e investimento ao longo de algum tempo. Mas quanto mais somos capazes de fazê-lo, mais experimentamos os frutos da qualidade de vida propiciados por uma vida baseada em princípios.

COMO PODEMOS IMPLEMENTAR ESSA ESCOLHA

O propósito essencial do processo do quadrante 2 é aumentar o espaço entre o estímulo e a resposta e nosso poder de agir com integridade dentro dele. Fazemos isso quando criamos uma declaração de missão pessoal, enquanto organizamos a semana. Damos um intervalo entre o estímulo e a resposta para escolher de forma proativa uma resposta que esteja profundamente integrada com os princípios, necessidades e capacidades.

Dia a dia, momento a momento, aumentamos nossa habilidade de agir com integridade quando aprendemos a fazer um intervalo. Nessa pausa, obtemos integridade quando usamos os dons humanos para perguntar com intenção, ouvir sem desculpas e agir com coragem.

1. Perguntar com intenção

Perguntar com intenção é o ato essencial por meio do qual nos tornamos baseados em princípios. É perguntar à nossa consciência, não a partir da curiosidade, mas do compromisso de agir baseado na sabedoria do coração.

Perguntar com intenção reafirma a humildade dos princípios, o conhecimento de que há princípios e de que eles estão no controle. Essa atitude afirma os dons humanos – de que temos autoconsciência para perceber que precisamos perguntar, consciência para nos dirigir para o "norte verdadeiro", vontade independente para colocar a escolha em prática e imaginação criativa para realizá-la da maneira mais eficaz. Implica docilidade, coragem e confiança. É a manifestação de que nosso desejo de fazer o que é certo é maior do que nosso desejo de fazer qualquer coisa.

Agir com integridade no momento da escolha começa com perguntas – da mesma forma como perguntamos ao criarmos uma declaração de missão pessoal ou definirmos metas durante a organização semanal. Quando enfrentamos os desafios do dia, precisamos criar uma questão-chave capaz de nos fazer ouvir e fazer o que manda nossa consciência. Como se trata de uma experiência profundamente pessoal, chegamos à conclusão de que os indivíduos se sentem mais empoderados se usam palavras que comunicam com mais eficácia. Eis as perguntas que alguns têm se feito e que fazem sentido para eles:

- *Como posso usar melhor meu tempo neste momento?*
- *O que é mais importante agora?*
- *O que a vida está pedindo de mim?*
- *Qual é a coisa certa a fazer agora?*

Qualquer que seja a maneira de formular a pergunta, ela precisa vir do fundo do coração. Além disso, há outras perguntas que podemos fazer de modo eficaz nos momentos de escolha.

- *Isso está no meu Círculo de Influência?*
- *Isso está no meu Centro de Foco?*
- *Há alguma terceira alternativa para solucionar isso?*
- *Quais são os princípios que se aplicam?*
- *Qual é a melhor forma de aplicá-los?*

Vamos analisar uma das situações que apresentamos no início deste capítulo para mostrar como essas questões podem nos ajudar a agir baseados em princípios.

Suponha que um funcionário se abra com você e comece a revelar coisas profundas alguns minutos antes do horário de uma reunião importante. Você provavelmente se sentiria frustrado e ansioso diante desse dilema que o empurra em duas direções. Os figurões presentes à próxima reunião não iriam gostar nem um pouquinho se você não aparecesse. E a reação automática poderia ser olhar para o relógio, dizer que infelizmente precisa comparecer a uma reunião e mandar o funcionário procurar o departamento pessoal.

Mas até que ponto essa decisão abalaria a lealdade e a criatividade desse funcionário? E de que modo reagiriam as pessoas para as quais ele revelasse a experiência? E o que aconteceria com sua conta bancária de integridade?

Imagine você respirando fundo e fazendo uma pausa.

O que é mais importante agora?

Você não sabe ao certo. As pessoas são mais importantes do que as agendas, mas esse item agendado em particular também envolve outras pessoas.

Isso está no meu Círculo de Influência?

As duas situações estão em seu Círculo de Influência, ambas estão associadas a sua missão e seus propósitos.

Quais são os princípios que se aplicam?

É provável que, ao analisar a situação, determinados princípios passem por sua cabeça, então, seja honesto e aberto. Envolva a pessoa no problema e procure uma solução em conjunto com ela. Você poderia dizer: "Aprecio sua disposição de compartilhar essas preocupações comigo. Elas são muito importantes e eu realmente gostaria de poder conversar sobre o assunto com você para buscarmos alguma solução. Tenho uma reunião justamente agora, mas estarei de volta às três da tarde. O que você acha de nos encontrarmos nesse horário para pensar em uma solução para seu problema?"

Há outra maneira de agir. O princípio que vem à sua mente talvez seja o do valor do indivíduo. Você pode pedir para o funcionário esperar um minuto enquanto pede à sua secretária que vá até o local da reunião para explicar que aconteceu um imprevisto importante e que você se atrasará meia hora. Também pode pedir que ela mude a agenda da reunião, colocando os assuntos que vai discutir para o final. Há ainda a alternativa de ligar para um colega ou para seu sócio e pedir que ele o represente na reunião.

Enfim há a possibilidade de você se ver em uma situação completamente diferente se, ao fazer a pausa, perceber que as preocupações desse funcionário dizem respeito a uma área que não está sob sua alçada. Você pode chegar à conclusão de que deve encaminhá-lo para uma conversa com o diretor de recursos humanos, que conseguirá analisar as necessidades dele mais diretamente.

A questão é que, em vez de reagir com base nas próprias necessidades e nas pressões do tempo, você fez uma pausa para pensar sobre os princípios e entrar em contato com sua consciência de modo a estimulá-lo a colocar o que é mais importante em primeiro lugar no momento da escolha.

É fundamental que você perceba que a sabedoria é um casamento – uma sinergia – entre o coração e a mente. Muitas vezes o que nossa consciência nos diz para fazer parece ser familiar ou sensato. É algo sobre o qual já lemos, pensamos ou vivemos, então faz parte de nossa estrutura racional. Nesses casos, a consciência aponta ou destaca a aplicação adequada do conhecimento.

Outras vezes, a sabedoria do coração transcende a da razão. Podemos não ter o conhecimento ou a experiência em fazer aquilo que achamos que devemos, mas de uma forma ou de outra sabemos que é o certo. Sabemos que vai funcionar. Quando aprendemos a ouvir e a viver conduzidos por nossa consciência, muito do que ela nos ensina é transmitido por meio de nossa própria experiência em nossa estrutura racional de conhecimento. Aprendemos a racionalizar, mas sem nos restringir apenas à razão. A sabedoria é aprender tudo o que é possível, mas ter a humildade de perceber que não sabemos tudo. É por esse motivo que é tão importante a integridade no momento em que perguntamos com intenção.

2. Ouvir sem desculpas

Quando ouvimos o primeiro sussurro da consciência, nós nos comportamos de duas formas: ou agimos em harmonia com ela ou logo começamos a racionalizar, isto é, a contar a nós mesmos "mentiras racionais", buscando motivos para fazer outra escolha.

Se escolhermos a primeira opção, ficaremos em paz. Estaremos mais alinhados com o "norte verdadeiro". Desenvolveremos nossa habilidade de reconhecer essa voz interior e nossa eficácia pessoal.

Se escolhermos a segunda opção, nos sentimos em desarmonia e tensos. Começamos a justificar essa decisão, frequentemente com base em fatores externos, como as outras pessoas ou as circunstâncias. Em geral, começamos a culpar e acusar os outros. Eles podem perceber nossa incoerência e responder na mesma moeda, criando uma sinergia negativa chamada conluio, na qual cada um age de modo a invocar nos outros um comportamento extremamente negativo que se torna a desculpa para o nosso próprio comportamento negativo.

Suponha, por exemplo, que você vai para casa cansado depois de um dia difícil no trabalho. Tudo que deseja é relaxar e já está curtindo por antecipação uma noite tranquila assistindo a um filme. Mas, no jantar, seu filho adolescente dá sinais de que está enfrentando algum tipo de conflito interno. Você sente uma pequena ponta de remorso, uma vozinha que lhe diz que um melhor uso do tempo seria refazer seus planos e investir em uma atividade com ele.

Você não está com a menor vontade, embora não o admita conscientemente. Você realmente ama seu filho, deseja tudo de bom para ele, mas está muito cansado esta noite, tudo o que queria era assistir a um filme e ter um pouco de sossego. Afinal, você merece. Acabou de passar o dia inteiro trabalhando para colocar comida na mesa dele. Foram 10 horas administrando as políticas e as rivalidades dentro do escritório, lidando com questões complicadas e intensos desafios interpessoais, sentindo-se escravo de orçamentos e relatórios, tendo que apaziguar clientes revoltados e fornecedores frustrados, para proporcionar a ele tudo do bom e do melhor. E neste momento tudo o que você deseja são duas horas para si mesmo – apenas duas horinhas para assistir ao filme que quer ver há meses mas nunca consegue porque está sempre muito ocupado.

Então, você procura uma solução rápida na mesa do jantar.

– E aí, está tudo bem com você?

Ele o encara para ver se está falando sério. Você não está.

– Comigo está tudo bem – responde ele.

– E na escola, está tudo bem? Dever de casa? Encontros?

– É, está tudo bem.

– Está estudando para as provas? Você sabe que, para conseguir a bolsa, é importante ter boas notas.

– Eu sei.

Ele se levanta da mesa e pega o suéter que estava nas costas da cadeira.

– Vai sair?

– Vou.

– Para onde?

– Vou dar uma volta.
– A que horas chega?
– Mais tarde.
– Você tem aula amanhã. Volte até 10 e meia. Ouviu?
– Ouvi.
Enquanto o garoto vai para a porta, você o chama.
– Você sabe que, se tiver algum problema, pode contar comigo.
– Sim, eu sei – responde o garoto.
– Então, quer bater um papo?
– Não, estou de saída.
– Você não sabe mais conversar? Só responde atravessado. É impossível conversar com você.
– É isso aí – murmura ele. – Também não deve ser muito fácil para você conviver consigo mesmo!
– Esses adolescentes poderiam dizer alguma coisa inteligente de vez em quando!

A porta da rua bate atrás dele e você se encaminha para a poltrona, resmungando algo sobre os adolescentes e as dificuldades de se comunicar com eles e ser pai hoje em dia. Você tentou! Mas o garoto é caladão, mais parece um zumbi. Resiste a qualquer esforço de comunicação.

Bem, os adolescentes são estranhos mesmo. Certo? Então, com a mente tranquilizada pelas justificativas, você se senta e liga a televisão. Seu desconforto é esquecido à medida que você se envolve com o filme.

Enquanto isso, seu filho sente o conflito crescer dentro de si. Ele se sente acusado e culpado por não conseguir conversar. Seus problemas se acumulam. E agora ele está pior do que antes e para completar não tem ninguém com quem conversar.

Com o tempo, o custo desse tipo de distanciamento é enorme. Tijolo por tijolo, seu coração é cercado por paredes de justificativas e racionalizações. O mesmo acontece com seu filho, que constrói muros em torno do próprio coração para proteger seus delicados sentimentos e suas necessidades profundas. A comunicação torna-se superficial, tensa, faz ambas as partes se sentirem culpadas e trocarem acusações ao tentarem justificar seus comportamentos. Você vive em uma rede complexa de desconforto e sofrimento decorrente da dificuldade de ouvir e agir em harmonia com o primeiro sussurro da sua consciência.

A tensão e as consequências da desarmonia interna – não fazer o que sentimos que deveríamos – nos deixam muito mais cansados do que o trabalho duro e fatigante. E quando tentamos fugir do estresse ocupando nosso tempo com atividades do quadrante 3 nos convencendo de que são importantes ou correndo para o quadrante 4, só fazemos aumentar o estresse. Na verdade, grande parte do que se convencionou chamar de frustrações do gerenciamento do tempo – a sensação de divisão, pressão, dilemas – são, no fundo, problemas de dissonância interna.

Mesmo na tensão do momento, parece ser muito mais fácil conviver com as perguntas do que com as respostas. Enquanto tivermos perguntas, enquanto nos sentirmos em dúvida, enquanto estivermos em conflito, não temos responsabilidade; os resultados não são de nossa conta. Assim, passamos os dias, as semanas, os meses, os anos chafurdando-nos em uma massa de mentiras racionais que criamos para evitar as simples ações que nos colocariam em harmonia com as leis que governam a qualidade de vida.

Para começar a agir com integridade, é fundamental dar um basta nessa brincadeira. Devemos aprender a ouvir tanto nossa consciência quanto nossa própria resposta. O instante em que nos flagramos dizendo "Sim, mas..." passa a ser "Sim, e...". Sem racionalização. Sem justificativa. É só fazer o que manda o coração. Passe a olhar todas as expressões da consciência como um convite para criar um maior alinhamento com as leis básicas da vida. Então ouça, responda... ouça, responda...

3. Agir com coragem

É fácil pensar em coragem quando se trata de eventos dramáticos, extraordinários, como levar uma mensagem através das linhas inimigas, ter uma doença terminal ou entrar em uma casa em chamas para salvar uma criança. No entanto, alguns dos maiores atos de coragem estão naquele instante entre o estímulo e a resposta, nas decisões do dia a dia.

É preciso grande coragem para ser uma pessoa de transição, para deixar de transmitir tendências intergeracionais negativas, como violência, e escolher agir com base nos princípios da dignidade e do respeito humanos. É preciso coragem para ser honesto consigo mesmo, analisar as razões mais profundas e renunciar às desculpas e às racionalizações que nos impedem de viver nossos melhores sentimentos. É preciso coragem para levar uma vida ancorada em princípios, conscientes de que nossas escolhas podem não agradar ou não ser compreendidas pelos outros. É preciso coragem para perceber que você é maior do que seus humores e seus pensamentos e que pode controlá-los.

(Rebecca) Certa vez, participei de um seminário de uma semana. Eu tinha perfeita consciência do que ia fazer – em particular no que diz respeito a algumas metas pessoais do quadrante 2 nas quais planejava trabalhar nos intervalos e depois das sessões do seminário.

Mas deparei com um conflito logo no primeiro dia, quando fui chamada para coordenar algumas atividades do evento. No nível mais profundo, contribuir para o sucesso dos outros nessa conferência ao assumir essa responsabilidade estava em harmonia com meus valores e princípios. Quanto mais pensava na situação, mais percebia que se tratava de algo que eu realmente devia fazer. Mas também me sentia muito frustrada, pois sabia que a experiência ia ser totalmente diferente do que eu tinha previsto e planejado.

Aceitei a responsabilidade, mas comecei a me sentir extremamente pressionada e ansiosa, correndo entre uma coisa e outra, tentando atender às necessidades de todos e me sentindo mais do que só um pouco frustrada por não dispor de tempo para fazer o que eu havia pensado.

Em meio a essas sensações negativas, lembro-me de um momento em particular em que parei e disse a mim mesma: "Calma lá! Não tenho que me sentir frustrada. Tomei a decisão de fazer o que realmente achava que devia, mas isso não significa que tenha que sofrer toda essa ansiedade e tensão. Posso escolher de um modo diferente."

Respirei fundo e escolhi minha própria resposta para a situação. Assumi a determinação de renunciar a toda aquela ansiedade, a toda aquela preocupação com as pressões extrínsecas, a toda aquela inquietação com o que não estava sendo feito. Comecei a repetir para mim mesma: "Essa não é minha escolha! Essa não é minha escolha!"

A ansiedade e a frustração foram embora. No lugar delas, senti uma determinação tranquila de enfrentar meus desafios com coragem, fazer o que estivesse ao meu alcance em relação ao que considerasse digno de interferência, e a renunciar mentalmente às demais questões.

Tal decisão não foi tomada em apenas uma ocasião. Precisei revisitá-la diversas vezes no decorrer da semana, sempre que sentia as pressões e a ansiedade insinuando-se de novo – era tão fácil ser sugada para dentro desse turbilhão. Mas toda vez que ele se aproximava, eu parava e dizia: "Minha escolha não é essa!" E quanto mais eu repetia isso, mais empoderada me sentia.

Durante um tempo, cheguei a pensar que era presunçoso chamar esses pequenos atos de "corajosos". Mas, quanto mais pensava neles, mais percebia que realmente é preciso coragem para fazer o que acreditamos ser nosso dever – e para renunciar a todos os motivos, racionalizações, justificativas e ao pensamento "se ao menos" que ameaça se sobrepor à paz dessa decisão.

Em retrospecto, sei que, se tivesse recusado a atribuição, teria me sentido desconfortável e em dúvida a semana inteira. Da maneira como ela se apresentou, a experiência mostrou-se muito mais satisfatória, mais poderosa, mais renovadora do que jamais pensei que pudesse ser.

"Aquilo que persistimos em fazer torna-se mais fácil de fazer", disse Emerson, "não porque a natureza da coisa tenha mudado, mas porque nossa habilidade de fazer aumentou."[2] Quando aprendemos a perguntar com intenção, ouvir sem desculpas e agir com coragem, desenvolvemos a habilidade de levar uma vida centrada em princípios.

Com o tempo, ouvir e viver de acordo com nossa consciência torna-se o hábito fundamental do coração. Em vez de viver com racionalização, medo, culpa ou frustração, vivemos com a consciência tranquila de que estamos colocando o que é mais importante em primeiro lugar todos os dias, a cada momento. A culpa genuína (não a social ou a inconsciente) torna-se nossa mestra, nossa amiga. Como um radar que sinaliza quando o avião saiu da rota, ela nos avisa quando nossa vida está desalinhada com os princípios do "norte verdadeiro" responsáveis pela qualidade de vida. Os erros também se tornam nossos mestres. A vida se torna uma espiral ascendente de crescimento quando aprendemos a nos guiar pelo "norte verdadeiro".

EDUCAÇÃO DO CORAÇÃO

A educação do coração é o complemento fundamental da educação da mente. Nas palavras do educador norte-americano John Sloan Dickey:

> O objetivo da educação é ver os homens como um todo, com competência e consciência. Desenvolver a competência sem criar uma direção para guiar o uso dela é má educação. Além disso, a competência finalmente se desintegrará se não vier acompanhada de consciência.[3]

A educação do coração é o processo de cultivar a sabedoria interior. É aprender a usar os quatro dons humanos de modo sinérgico a fim de agir com integridade no momento da escolha.

O processo do quadrante 2 nos ajuda a cultivar essa sabedoria interior de diversas formas importantes.

Um dos melhores usos do espaço entre o estímulo e a resposta é a criação de uma declaração de missão pessoal. Essa declaração se torna a essência de todas as outras decisões que tomamos.

A organização semanal nos dá a oportunidade de conectar o contexto geral à realidade do momento com uma perspectiva que mantém o foco da importância no momento da escolha.

A avaliação no fim da semana nos ajuda a ver o tempo como um ciclo de aprendizado e crescimento, não como uma medida cronológica linear. Isso nos dá forças para aprender com a vida e aumentar a qualidade das decisões que tomamos.

Afinar o instrumento aumenta a qualidade de nossas decisões, pois oferece renovação nas quatro dimensões humanas, que serão discutidas a seguir.

A dimensão física

Pesquisas demonstram os efeitos negativos da fadiga e da doença na tomada de decisões eficazes. Como disse Vince Lombardi, "a fadiga nos acovarda".[4] Quando estamos cansados ou doentes, tendemos a ser mais reativos. Além disso, a dependência de substâncias químicas, como drogas e álcool, pode diminuir significativamente o espaço entre o estímulo e a resposta.

Afinar o instrumento no sentido físico – prática de exercícios, alimentação adequada, repouso, abstenção do consumo de substâncias prejudiciais, revisões médicas periódicas – aumenta de forma notável a probabilidade de fazermos boas escolhas nos momentos de decisão. Isso eleva também nossa margem de opções, já que uma boa saúde nos permite fazer muito mais tarefas. Nosso corpo é um território fundamental; ele é o instrumento por meio do qual trabalhamos para satisfazer todos os outros territórios e responsabilidades.

A dimensão mental

A renovação mental de qualidade aumenta nosso conhecimento e nossa perspectiva nos momentos de tomada de decisão. Considere o valor de algo como a retrospectiva bicentenária feita por Stephen, que nos mostra 200 anos da literatura norte-americana sobre o sucesso.[5] A literatura na época da retrospectiva e nos 50 anos anteriores era basicamente uma reflexão sobre a ética da personalidade – o foco na solução rápida, na imagem social superficial que retratou o sucesso como uma questão de personalidade e técnica. Essa literatura criou um paradigma de sucesso ilusório incapaz de empoderar as pessoas a terem uma vida de qualidade no longo prazo.

Mas, transcendendo esse paradigma limitado, é possível ver que, antes da literatura da ética da personalidade, houve 150 anos de literatura baseada na ética do caráter, para a qual os ingredientes mais importantes para o sucesso eram sentimentos como honestidade, integridade, humildade, fidelidade, justiça, paciência e coragem. Essa literatura da ética do caráter refletia a sabedoria de milhares de anos de outras civilizações, que também reconhecia os princípios do "norte verdadeiro" de sucesso. Vale lembrar que um dos temas mais recorrentes na literatura sobre o gerenciamento do tempo é que "tempo é vida". Ainda assim, essa literatura está repleta de técnicas e a ideia de caráter está inteiramente ausente.

Quando estudamos a história das civilizações, vemos o que ocorreu com indivíduos e sociedades que viveram de acordo com os princípios do "norte verdadeiro" e aqueles que não o fizeram. Voltemos para o vídeo da laranja: o close fechado confunde, desorienta; mas, à medida que recuamos, a lente normal permite que vejamos a cena em perspectiva. E essa perspectiva – a consciência de influências no ambiente que nos afastam do "norte verdadeiro" – produz uma grande diferença no modo como tomamos as decisões sobre a forma de aproveitar nosso tempo.

- *Devo procurar soluções rápidas de modo a conseguir realizar mais no presente ou reservo um tempo para investir nesse relacionamento e realizar mais coisas importantes no longo prazo?*
- *Tento alimentar minha necessidade social com a satisfação superficial de confessar os pontos fracos do meu chefe para os outros funcionários no corredor ou opto por cultivar relacionamentos de qualidade ao ser leal àqueles que não estão presentes e falar sobre as diferenças cara a cara?*
- *Respondo automaticamente sim quando meu chefe pedir que eu trabalhe no fim de semana ou procuro soluções alternativas que atendam às necessidades dele e às minhas?*

- *Devo seguir obstinadamente e trabalhar no projeto independente que planejei ou reconheço uma oportunidade para melhorar a qualidade de vida de alguém, e a minha também, ao ajudá-lo a resolver um problema?*

A renovação mental plena de sentido nos capacita a transcender a sabedoria limitada de nosso ambiente nos momentos de decisão e mantém nossa mente afinada, lúcida e bem exercitada.

A dimensão espiritual

A renovação na dimensão espiritual cultiva um sentimento de significado e permeia o propósito que influencia poderosamente nossas decisões diárias. Um dos elementos mais essenciais da literatura da sabedoria é a ideia de que a vida de um indivíduo é parte de um todo maior. E quer as pessoas vejam esse todo em termos de vida após a morte, ciclos de vida ou legado intergeracional, essa orientação do cenário amplo coloca os desafios da vida diária em uma estrutura contextual de significado.

Como destacou o psicólogo David Myers, em seu livro *The Pursuit of Happiness* (A busca da felicidade), diversas pesquisas mostram que aqueles que se orientam por esse contexto mais amplo são mais felizes, mais satisfeitos, mais cooperativos. Ele frisa que alguma forma de fé religiosa ou convicções a respeito do sentido da vida são características de pessoas felizes, e que quem se envolve em atividade religiosa ao ponto de fazer contribuições financeiras é de longe quem mais colabora com outras obras filantrópicas.

> Ao que parece, a consciência religiosa modela uma agenda maior do que aquela relacionada apenas ao crescimento do mundinho particular de cada um. Ela cultiva a ideia de que as aptidões e riquezas são dádivas às quais não se faz jus, das quais se é um mero administrador.[6]

Mas Myers também observa que muitas pessoas pesquisadas nos Estados Unidos que não se consideram religiosas ainda assim dedicam um tempo considerável procurando e meditando sobre o sentido da vida. À medida que as pessoas percebem as consequências de viver com a ilusão de um paradigma autocentrado, consumista, materialista e cronológico, começam a ser mais cautelosos e a buscar formas de contribuir capazes de mudar seus resultados.

As atividades de renovação na dimensão espiritual – meditação, preces, cerimônias religiosas formais, assistência altruísta, estudo da literatura da sabedoria e sacra, memorização e revisão de uma declaração de missão pessoal – cultivam o contexto de um cenário amplo e o foco da contribuição do "norte verdadeiro". Essa renovação desempenha um papel vital na educação do coração. É a base para decidir quais são as prioridades. Ela nos dá a paixão e o poder para subordinar o que é menos importante ao que é mais importante. Ela nos capacita a transcender as poderosas influências da urgência, da prudência e da gratificação instantânea no momento da escolha.

A dimensão social

Na Parte III, A sinergia da interdependência, analisaremos com mais detalhes a dimensão social. No entanto, a conexão vital que precisamos fazer neste ponto é como o relacionamento com nós mesmos influencia os relacionamentos com os outros, e como isso pode ser importante para a educação de nosso coração.

> (Rebecca) Há alguns anos, determinada situação me despertou para uma surpreendente consciência dos efeitos de violar a consciência. Na época, eu era uma pretensa escritora e uma jovem mãe – muito ocupada com crianças em idade pré-escolar e lutando contra alguns problemas de saúde, entre outras atribulações. Certo dia deparei com um livro recém-publicado por uma mulher que, alguns anos antes, havia pertencido à minha lista de melhores amigas.
>
> Minhas sensações mudaram rapidamente da surpresa para a descrença. Como é que aquela mulher poderia ter escrito um livro? Ela tinha uma vida pública extremamente agitada, além de uma casa e uma família para cuidar. Onde ela havia conseguido tempo para fazer algo assim?
>
> Quanto mais olhava para o livro, mais justificativas e racionalizações arrumava. "Ela deve ter contratado uma babá para cuidar das crianças. Talvez esteja cheia da grana. A família janta fora todas as noites e ela não tem que se preocupar com a cozinha. E ela tem uma saúde de ferro – jamais deve ter passado um dia de cama. Nunca conseguiria escrever um livro se tivesse que enfrentar os mesmos desafios que eu."

Minha cabeça fervia e comecei a pensar em outras coisas para as quais eu nunca tivera tempo. De repente, todos os livros daquela prateleira pareciam pular em minha direção e gritar: "Por que você não me lê?" Não demorou muito para que me sentisse desesperada, incompetente, frustrada e vítima do mundo. Quase cheguei a ter raiva de minha amiga "perfeita" e das pessoas e circunstâncias que pensava serem responsáveis por minha própria situação.

Fui para o carro e fiquei sentada pensando por alguns minutos. A experiência estava me abalando porque minha reação parecia totalmente contrária ao meu caráter. Em geral, eu encontrava um profundo prazer no sucesso e na realização dos outros.

Lá no fundo, sabia que minha reação era um exagero. Sabia que havia alguma razão subjacente para o que eu estava sentindo e decidi analisá-la. Tentei me libertar de todos os sentimentos negativos, de culpa, de raiva e olhar honestamente para meu coração.

Tive uma dessas maravilhosas e dolorosas iluminações que de repente nos mostram como as coisas são de fato. Na verdade, eu não estava com raiva de minha amiga. A questão é que havia algumas coisas na vida dela que eu não tinha... mas que eu sabia que precisava. Enxergava as realizações dela como um espelho de minhas próprias fraquezas. E, vendo a mim mesma nesse espelho, reagi violentamente ao reflexo.

Eu sabia que ela era ótima mãe. A maternidade era um desafio para mim, e eu estava vendo a paciência e a atitude positiva dela como um contraste para o que acreditava ser minha própria incompetência. Ela administrou o tempo para realizar projetos plenos de sentido e criativos fora de casa. Eu sabia que também tinha talento para escrever, mas não havia sido suficientemente eficiente em minhas outras responsabilidades para encontrar tempo para desenvolver esse talento.

Presumi que ela estivesse bem financeiramente por causa das dificuldades que eu tinha para administrar meu dinheiro. Algumas decisões erradas no início do casamento nos deixaram endividados. E eu achava que essa situação me impedia de fazer um monte de coisas.

Minha amiga era saudável, mas o problema não era esse. O problema era que eu sabia que devia me exercitar com regularidade, e não o fazia.

Se estivesse fazendo tudo o que eu sabia que devia, jamais teria sido tomada por esse tipo de sensação. O sucesso de minha amiga seria motivo de felicidade para mim.

Eu sabia que não podia mudar todas as coisas de minha vida com apenas um estalar de dedos. Mas, pelo menos, tinha ciência de que a raiz do problema estava no fato de não colocar o que era mais importante em primeiro lugar em minha própria vida. E isso era algo que eu podia mudar.

"As pessoas parecem não ver", disse Emerson, "que a opinião que têm do mundo é também uma confissão de caráter."[7] Uma das melhores maneiras de educar o coração é observar nossa interação, pois os relacionamentos interpessoais são fundamentalmente um reflexo do relacionamento com nós mesmos.

Quando não ouvimos nossa consciência ou não vivemos de acordo com ela, tendemos a culpar e acusar os outros para justificar nossa própria dissonância interior. Se não temos uma compreensão da missão e dos princípios que nos sirvam de parâmetros, ficamos nos comparando em vez de usar nosso potencial como referência. Entramos no pensamento comparativo e na mentalidade ganha-perde. Acabamos por nos tornar autocentrados. Impomos nossos motivos nas ações dos outros. Vemos as virtudes e os defeitos deles em termos de como nos afetam. Oferecemos à fraqueza deles o poder de nos controlar.

Quando temos uma família, um grupo de trabalho, uma organização, uma sociedade cujos membros culpam, acusam e confessam os pecados dos outros, há uma indicação bastante razoável de que elas não estão vivendo em harmonia com os próprios imperativos interiores. De modo geral, elas se veem presas em uma fantasia: o problema está "lá fora" e alguém virá para nos salvar.

Como está escrito em Provérbios: "Mantenha vosso coração com toda a diligência; é nele que se encontram as questões da vida."[8] À medida que compreendemos mais sobre a realidade da interdependência, o que podemos levar de mais importante conosco é uma vívida consciência do impacto de nossa integridade em nossas interações.

OS RESULTADOS DE SE VIVER DE ACORDO COM A CONSCIÊNCIA

As pessoas que ouvem a própria consciência e vivem de acordo com ela não têm a satisfação superficial da síndrome da urgência, não vivem de agradar aos outros e não precisam ocupar todos os minutos de seu dia para se sentirem seguras. No entanto, elas experimentam uma satisfação profunda – mesmo em meio a dificuldades e desafios – e dormem com a segurança de que fizeram as tarefas mais importantes que poderiam ter feito no decorrer do dia. Experimentam uma enorme paz interior e têm uma ótima qualidade de vida. Não desperdiçam tempo racionalizando, lutando consigo mesmas, culpando e acusando outras pessoas ou condições extrínsecas pela própria situação. Têm um senso territorial quase sagrado em relação aos papéis que desempenham – uma percepção de que são responsáveis e capazes de contribuir para a qualidade de vida dos outros de maneiras plenas de significado. Elas são fortes nos momentos difíceis. E têm um superávit alto em sua conta bancária de integridade.

O surpreendente é que, com todas as consequências negativas decorrentes de se violar a consciência, às vezes acabamos escolhendo isso.

(Stephen) Recentemente, o porteiro do prédio em uma grande cidade canadense instruiu o motorista de táxi: "O Dr. Covey quer ir para o aeroporto." O motorista pensou que eu fosse um médico e começou a me contar seus problemas de saúde. Tentei explicar que não era esse tipo de doutor, mas seu inglês era limitado e ele não me entendeu. Então, limitei-me a ouvir.

Quanto mais ele falava de seus problemas, mais eu me convencia de que tanto estresse era basicamente uma consequência de sua falta de integridade. Vivia na ilegalidade, enganava e trapaceava. Sua maior preocupação era ser apanhado pela polícia, e isso começou a afetar sua saúde. Eu estava sentado no banco de trás sem o cinto de segurança e ele falava olhando pelo retrovisor enquanto dirigia pela autoestrada.

Quando chegamos ao aeroporto, ele disse:

– Vou dar um jeito de conseguir logo outra corrida. Não vou entrar na fila de táxis e ter que esperar duas horas. Vou dar uma volta nesses caras. – Então sua expressão ganhou um ar de sobriedade. – Mas se o fiscal me pegar, vou me estrepar. Vão tomar minha licença. O que você acha, doutor?

Respondi:

– Você não acha que o principal motivo para todas essas tensões e pressões é o fato de você não estar sendo verdadeiro com sua consciência? Lá no fundo, você sabe o que deve fazer.

— Mas aí não dá para ganhar a vida!
— Onde está sua fé? Coloque sua fé nos princípios da integridade. Você encontrará paz de espírito e a sabedoria irá até você.

Algo pareceu tocá-lo profundamente. Ele se mostrou aberto e disposto a me ouvir.

— Tem certeza do que está dizendo?
— Tenho absoluta certeza do que estou dizendo. Mas você deve assumir o compromisso com seu coração. Veja-se vivendo conforme as Leis Básicas da Vida, que são o fundamento de todas as civilizações. Não trapaceie. Não engane. Não roube. Trate as pessoas com respeito.
— Acha que isso realmente ajudaria, doutor?
— Tenho certeza que sim.

No fim das contas, ele não quis receber a gorjeta. E me abraçou.
— Vou fazer isso. Já me sinto melhor!

As pessoas sabem. No fundo sabem o que devem fazer. E sabem que isso melhoraria sua qualidade de vida. O desafio é desenvolver o caráter e a competência para ouvir a consciência e viver de acordo com ela: agir com integridade no momento da escolha.

METAS DO QUADRANTE 2
PARA CULTIVAR A INTEGRIDADE NO MOMENTO DA ESCOLHA

- Quando definir as metas da semana, faça uma pausa para entrar em contato com sua consciência. Observe o próprio envolvimento no processo. Reflita sobre como se sente ao se conectar quando não está vivendo sob pressão. Trabalhe para transformar essa experiência nos momentos de decisão de cada dia.
- Crie uma questão específica para perguntar a si mesmo quando tiver que fazer uma escolha. Reveja-a diversas vezes ao longo do dia de modo que ela esteja constantemente diante de você. Trabalhe para desenvolver o hábito de realizar pausas e fazer essa pergunta no espaço entre o estímulo e a resposta.
- No começo de cada dia, pense em sua conta bancária de integridade. Anote os depósitos e as retiradas enquanto interage com a consciência durante o dia.

- Pense sobre as três partes do processo: pergunte com intenção, ouça sem desculpas, aja com coragem.
- Estabeleça como meta percorrer o processo toda vez que deparar com um momento de decisão.
- Preste atenção na forma como costuma reagir quando faz uma escolha. Contabilize quantas vezes durante o dia você para e entra em contato com sua consciência – e o resultado.
- Em pelo menos uma decisão por dia, pare e analise os fatores que estão influenciando você, como a urgência, as prioridades alheias, a fadiga, as expectativas (suas e dos outros) e o roteiro. Coloque tudo no papel e, ao lado de cada fator, inclua alguma indicação de sua importância. Observe se você sente que sua resposta a esses fatores muda quando você reserva algum tempo para se conscientizar e pensar sobre eles.
- Avalie sua experiência. Uma das formas mais eficazes para desenvolver a integridade no momento da escolha é aprender a partir de sua interação com a consciência. Isso é um processo, uma evolução – algo que pode praticar. No próximo capítulo, daremos ideias específicas sobre o modo de avaliar o que está acontecendo em sua vida como parte do processo de organização do quadrante 2.

10
Aprendendo com a vida

Enquanto estiver vivo, nunca pare de aprender a viver.[1]
— Sêneca

(Roger) Ao fazer uma consultoria para uma grande empresa há alguns anos, tive a oportunidade de trabalhar com um psicólogo de Nova York, que se tornou meu amigo. Muitas vezes apresentávamos palestras para o mesmo grupo no mesmo dia, e eu costumava ouvi-lo contar a história de como ele e seus colegas profissionais trabalhavam com ratos em labirintos. Eles colocavam o rato em uma extremidade do labirinto e um pouco de comida na outra, e observavam enquanto o rato percorria o labirinto até encontrar a comida. Ao ser colocado no início do labirinto de novo, ele titubeava menos e encontrava a comida um pouco mais rápido. Depois de algum tempo, passava a atravessar o labirinto rapidamente e em poucos segundos tinha a isca entre os dentes.

Em seguida, eles retiravam a comida. Durante algum tempo, o rato ia direto até o fim do labirinto. Mas logo percebia que não havia mais comida lá e deixava de procurá-la.

"Essa é a diferença entre os ratos e os homens", dizia meu amigo. "Os ratos param!"

Embora ele tivesse feito o comentário em tom de piada, a questão levantada pelo psicólogo era muito verdadeira. Costumamos cair na rotina, em círculos viciosos, e desenvolvemos padrões e hábitos inúteis. Fazemos as mesmas coisas semana após semana – lutamos contra os mesmos crocodilos, enfrentamos as mesmas fraquezas, repetimos os mesmos erros. Na verdade, não aprendemos com a vida. Não paramos para perguntar: o que essa semana me ensinou que impedirá que a próxima seja igual?

AVALIAÇÃO: FECHAMENTO DO CICLO

O valor de uma semana não está limitado ao que fazemos durante seus dias; também está no que aprendemos no período e na transformação que sofremos em consequência desse aprendizado. Por essa razão, nenhuma experiência semanal estaria completa sem um tipo de avaliação que nos permita processá-la.

A avaliação é a etapa final, e também o primeiro passo, de um ciclo de aprendizado capaz de criar uma espiral de crescimento ascendente. Ela nos remete de volta ao início do processo, mas com maior capacidade. Quando aprendemos com a vida, estamos mais bem preparados para rever nossa missão e nossos papéis, definir metas, criar uma estrutura para uma nova semana e agir com mais integridade. Quando organizamos, agimos, avaliamos, organizamos, agimos, avaliamos... e organizamos, agimos, avaliamos de novo, nossas semanas se tornam contínuos ciclos de aprendizado e crescimento.

```
        Organização
       ↗           ↘
Avaliação          Ação
       ↖           ↙
```

"Seja observador se tiver um coração puro", disse um escritor anônimo, "pois alguma coisa nasce para você em consequência de todas as ações."

"O que me agrada na experiência", escreveu C. S. Lewis, "é que ela é honesta... Você pode ter se enganado, mas a experiência não está tentando enganá-lo. O universo soa verdadeiro sempre que você o leva a sério."[2]

Esse ciclo de vida e aprendizado está enraizado no espírito do *kaizen* – palavra japonesa que designa o espírito da melhoria contínua. O conceito japonês se opõe diretamente à mentalidade ocidental, para a qual "em time que está ganhando não se mexe". E está de acordo com este conselho de Sêneca: "Enquanto estiver vivo, nunca pare de aprender a viver." Trata-se da aplicação da Quinta Disciplina de eficácia e aprendizado organizacional de Peter Senge no nível pessoal:

O verdadeiro aprendizado vai bem no cerne da questão de o que é ser humano. Nós nos recriamos por meio do aprendizado. Através dele, nos tornamos capazes de fazer coisas que nunca fomos capazes. Ele amplia nossa capacidade de criar, de ser parte do processo gerador da vida. Há dentro de cada um de nós uma profunda fome desse tipo de aprendizado.[3]

O reconhecimento da importância do processo de avaliação se reflete no que costuma ser chamado Ciclo de Crescimento, ou Ciclo de Avaliação, variações do que é utilizado no Movimento da Qualidade Total e em outros processos que se concentram no aprimoramento e no crescimento. A avaliação semanal em nível pessoal aumenta a autoconsciência, educa a consciência e desenvolve hábitos do coração de forma eficaz.

COMO AVALIAR A SEMANA

A avaliação pode ser feita em um diário pessoal ou no verso da planilha semanal, entre o final de uma semana e o início da outra. Você pode achar útil elaborar um checklist de perguntas para anexar ao *planner* ou organizador e respondê-las antes de começar a organização do quadrante 2 da semana seguinte. Eis algumas sugestões:

- *Que metas eu realizei?*
- *O que me capacitou a realizá-las?*
- *Quais foram os desafios com os quais deparei?*
- *Como os superei?*
- *A conquista dessas metas foi o melhor uso que fiz de meu tempo?*
- *O foco nelas me impediu de enxergar oportunidades inesperadas para usar melhor meu tempo?*
- *Ter alcançado essas metas aumentou minha conta bancária de integridade?*
- *Quais foram as metas que não alcancei?*
- *O que me impediu de alcançá-las?*
- *Em consequência das escolhas que fiz, usei meu tempo de forma melhor do que aquela que planejei?*
- *Minhas escolhas acarretaram em depósitos ou débitos em minha conta bancária de integridade?*

- *Quais metas não alcançadas eu devo transferir para a próxima semana?*
- *Dediquei tempo para renovação, reflexão e confirmação do compromisso?*
- *Dediquei tempo para afinar meus instrumentos diariamente?*
- *De que forma o tempo que dediquei à renovação influenciou as outras áreas?*
- *De que forma fui capaz de criar sinergia entre os papéis que desempenho e as metas que defini?*
- *Como apliquei o caráter e a competência adquiridos para um papel em outros?*
- *Quais princípios apliquei ou deixei de aplicar durante a semana? Qual foi o efeito disso?*
- *Qual foi a parte de meu tempo que passei no quadrante 2? E no 1? E no 3? E no 4?*
- *O que posso aprender com essa semana?*

Ao percorrer essas perguntas, é importante usar sua bússola interna: ser profundamente honesto e autoconsciente, conectar a consciência, usar a vontade independente e a imaginação criativa para considerar as possibilidades e o compromisso com uma mudança positiva.

A SEMANA COMO PARTE DE UM TODO MAIOR

Também é útil ver como cada semana se conecta com as outras. Você pode querer fazer uma avaliação mensal ou trimestral e refletir com as seguintes perguntas:

- *Que padrões de sucesso ou de fracasso eu vejo na definição e na conquista de metas?*
- *Estou definindo metas realistas, apesar de desafiadoras?*
- *O que me impede de realizar minhas metas?*
- *Que padrões ou processos podem ser melhorados?*
- *Estou criando expectativas irreais? Como posso modificá-las?*

(Rebecca) Há alguns anos, senti uma profunda necessidade de dedicar um tempo para minha renovação pessoal. Roger ficou em casa cuidando das crianças durante alguns dias e fui para um hotel, onde passei horas lendo meus diários. Foi uma experiência extremamente esclarecedora. Pude revisitar muitos momentos de minha vida com uma perspectiva ampliada, o que me deu uma compreensão mais profunda deles. Mas a descoberta mais útil se deu quando fui capaz de perceber padrões de repetição impossíveis de identificar no dia a dia. Valendo-me desse ponto de vista mais distanciado, localizei a direção pessoal que precisava e voltei para casa renovada e muito mais conectada com o que realmente importava.

Percebi que a avaliação pessoal regular e o tempo de renovação são parte vital do aprendizado com a vida. É a hora que podemos rever a declaração de missão, pensar sobre relacionamentos importantes e definir metas contextuais em cada um dos papéis que desempenhamos. E Roger e eu descobrimos que, ao fazermos isso como casal, damos um sentido de renovação também em nosso casamento. Quando reservamos um tempo para ficar juntos, para rever nossa declaração de missão compartilhada, para definir metas como parceiros e como pais, tudo isso traz ganhos para a qualidade de nossa vida, nosso relacionamento e nossa família.

O processo sistemático de organização, ação e avaliação nos ajuda a enxergar as consequências de nossas escolhas e ações com mais clareza. São os quatro dons em ação. Temos mais energia para aprender com a vida e a viver o que aprendemos.

O PODER DO PROCESSO

Ao refletir sobre os últimos seis capítulos, você entende por que dissemos que o verdadeiro poder do processo ficaria aparente apenas quando você se envolvesse profundamente em seus fundamentos? Se você for como a maioria, sua experiência inicial com o quadrante 2 talvez tenha sido uma experiência de terceira geração. Mas, ao repassar o processo agora, com uma compreensão mais profunda, passará a ter uma experiência mais parecida com a da quarta geração. Será capaz de percorrer cada etapa do processo com maior profundidade de significado e resultados mais poderosos.

Veja de que forma a compreensão e a sequência dessas seis etapas pode capacitá-lo a colocar o que é mais importante em primeiro lugar:

- **Conexão com a missão** é o que lhe dá poder para acessar o ardente e profundo "sim!" criado pela consciência das prioridades de sua vida, o "sim!" que gera paixão e energia e torna possível para você dizer "não" com segurança e tranquilidade a tudo o que é menos importante.
- **Revisão dos papéis** permite que você reconecte as avenidas por meio das quais pode realizar as prioridades de forma equilibrada e sinérgica.
- **Identificação de metas** permite que se concentre de modo eficaz nas prioridades que pode realizar em cada papel, a cada semana, a fim de alcançar sua missão. Isso o capacita a definir metas fundamentadas em princípios que produzirão qualidade de vida.
- **Organização da semana** permite que coloque as pedras grandes – as metas importantes do quadrante 2 – em primeiro lugar e agende todas as outras tarefas em torno delas.
- **Exercício da integridade** o estimula a fazer uma pausa no espaço entre o estímulo e a resposta para agir com integridade em relação às prioridades em qualquer momento da escolha.
- **Avaliação** é o que permite que você coloque suas semanas em uma espiral ascendente de aprendizado e vida.

A mudança está em deixar de fazer mais coisas em menos tempo para passar a fazer as coisas mais importantes de forma eficaz, equilibrada e sinérgica. Trata-se de uma abordagem holística, integrada para viver, amar, aprender e deixar um legado.

Mas, como veremos a seguir, há uma experiência ainda mais enriquecedora. Está relacionada à sinergia da interdependência – com a realidade plena de nossa conectividade com os outros. Na próxima parte, vamos analisar o tempo e a qualidade de vida em que a experimentaremos com mais frequência e de modo mais profundo.

Parte III
A SINERGIA DA INTERDEPENDÊNCIA

Ao entrarmos no tema da realidade interdependente, gostaríamos de pedir que você faça uma pausa e pense em que nível os relacionamentos interpessoais comprometem seu tempo e sua qualidade de vida.

- *Quanto tempo você perde em crises desnecessárias do quadrante 1 por causa de problemas de comunicação, mal-entendidos ou falta de clareza em torno dos papéis e das metas no esforço interdependente?*
- *Quanto tempo você perde no quadrante 3 engalfinhando-se para satisfazer expectativas alheias, reais ou imaginárias, e que frequentemente acabam revelando não ter importância?*
- *Quanto tempo de sua família ou de sua organização é desperdiçado em razão de falhas de comunicação, mal-entendidos, politicagem, calúnias, acusações ou denúncias sobre os erros uns dos outros?*
- *Em que medida fatores com potencial para impactar de forma significativa o tempo e a qualidade de vida – o talento, a criatividade e o entusiasmo dos outros com os quais você convive e trabalha – permanecem represados?*

Para a maioria das pessoas, grande parte do tempo de vigília é usado na comunicação ou na interação – ou lidando com os resultados de uma comunicação ou interação deficiente. A interdependência eficaz é o núcleo da questão do gerenciamento do tempo. Mas a literatura tradicional basicamente a ignora ou lida com ela de uma forma *transacional*. Essa abordagem transacional provém do paradigma mecânico, de controle, do gerenciamento de coisas. As pessoas são vistas como unidades biônicas das quais podemos exigir um aumento na produtividade ou como interrupções a serem administradas com eficiência a fim de que possamos voltar para nossa agenda.

Entretanto, a interdependência de quarta geração não é *transacional*; é *transformacional*. Ela muda as pessoas envolvidas nela. Leva em consideração a realidade plena das características únicas, da capacidade de cada indivíduo e do rico e positivo potencial de criação de terceiras alternativas sinérgicas muito melhores do que aquelas que as pessoas poderiam elaborar sozinhas. A interdependência de quarta geração é a riqueza dos relacionamentos, a aventura das descobertas, a espontaneidade e a profunda satisfação de colocar as pessoas acima das agendas, e o prazer de criar juntas o que antes não existia. É a última palavra em termos de produtividade: o aumento exponencial da criatividade, da capacidade e da produção que decorre da combinação da energia e dos talentos de muitas formas sinérgicas.

Nesta parte, vamos analisar profundamente a natureza interdependente da vida e perceber como o caráter e a competência influenciam nossa habilidade para trabalhar com as pessoas em todas as dimensões. Vamos falar sobre o modo de criar sinergia com os outros por meio das atividades do quadrante 2, como a criação de uma visão compartilhada e a energização de acordos de desempenho. Mostraremos como criar uma bússola comum que permitirá que você forme equipes complementares capazes de alavancar virtudes e tornar defeitos irrelevantes. Por fim, vamos lidar com o empoderamento – a última palavra em termos de ferramenta de preparação/prevenção do quadrante 2. Você verá como a geração do empoderamento de dentro para fora pode aumentar a capacidade e influenciar todos ao redor – familiares, amigos, colegas de trabalho – rumo a um melhor desempenho e maiores conquistas.

Se seu estilo de vida é muito independente ou se por alguma razão você preferir não entrar nesse nível de complexidade, sinta-se à vontade para ir direto para a Parte IV. No entanto, nós o estimulamos a explorar essa área vital, que é praticamente ignorada pelo gerenciamento do tempo tradicional. Você ficará surpreso ao descobrir o enorme grau de influência dos problemas e do potencial da interdependência sobre seu tempo e sua qualidade de vida.

11

A realidade da interdependência

A interdependência é e deve ser um ideal tão importante para o homem quanto o é a autossuficiência.
O homem é um ser social.[1]
– Gandhi

Enquanto avançamos no tema da realidade interdependente, pense sobre o que você definiu como prioridades em sua vida. Quantas delas envolvem relacionamentos interpessoais?

Nossa experiência mostra que, quase sem exceção, tudo o que é identificado como sendo de real importância tem a ver com outras pessoas. Mesmo quem coloca na lista itens como "saúde" ou "segurança financeira" geralmente o faz porque quer ter recursos para aproveitar a vida com a família e os amigos. Nossas maiores alegrias – e nossos maiores sofrimentos – provêm dos relacionamentos.

O fato é que a qualidade de vida é, por natureza, interdependente.

Os papéis que desempenhamos são interdependentes – somos maridos, esposas, pais, amigos, chefes, empregados, colegas de trabalho, sócios, membros de comunidades, cidadãos. A qualidade em quase todos os papéis que desempenhamos envolve um relacionamento com pelo menos outro indivíduo.

Nossas conquistas são interdependentes. Embora ao pensarmos na história do mundo tenhamos a tendência de dizer que alguém "inventou" ou "descobriu" determinada coisa, a realidade é que a maioria das grandes conquistas não surgiu a partir do nada. O indivíduo que recebe o crédito geralmente seguiu uma trilha aberta por vários outros que, antes dele, removeram obstáculos, descobriram o que não funcionava, até que em algum momento alguém acaba encontrando o que realmente funciona.

Mesmo a satisfação de nossas necessidades e capacidades fundamentais é interdependente.

Viver é ter saúde e segurança financeira. Onde estaríamos sem os médicos, os hospitais, a penicilina e os serviços de saúde? Recebemos nosso salário porque o que fazemos influencia de alguma forma a vida de outras pessoas. Gastamos nosso salário em serviços ou objetos que representam o trabalho dos outros.

Amar é, por definição, interdependente. "Amor só é amor quando é dado a alguém." Envolve relacionamentos e entrega, e está baseado em um dos grandes temas de toda a literatura da sabedoria: reciprocidade.

Aprender é crescer, sentir que estamos nos expandindo. Aprendemos lendo livros dos outros, participando de seminários promovidos por outros, fazendo cursos ministrados por outros. Fazemos descobertas enquanto interagimos em reuniões com outras pessoas. "Nossas" ideias são desenvolvidas a partir das ideias dos outros.

Deixar um legado é também, por definição, interdependente. É contribuir para a sociedade, contribuir de forma significativa para a vida de outras pessoas. O mundo em que vivemos é o legado dos que nele viveram antes de nós. As escolhas que fazemos cria um legado para aqueles que nos seguirão.

O fato é que somos melhores juntos. A humildade surge quando percebemos que "nenhum homem é uma ilha", que nenhum indivíduo detém todas as habilidades, ideias, capacidade de executar as funções do todo. É de fundamental importância para a qualidade de vida a capacidade de trabalhar em conjunto, aprender com a troca e ajudar os outros a crescerem.

O PARADIGMA DA INDEPENDÊNCIA

Apesar da óbvia realidade interdependente da qualidade de vida, costumamos ver o sucesso em termos de conquistas independentes. E, no fundo, a literatura do gerenciamento do tempo reflete esse paradigma da conquista independente. De um jeito ou de outro, grande parte da literatura especializada afirma que "tempo é vida", mas as habilidades e as técnicas dizem respeito ao gerenciamento de coisas. Basicamente, as pessoas são vistas como recursos por meio dos quais podemos alavancar nosso desempenho ao delegar tarefas ou como contratempos a serem administrados com eficiência de modo que possamos manter nosso cronograma.

Há um lugar para a independência. No espaço entre o estímulo e a resposta, a independência é ter a força de caráter para transcender o roteiro, o espelho social e outras influências que nos impediriam de dar uma resposta à vida baseada em princípios. Mas, além de um lugar, há um objetivo para essa independência. Ela não é um fim em si mesma. A verdadeira independência antecede e nos prepara para a interdependência eficaz. É a confiabilidade pessoal que torna possível a confiança.

Também há um papel para a independência quando estamos lidando com "coisas", e é aqui que encontramos grande valor na literatura sobre gerenciamento do tempo. Ela está repleta de excelentes ideias e técnicas altamente alavancadoras para gerenciar as "coisas".

Só que pessoas não são coisas. Pessoas têm o próprio espaço entre o estímulo e a resposta. Também têm dons humanos e uma incrível capacidade para agir dentro desse espaço. E um bom percentual de nosso tempo é passado interagindo nessa realidade interdependente.

Fora a integridade pessoal, nossos maiores problemas – e nosso maior potencial para influenciar o tempo e as questões relacionadas à qualidade de vida – estão na arena da interdependência.

O CUSTO DO PARADIGMA DA INDEPENDÊNCIA

Quando tentamos satisfazer necessidades e realizar capacidades por meio de um paradigma de conquista independente, linear, cronológico, a vida pode se parecer com um almoço em um bufê self-service. Como o tempo é curto, precisamos maximizar nossa satisfação, provar um pouquinho de tudo. Passamos pelo bufê correndo, pegando a maior variedade de comida possível. Ficamos ansiosos por experiências e sensações.

Vivemos apressadamente. Como a manutenção de um estilo de vida saudável demanda muito tempo e esforço, comemos o que queremos, fazemos o que queremos, ignoramos qualquer necessidade de descanso e confiamos que os remédios vão nos manter inteiros. A segurança financeira passa a ser maximizar os resultados, independentemente do significado ou dos meios.

Amamos apressadamente. Atropelamos nossos relacionamentos, muitas vezes deixando corações partidos e vidas despedaçadas pelo caminho. Queremos os benefícios do casamento, mas não assumimos o compromisso emocional de uma vida rica de interdependência, de ajuda desinteressada, de sensibilidade, de melhoria contínua do caráter para fazê-lo crescer. Colocamos filhos no mundo, mas não nos comprometemos com o tremendo esforço e o tempo necessário para ensinar e treinar, amar e ouvir. Provamos alguns frutos dos relacionamentos mais próximos a nós, mas não há tempo para estendermos a mão e amar de forma mais ampla.

Aprendemos apressadamente. Não há tempo para conversas profundas, para interagir de forma expressiva. O aprendizado é superficial: nos concentramos nas habilidades, nos métodos e nas técnicas sem entender os princípios que nos capacitam a agir em uma série de situações.

Deixamos um legado apressadamente. Doamos um dinheiro aqui, outro tanto acolá e essa colaboração nos dá uma sensação de contribuição por um breve momento que não perdura. Não há um compromisso real, nossa vida não é permeada por nenhum sentido profundo de propósito e contribuição.

Como muitos cientistas e analistas destacaram, esse paradigma da independência baseado na pressa criou um desequilíbrio generalizado na sociedade. A fim de ter mais ovos de ouro, estamos dispostos a matar a galinha que os produz. Ficamos tão focados em consumir que não nos preocupamos com nossa capacidade de produzir, e vemos a prova disso em tudo que nos cerca – na dívida interna, no sistema de saúde, na economia mundial, na falta de disposição dos mercados para investir em desenvolvimento de longo prazo.

Pai das pesquisas modernas sobre o estresse, Hans Selye compara o foco da conquista independente ao "desenvolvimento de um câncer, cuja característica principal é se preocupar apenas consigo mesmo. Por essa razão, ele se alimenta de outras partes do próprio hospedeiro até matá-lo – e assim comete suicídio biológico, já que uma célula cancerígena só pode viver dentro do corpo em que iniciou seu inesgotável desenvolvimento egocêntrico".[2] Em certa medida, a sociedade está em uma escada apoiada na parede errada. Vivemos com a ilusão de independência, mas o paradigma não está criando os resultados de qualidade de vida que desejamos.

Para mudar isso, precisamos mudar o paradigma.

O PARADIGMA DA INTERDEPENDÊNCIA

Como nos ensina o "norte verdadeiro", a realidade é que fazemos parte de uma vasta cadeia de vida, altamente inter-relacionada. A qualidade de vida é interdependente. É uma visão de 360 graus totalmente integrada, como é possível observar no diagrama a seguir.

No centro, encontra-se a dimensão pessoal. Todos temos dons humanos únicos e algum grau de caráter e competência para usar essas características para satisfazer nossas necessidades e capacidades fundamentais. Como indivíduos, estabelecemos relacionamentos com outros indivíduos – e essa é a dimensão interpessoal. Em nossos relacionamentos, trabalhamos com os outros com o objetivo de realizar tarefas, o que é representado pela dimensão gerencial. Alinhamos sistemas e coordenamos o trabalho para finalidades coletivas, o que compõe a dimensão organizacional. Todas essas dimensões fazem parte do contexto da sociedade em que vivemos e exerce influências sobre ela.

Analisemos algumas implicações dessa realidade interdependente.

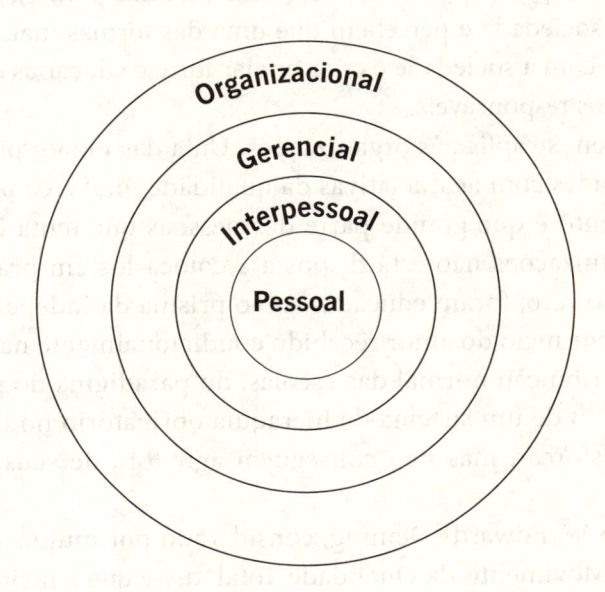

1. Todo comportamento público é em última análise um comportamento privado

Os problemas que vemos nas famílias, nas organizações e nas sociedades são resultado das escolhas feitas pelos indivíduos no espaço entre o estímulo e a resposta. Quando essas escolhas provêm de respostas reativas, baseadas em roteiros preestabelecidos ou na urgência, elas influenciam o tempo e a qualidade de vida das famílias, das organizações e da sociedade.

Tomemos o casamento como exemplo. Se os cônjuges não estiverem verdadeiramente comprometidos, tudo pode ser maravilhoso no início, mas, quando os problemas começarem a surgir – a disciplina, as finanças, os parentes –, eles não terão o caráter e a competência para interagir de forma sinérgica, positiva. Então recorrerão a seus roteiros, que podem ser muito diferentes, e, se não forem fundamentados em princípios, essa diferença pode levar ao confronto de ideias e à polarização ou até à amargura e à alienação.

Por outro lado, se os cônjuges agem com base em princípios, eles tendem a valorizar as diferenças e trabalham juntos para entender os próprios roteiros e os princípios do "norte verdadeiro". Procuram soluções sinérgicas de meio-termo a fim de enfrentar os desafios. Veem os defeitos dos outros como oportunidades para ajudar. Estão mais preocupados com *o que* está certo e não com *quem* está certo. Eles veem a família como a unidade fundamental da sociedade e percebem que uma das formas mais importantes de contribuir com a sociedade é criar um lar forte e educar as crianças para serem cidadãos responsáveis.

Isso também se aplica às organizações. Uma das razões pelas quais temos dificuldades com as iniciativas da qualidade total e os programas de empoderamento é que grande parte das pessoas que tenta implementá-los nas organizações não está disposta a colocá-los em prática na própria vida. Não raro, foram educadas sob o prisma da independência e da competição por meio do amor recebido condicionalmente na infância, da curva de distribuição normal das escolas, do paradigma do ganha-perde nos esportes ou de um sistema de hieraquia obrigatório no trabalho. Podem até se esforçar, mas não conseguem agir fora de seus paradigmas enraizados.

O falecido W. Edwards Deming, considerado por muitos o grande divulgador do Movimento da Qualidade Total, disse que a maioria dos problemas nas organizações está nos sistemas, não nas pessoas.[3] Só que são as pessoas que criam os sistemas. Se as pessoas foram condicionadas aos paradigmas competitivos, fundamentados na mentalidade da escassez, independentes e exclusivamente cronológicos, e se não estão alinhadas ao "norte verdadeiro", os resultados que se refletirão nas organizações e na sociedade serão um fruto disso. A qualidade total e o empoderamento são encarados como "novidade do mês", em vez de criarem uma mudança de qualidade profunda e sustentável, e as pessoas acabam se tornando descrentes em relação ao esforço.

A qualidade total começa com a qualidade total pessoal. O empoderamento organizacional começa com o empoderamento individual. É por essa razão que o trabalho em nosso eu mais profundo e no nível da integridade é tão importante.

(Stephen) Recentemente, um homem me disse:
– Stephen, como é que conseguimos liderança baseada em princípios no Congresso?
– Como você trata sua esposa? – perguntei.
– O que uma coisa tem a ver com a outra? – rebateu ele.
– Em última instância, a política pública é a moralidade privada em maior escala.
Ele corou com meu comentário e não falou mais nada. Pensando tê-lo ofendido, procurei-o mais tarde para me retratar.
– Peço desculpas se o ofendi com meu comentário. Não era minha intenção. É que realmente acredito na abordagem de dentro para fora.
– Não é que você tenha me ofendido – disse ele. – Mas o que você falou me atingiu em cheio! Costumo culpar os outros lá fora pelas injustiças. E sei que desconto minhas frustrações nas pessoas que amo. Você pôs o dedo na ferida. Mas eu precisava ouvir aquilo.

Em última análise, não existe essa história de "comportamento organizacional"; tudo depende do comportamento das pessoas na organização.

2. A vida é um todo indivisível

Como já mencionamos, certa vez Gandhi observou que "uma pessoa não pode se sair bem em um departamento da vida enquanto tem um péssimo desempenho em outro. A vida é um todo indivisível". Um associado nos contou esta história:

> Trabalhei durante algum tempo para uma empresa aeroespacial. Eu fazia parte de uma equipe de marketing estratégico que preparava materiais

de divulgação para ajudar a vender programas e produtos de defesa de custo na casa dos bilhões.

Um dia, chegou um novo membro para a equipe. Pela pompa com que foi apresentado, deu para perceber que se tratava de uma grande contratação. Ele era um profissional brilhante, com 10 anos de experiência no ramo.

O novo membro foi indicado para liderar a equipe que estava preparando a proposta de concorrência mais importante da empresa. Colocaram-me para trabalhar com ele e passamos a ocupar salas vizinhas.

Com o desenvolvimento do projeto logo passei a conhecê-lo muito bem. Por causa da proximidade de nossas salas, escutava todos os telefonemas e as conversas dele. Essas ligações começaram a revelar uma vida privada muito sórdida e desorganizada. Consciente de que eu percebia tudo, ele dava uma série de explicações para as chamadas e em seguida dizia: "Mas isso não afetará meu trabalho." Ele repetia essa frase dia após dia.

Quando a elaboração da proposta chegou a seu ápice, a pressão e as horas de trabalho dobraram. No auge da tensão, os efeitos da vida privada desse líder de equipe começaram a aparecer. Como ele vivia cansado e estava sob pressão, tornou-se impossível trabalhar com ele – um homem explosivo, irracional, provocativo, desequilibrado. Seu comportamento afetou a todos. Apesar do vasto conhecimento, ele se tornou um obstáculo ao projeto e foi demitido apenas seis meses depois de ter sido trazido para a empresa com grandes expectativas.

Podemos pensar que enganamos os outros. Podemos até enganar a nós mesmos. Mas se formos ambíguos ou desonestos em um dos papéis que desempenhamos, tal comportamento afetará todos os outros papéis.

3. A confiança surge da confiabilidade
A confiança é o elemento aglutinador da vida. É o ingrediente mais importante para a comunicação eficaz. É o princípio sobre o qual se fundamentam todos os relacionamentos – casamentos, famílias e organizações de todos os tipos. E a confiança vem da confiabilidade.

(Stephen) Certa vez meu filho me viu falando mal de alguém. No mesmo instante, ele se aproximou de mim e me perguntou: "Você me ama, pai?" Ele foi tão espontâneo, tão delicado, tão vulnerável... Pôde enxergar em minha natureza a possibilidade de não amar uma pessoa e logo a aplicou a nosso relacionamento. O que ele estava fazendo era questionar minha confiabilidade. Queria saber se podia realmente confiar em meu amor.

Tive uma experiência completamente diferente quando fui convidado para lecionar durante um ano em uma universidade no Havaí. Quando chegamos, percebemos que a casa não correspondia às nossas expectativas. Então, procurei o reitor da universidade e reclamei do coordenador de acomodações. Eu estava crítico e mal-humorado. Contei qual tinha sido o acordo e a expectativa e como as coisas não haviam saído como imaginávamos.

Ele me ouviu com respeito e em seguida disse: "Stephen, sinto muito por essa situação, mas o coordenador de acomodações é uma pessoa excelente, muito competente... Vou chamá-lo aqui e resolveremos esse problema juntos."

Não era o que eu esperava ouvir. Eu não queria ser envolvido. Só queria reclamar e ver o problema sendo resolvido. Nunca me esquecerei dos poucos minutos que o coordenador de acomodações levou para chegar ao escritório do reitor, e o que se passou por minha cabeça e meu coração. "Como me meti em uma situação dessas? Mas fui eu que criei o problema. Talvez eu não tenha sido tão claro quanto deveria." Quando ele chegou, meu espírito estava bem mais ameno. Tinha perdido a empáfia. Sentia-me também um pouco constrangido por causa da arrogância que apresentara.

Quando o coordenador de acomodações entrou, eu o cumprimentei de modo cortês. "Oi, tudo bem? Prazer em conhecê-lo." Eu estava totalmente consciente de minha própria ambiguidade. Mas, ah, que respeito senti por esse reitor, que defendia sua equipe, que falava positivamente sobre eles e queria envolvê-los no processo de solução de todas as questões negativas!

O reitor agia com base em princípios. Então eu soube que se alguém reclamasse de mim em sua presença, em qualquer situação, ele me trataria com o mesmo respeito. Esse homem era leal às pessoas ausentes.

Nunca mais agi sem consideração com a reputação de uma pessoa perto dele. Sabia que tipo de pessoa ele era.

A confiança é algo que não se pode disfarçar ou consertar com rapidez. Trata-se de uma questão de caráter fundamental, de confiabilidade pessoal.

Sem uma base de confiabilidade essencial, a confiança é no máximo uma tentativa. Não há recursos pessoais. Não há segurança na motivação básica. A comunicação se dá na defensiva, cheia de máscaras e atitudes ensaiadas. Por outro lado, a confiabilidade cria flexibilidade e uma reserva emocional nos relacionamentos. Você pode até pisar na bola em uma ocasião ou outra, mas isso não arruinará o relacionamento. Você tem recursos de contato pessoal aos quais recorrer. As pessoas confiarão em sua intenção básica. Elas sabem como você é por dentro.

A INTERDEPENDÊNCIA REDEFINE O CONCEITO DE IMPORTÂNCIA

A mudança de um paradigma da independência para um paradigma da interdependência cria uma forma de enxergar inteiramente nova, que influencia poderosamente nossas decisões relacionadas ao melhor aproveitamento do tempo e os resultados obtidos. Ela literalmente redefine o que significa "importância". Voltemos à Matriz do Tempo.

	Urgente	**Não urgente**
Importante	1 • Crise • Problemas urgentes • Projetos, reuniões, preparações com prazos definidos	2 • Preparação • Prevenção • Definição de valores • Planejamento • Fortalecimento de relacionamentos • Recriação verdadeira • Empoderamento
Não importante	3 • Interrupções, alguns telefonemas • Parte dos e-mails, alguns relatórios • Algumas reuniões • Muitas questões urgentes suscitadas por outras pessoas	4 • Trabalho rotineiro • Alguns telefonemas • Atividades ou atitudes que nos fazem perder tempo, por exemplo: assistir à TV • Correspondências irrelevantes • Atividades "alienantes"

Sob o prisma da realidade interdependente, considere estas questões:

- *É mais importante fazer o trabalho de modo eficiente ou dedicar um tempo para estimular um funcionário ou uma criança que possa vir a fazê-lo tanto agora quanto no futuro? Que escolha terá maior impacto na qualidade de seu tempo, no tempo dos outros e no tempo da organização?*
- *É mais importante passar o tempo supervisionando e controlando os outros ou liberar o tremendo potencial criativo de modo que eles mesmos se gerenciem?*
- *É mais importante agendar seu tempo para resolver com eficiência o problema criado por expectativas conflitantes ou dedicar um tempo para trabalhar com os outros a fim de esclarecer as expectativas?*
- *É mais importante passar o tempo tentando resolver os problemas criados pela falta de comunicação ou construir relacionamentos que tornem possível a comunicação eficaz?*

A quarta geração usa o paradigma baseado em pessoas. Mais do que o gerenciamento mecânico e eficiente de coisas, ele está concentrado na interação eficaz e sinérgica com os indivíduos. A diferença entre o foco nas pessoas e o foco nas coisas representa uma das distinções subjacentes mais profundas entre a terceira e a quarta gerações. Na terceira geração, o foco está no gerenciamento e no controle. Ela relega as pessoas ao status de coisas. Os indivíduos se tornam eficientes em organizar, planejar, priorizar, disciplinar e controlar.

Já o paradigma da quarta geração coloca as pessoas à frente das coisas. A liderança está à frente do gerenciamento. A eficácia à frente da eficiência. O objetivo à frente da estrutura. A visão antes do método.

Esse foco nas pessoas cria uma forma inteiramente nova de ver e lidar com a vida, como mostrado no quadro a seguir.

Obviamente, o paradigma baseado em coisas é adequado *quando estamos gerenciando coisas*. Mas é inadequado e ineficaz quando tentamos aplicá-lo a pessoas. É como tentar jogar tênis com uma bola de golfe – a ferramenta não condiz com a realidade.

O paradigma baseado em pessoas	O paradigma baseado em coisas
Liderança	Gerenciamento
Eficácia	Eficiência
Espontaneidade/Casualidade	Estrutura
Discernimento	Medição
Causas	Efeitos/Sintomas
Liberação/Empoderamento	Controle
Programação	Programa
Transformação	Transação
Investimento	Despesa
Serviço ao cliente	Eficiência administrativa
Princípios	Técnicas
Sinergia	Compromisso
Abundância	Escassez

O paradigma baseado em pessoas é fundamental para o sucesso das famílias, das organizações e de grupos de todos os tipos. O industrial japonês Konosuke Matsushita destaca que grande parte dos fracassos e desafios das empresas ocidentais se deve a esse paradigma essencial:

> Os chefes pensam enquanto os funcionários colocam a mão na massa. Vocês estão profundamente convencidos de que essa é a forma certa de tocar uma empresa: tirando as ideias da cabeça dos chefes e colocando-as nas mãos do funcionário.
>
> Para nós, o núcleo do gerenciamento é a arte de mobilizar e harmonizar os recursos intelectuais de todos os trabalhadores a serviço da empresa. Medimos o objetivo dos desafios tecnológicos e econômicos; sabemos que a inteligência de um bando de tecnocratas, ainda que brilhantes, não é suficiente para lhes dar uma chance de sucesso real.
>
> Apenas recorrendo à capacidade intelectual combinada de todos os funcionários uma empresa pode encarar a turbulência e as restrições do ambiente atual.[4]

Quando passamos a enxergar do ponto de vista da realidade interdependente, reconhecemos rapidamente a importância do tempo dedicado às atividades do quadrante 2, como a construção de relacionamentos, a criação de uma visão compartilhada e o esclarecimento de expectativas. Também vemos que grande parte do que fazemos no gerenciamento do tempo tradicional é o mesmo que roçar as folhas, em vez de trabalhar com eficácia na raiz interdependente.

A VERDADEIRA INTERDEPENDÊNCIA É TRANSFORMACIONAL

A interdependência no gerenciamento do tempo tradicional é essencialmente *transacional*. Esse tipo de interdependência ocorre na delegação do dia a dia e, em geral, envolve os princípios de boas relações humanas. Ela pode ser feita de forma que seja eficiente, regular e satisfatória para ambas as partes. Mas trata-se de um baixo nível de interação. As partes envolvidas não são transformadas. Elas não são alteradas ou modificadas. Não acontece nada de verdadeiramente sinérgico. Nada de novo é criado.

A quarta geração, porém, é diferente. Ela se move da *transação* para a *transformação*, na qual a verdadeira sinergia da interdependência é criada pela própria natureza da interação. As pessoas são alteradas. São transformadas. Verdadeiramente modificadas. Elas não sabem, quando começam a transação, qual tipo de dinâmica está sendo desencadeado no processo de comunicação. Algo de novo está sendo criado e nenhuma das duas partes tem controle sobre isso, nem poderia antecipá-lo ou prevê-lo. As pessoas interagem em um estado de liberação, em vez de controle. Esse tipo de interdependência transformacional é um mundo inteiramente novo, e está na própria essência e no núcleo da quarta geração. Na interação transformacional, a abordagem de controle, eficiência, conquista independente e cronológica da terceira geração é eclipsada por esse conceito de sinergia em torno de um conjunto equilibrado de leis naturais ou princípios que estão operando e, em última instância, controlando.

Toda a ideia da sinergia é emocionante e mobilizadora, mas ao mesmo tempo assustadora. Quando você estabelece uma comunicação sinérgica, não sabe qual será a conclusão dela. E se você tiver sido profundamente guiado e treinado na independência e na filosofia do controle e da eficiência, pode se sentir muito vulnerável e inexperiente, vacilante e assustado.

(Stephen) Lembro-me da primeira vez que participei de um programa de sobrevivência. Eu era instrutor assistente, e, mais do que me preocupar com as habilidades de sobrevivência, tinha que me preocupar com a interação humana. Entretanto, eu precisava fazer as mesmas coisas que os alunos para aprender as tais habilidades de sobrevivência. Jamais me esquecerei da sensação de estar no alto de uma montanha sabendo que chegou a minha vez de literalmente me jogar de costas no precipício. Eu tinha visto os outros instrutores fazerem o mesmo minutos antes. Estava racionalmente convencido de que havia todos os elementos de segurança, e, mesmo que eu tivesse uma vertigem, existiria uma corda para me segurar. Mas nada disso foi suficiente para me tranquilizar. Eu ainda estava ansioso, temeroso e vulnerável. Não queria dizer nada porque sabia que provocaria uma reação nos alunos. Mas nunca vou me esquecer do sentimento que atravessou meu coração e minha mente quando de fato me joguei de costas no espaço vazio.

Essas sensações são extremamente parecidas com a ideia da sinergia da interdependência. Você está realmente vulnerável. Você se joga. Você acredita no processo e nos princípios. Não sabe o que vai acontecer. Está de fato correndo um risco.

O controle é uma grande ilusão. As pessoas que estão no controle internalizaram muitos princípios ou leis naturais de vida de modo que pensam que são elas que estão fazendo as coisas acontecerem. Só que, na verdade, é a obediência a essas leis e princípios naturais que faz a roda girar. Isso pode funcionar em um nível extremamente baixo de contribuição e em uma rede de parceria transacional e interdependências.

No entanto, quando você quer contribuir de forma ampliada e entrar em uma interdependência transformacional realmente sinérgica e criativa, que se torna uma força por si só, você deixa o abrigo seguro do controle superior e se fez vulnerável. Deve exercitar a fé nesses princípios em um nível superior. E não sabe ao certo o que vai acontecer. A vida então se torna uma aventura de verdade. Não sabe ao certo como as outras pessoas reagirão. Está correndo riscos. É por isso que é preciso ter coragem. Você tem que deixar a zona de conforto atual, abandonar a experiência do passado e os mentores do presente. Você pode se basear e se inspirar em alguns modelos. Mas ainda assim é você que terá que dar o primeiro passo. Você terá que se entregar e mergulhar de cabeça.

OS QUATRO DONS NA INTERDEPENDÊNCIA

A razão de podermos fazer isso – e de podermos criar esse todo sinérgico que é bem maior do que a soma das partes – são nossos dons humanos únicos.

Na realidade interdependente, estamos lidando com o espaço entre o estímulo e a resposta tanto nos outros quanto em nós mesmos. Quando o fazemos, percebemos que podemos usar nossos dons humanos particulares para interagir com os outros com integridade – de forma integrada.

- A autoconsciência nos capacita a ter outras consciências. Uma vez que sabemos como ouvir nosso próprio coração, podemos ouvir o coração dos outros. É possível parar de ver as pessoas como um reflexo de nós mesmos, parar de olhar tudo o que elas fazem em termos de "como isso impacta meu tempo e meu mundo". Podemos parar de enxergá-las meramente como recursos. Somos capazes de progredir além do estágio narcisista, valorizar a diferença, estar dispostos a ser influenciados. Como temos um núcleo inalterável, estamos dispostos a ser alterados. Podemos ter humildade, respeito pelos outros, ver a fraqueza deles como oportunidade para ajudar, amar, influenciar suas vidas.
- Como entendemos a consciência, sabemos o que é fazer parte da consciência coletiva. Valorizamos o trabalho coletivo para descobrir o "norte verdadeiro", com a humildade de perceber que nossa própria compreensão pode ser limitada por nosso roteiro e que os outros talvez tenham ideias e experiências que não temos. Sentimos uma grande satisfação em criar visão compartilhada e valores que nos empoderam para alcançar juntos o que é mais importante.
- Por intermédio de nossa vontade independente, podemos criar um ambiente interdependente, concordar em trabalhar juntos em uma dinâmica de ganha-ganha para alcançar objetivos compensadores. Também é possível criar estruturas e sistemas que deem suporte ao esforço interdependente. Como indivíduos verdadeiramente independentes, podemos nos reunir para alcançar objetivos comuns que beneficiem a família, o grupo, a organização e a sociedade como um todo.
- Podemos colocar nossa imaginação criativa a serviço do incrível processo de sinergia criativa, ajudar a liberar o fantástico potencial criativo nos outros e estar abertos e prontos para sermos surpreendidos pelos resultados sinérgicos. Podemos criar soluções em conjunto que são muito mais criativas, adequadas, funcionais e compensadoras do que qualquer solução que elaborássemos sozinhos. Nossos recursos

se tornam parte de um caleidoscópio responsável por resultados totalmente novos quando interagimos com os outros no processo de solução dos problemas.

Esses dons interdependentes nos energizam a estabelecer relacionamentos enriquecedores, a nos tornarmos bons amigos, a oferecer feedbacks honestos e a nos comunicarmos de forma autêntica. No lugar de dependência, codependência e contradependência, podemos exercer a interdependência eficaz, sinérgica, trabalhar juntos com eficácia para conquistar metas comuns. Podemos criar equipes poderosas baseadas nas forças de cada indivíduo, e que tornem as fraquezas irrelevantes, colocar juntos as prioridades em primeiro lugar de forma poderosa e eficaz.

Essa é a última palavra em termos de produtividade. A interdependência nos capacita a empregar o tempo, a energia e a criatividade humana geralmente desperdiçados nas crises desnecessárias do quadrante 1 e nas atividades sem importância do 3, e combiná-las de modo a criar dimensões de eficácia totalmente novas. No próximo capítulo, vamos nos deter em duas atividades do quadrante 2, por meio das quais podemos usar nossos dons combinados de um jeito verdadeiramente transformacional.

12

Trabalhando em grupo para colocar o que é mais importante em primeiro lugar

A diferença é o início da sinergia.

Imagine que um de nós desafie você para uma queda de braço. O objetivo é ganhar o maior número possível de vezes em 60 segundos. Um observador concordou em dar uma moeda de 10 centavos toda vez que um conseguir derrotar o outro. Assumimos a posição de combate e damos início a ele.

Agora imagine, só para ilustrar o exemplo, que logo de cara conseguimos derrubar seu braço. Mas, em vez de nos mantermos assim, diminuímos a força e deixamos que você revide, virando o nosso braço. Então nós reagimos rapidamente e tentamos derrubar seu braço de novo. Por instinto, você resiste. Você quer *vencer*. Seus músculos estão tensos, a testa enrugada é uma demonstração de que está concentrado. Mas durante o combate você percebe que cada um nós já tem uma moeda. Se você nos deixasse derrubar seu braço, e, em seguida, nós deixássemos que você virasse o nosso, e isso se repetisse mais algumas vezes, no fim ambas as partes ganhariam bem mais moedas. Então trabalhamos juntos, virando os braços um do outro rapidamente – e em 60 segundos cada um de nós terá 3 reais, em vez de cada um ficar apenas com 10 centavos.

Essa é a essência do jogo ganha-ganha: em quase todas as situações, a cooperação é muito mais produtiva do que a competição. A moral da história não é que devemos aceitar perder, mas que você fica por cima em um momento; em seguida, será a nossa vez. A conclusão é que temos a habilidade de trabalhar juntos para conseguir bem mais do que obteríamos sozinhos.

Quando fazemos esse pequeno exercício em situações de grupo, com frequência ouvimos comentários como estes:

No começo, pensei que se tratava de um combate. Mas depois percebi que, se nos dispuséssemos a revezar, os dois sairiam ganhando.

Há um valor simbólico em vencer e se manter por cima. Isso parecia importante para mim até o momento em que percebi que nós dois estávamos perdendo.

Minha vaidade entrou em cena. Todo mundo estava observando. Achava que tinha que vencer, que tinha que me manter por cima.

Em certa hora, percebi que estava lutando contra mim mesmo.

A maioria de nós aborda as situações com a mentalidade do ganha-perde. Ganhar significa automaticamente que alguém deve perder. A mentalidade da escassez foi incutida pelos esportes do ganha-perde, pelas curvas de distribuição acadêmica e pelos sistemas hierárquicos aos quais temos que nos submeter. Olhamos a vida através das lentes do ganha-perde e, se não conseguirmos desenvolver a autoconsciência, passaremos o resto do tempo disputando moedas de 10 centavos e deixando de ganhar os reais que nos renderiam uma mentalidade cooperativa.

Então, quem está ganhando no casamento: você ou seu cônjuge? Quem ganha quando seus filhos o desafiam, testando a própria identidade? Quem está ganhando em sua equipe de trabalho quando as pessoas competem entre si pelo reconhecimento, pela viagem ao Havaí, pelo bônus? Qual é o custo dessa mentalidade ganha-perde em termos de tempo e qualidade de vida?

Ao contrário do que diz nosso roteiro preestabelecido, vencer não significa que outra pessoa deve perder; significa que precisamos alcançar nossos objetivos. E muitos mais objetivos poderão ser conquistados se, em vez de competirmos, cooperarmos uns com os outros.

Na realidade interdependente, ganha-ganha é a única opção viável de longo prazo. É a essência da mentalidade da abundância – há o bastante para nós dois; há o bastante em nossa capacidade combinada para criarmos muito mais para nós mesmos e para todas as outras pessoas. Em alguns sentidos, é o que os indivíduos realmente querem dizer com "ganha-ganha-ganha". Ao trabalhar juntos, aprendendo uns com os outros, ajudando-se a se desenvolver, todo mundo se beneficia, inclusive a sociedade de um modo geral.

O PROCESSO GANHA-GANHA

No livro *Os 7 hábitos das pessoas altamente eficazes*, apresentamos um processo baseado em princípios de três etapas para criar o ganha-ganha:[1]

Pense ganha-ganha (com base nos princípios de ver/fazer/conseguir benefícios mútuos e cooperação).

- Procure primeiro compreender, depois ser compreendido (com base nos princípios do respeito, da humildade e da autenticidade).
- Crie sinergia (com base nos princípios de valorizar a diferença e procurar por terceiras alternativas, boas para ambos).
- Vamos analisar esse processo de forma mais detalhada, mostrando o que é, como se aplica e o impacto que provoca em nosso tempo e na qualidade de nossa vida.

Pense ganha-ganha

Como o quadrante 2, o ganha-ganha é basicamente uma forma de pensar. É um paradigma fundamental baseado no que deve ser o tema mencionado com mais frequência na literatura da sabedoria: o princípio do benefício mútuo ou da reciprocidade.

Quando aprendemos a pensar do ponto de vista do ganha-ganha, procuramos benefícios mútuos em todas as interações. Começamos a considerar a posição das outras pessoas, a pensar na sociedade como um todo. Isso influencia profundamente o que classificamos como importante, o modo como usamos nosso tempo, nossa resposta no momento da escolha e o resultado que obtemos em nossas vidas.

Procure primeiro compreender, depois ser compreendido

Para a maioria das pessoas, comunicar-se é fazer-se entender, transmitir suas ideias e opiniões aos outros de forma eficaz. Se damos alguma atenção ao que estão dizendo, em geral é porque temos a intenção de replicar.

Quando estamos convencidos de que estamos certos, não queremos as opiniões das pessoas. Queremos submissão. Queremos obediência a nossas opiniões. Queremos que as pessoas sejam à nossa imagem e semelhança. "Se eu quiser sua opinião, eu a darei!"

No entanto, a humildade dos princípios elimina esse tipo de arrogância. Tornamo-nos menos preocupados com *quem* está certo e mais interessados no *que* está certo. Passamos a valorizar os outros. Reconhecemos que a consciência deles é, também, um repositório de princípios corretos. Percebemos que a imaginação criativa deles é uma rica fonte de ideias. Apreciamos o fato de que por meio da autoconsciência e da vontade independente, eles podem ter alcançado uma concepção e uma experiência que nós não temos. Então, quando eles veem a situação de um modo diferente, primeiro procuramos compreendê-los. Antes de falarmos, ouvimos. Deixamos nossa experiência de lado e investimos profundamente em entender de forma genuína o ponto de vista dessas pessoas.

Olhamos nossas diferenças como se estivéssemos nos lados opostos das mesmas lentes grandes. De um lado, elas são côncavas; do outro, são convexas.

Ambas as perspectivas têm valor, mas a única maneira de entender de fato o outro é se deslocar para o campo de visão oposto para assim enxergar o que está sendo visto.

Como disse Gandhi: "Três quartos das misérias e incompreensões no mundo desapareceriam se nos colocássemos no lugar de nossos adversários e tentássemos entender o ponto de vista deles."[2] Quando de fato entendemos o ponto de vista do outro, costumamos mudar nossa própria perspectiva por meio da ampliação de nossa compreensão.

Nas palavras de Martin Buber: "Apenas os homens que são capazes de dizer verdadeiramente *vós* [uma atitude de profundo respeito] a outra pessoa podem dizer verdadeiramente *nós* com o outro."[3] Ouvir é uma demonstração de respeito. Gera confiança. Quando ouvimos, não apenas ganhamos outra compreensão; criamos também o ambiente para sermos compreendidos. E quando ambas as pessoas compreendem ambas as perspectivas, em vez de estarem em lados opostos da mesa confrontando-se, colocam-se do mesmo lado para analisar as soluções em conjunto.

Crie sinergia
A sinergia é o fruto do pensamento ganha-ganha e da tentativa de compreender antes de querer ser compreendido. É o poder combinado da força da imaginação criativa sinérgica, a fórmula quase mágica em que 1 + 1 = 3 ou mais. Não é concessão. Não é 1 + 1 = 1 ½. É a criação de terceiras alternativas que são genuinamente melhores do que as soluções individuais.

Agora vamos ver as formas específicas de aplicação do processo ganha-ganha nas famílias, nos grupos e em organizações a fim de aumentar a qualidade de vida. Como fizemos na parte pessoal deste livro, vamos analisar a visão, os papéis e as metas. Dessa vez, porém, usaremos uma base interdependente: analisaremos a visão compartilhada, os papéis e as metas sinérgicos, além da cultura empoderada desenvolvida por eles.

A IMPORTÂNCIA DA VISÃO COMPARTILHADA

Se um dia desses você quiser fazer uma experiência interessante, pergunte aos seus colegas de trabalho se eles conhecem o "norte verdadeiro" da organização, qual é a sua razão de existir. Faça a seguinte pergunta para os seus familiares: "Diga-me em apenas uma frase, qual é a razão de ser de nossa família?" Quando for trabalhar, pegue sua prancheta e pergunte às 10 primeiras pessoas que encontrar: "Você poderia me ajudar? Estou fazendo uma pequena pesquisa. Qual é a razão de ser de nossa organização?" Pergunte à sua equipe: "Qual é a razão de ser dessa equipe?", "Qual é a razão de ser desse corpo de diretores?", "Qual é a razão de ser desse comitê executivo?".

Fizemos isso com os comitês executivos de muitas empresas, incluindo algumas das 100 maiores e melhores selecionadas pela revista *Fortune* – grandes empresas, organizações sofisticadas. E, em muitos casos, os diretores executivos ficaram absolutamente surpresos, envergonhados, constrangidos. Eles não conseguiam acreditar nos diferentes objetivos e visões que foram dados. Às vezes isso também acontece quando há uma declaração de missão pendurada na parede – uma declaração imposta de cima para baixo pela direção. Não existe o sentido de visão compartilhada. Não há paixão, não há um "sim!" ardente na organização.

E qual é o custo disso?

(Roger) Há alguns anos, fui convidado para trabalhar no gigantesco departamento de pesquisa e desenvolvimento de uma grande empresa internacional, a fim de ajudá-los a desenvolver uma cultura de quadrante 2. A expectativa era a de que eu fizesse algumas análises e em seguida trabalhasse com a diretora da divisão para criar alguns workshops de treinamento personalizado para alcançar esse objetivo.

No processo, visitei diversas gerências e entrei em contato com as respectivas equipes. Ao ser acompanhado de uma sala para outra, vi a mesma cena várias e várias vezes e fiquei cada vez mais intrigado. Em cada sala, um homem ou uma mulher com um ar extenuado – uma mão no telefone, a outra no computador, a mesa literalmente tomada de papéis – levantava a vista e dizia: "Um minuto, por favor! Já falo com você!"

Depois de concluir alguma tarefa ou conversa telefônica apressadamente, a pessoa suspirava, dava uma rápida olhada no relógio e ajeitava os papéis na mesa de modo a deixar claro que estavam muito ocupados e que ainda havia muito mais a fazer do que seria possível ser feito. Entre as salas, as pessoas se atropelavam nos corredores. Havia uma sensação de explosão de energia e pânico por toda parte.

Por fim, voltei a conversar com a diretora da divisão e disse:

– Essas pessoas não querem um ambiente de quadrante 2. Sugiro que não façamos isso.

– Como assim? – perguntou ela.

– Essas pessoas adoram a urgência – respondi. – Elas estão lá tentando convencer umas às outras e a si próprias que têm muito mais a fazer do que qualquer um. É assim que elas se sentem seguras. A urgência é a cultura dominante. Desconfio de que o verdadeiro problema é que ninguém sabe quais são as prioridades.

Ela suspirou.

– O senhor tem razão. Há um grande conflito entre os vice-presidentes em relação ao que o departamento de pesquisa e desenvolvimento deve fazer. Cada um tem uma linha. Não há união. Não há sinais claros. Não sabemos quanto tempo vai demorar, mas qualquer dia desses vai tudo pelos ares.

As pessoas estavam tentando manter algum sentimento de segurança e identidade na organização ao se manterem freneticamente ocupadas. O paradigma subjacente era o seguinte: "Quando as cartas forem colocadas na mesa e as cabeças começarem a rolar, serei a última pessoa a ser demitida, porque sou a mais ocupada e a que trabalha mais aqui e todo mundo sabe disso."

Pouco depois dessa experiência, houve uma grande reestruturação na empresa e algumas pessoas foram demitidas. Antes das mudanças, poderíamos ter ensinado o gerenciamento do tempo tradicional até ficarmos roxos de tanto falar que jamais conseguiríamos criar a cultura de quadrante 2 que eles desejavam. O problema central era a inexistência de uma visão compartilhada.

Recentemente, contamos essa história omitindo nomes em um de nossos programas no qual havia pessoas de várias grandes empresas. No intervalo, diversas delas nos procuraram e disseram: "Vocês deviam estar se referindo à minha organização!", "Vocês estavam falando da minha empresa?", "Somos exatamente assim". Curiosamente, não era nenhuma delas. Tratava-se apenas de um exemplo.

Esse problema é exacerbado em nossa cultura enquanto muitas empresas estão sendo "reestruturadas". As pessoas correm de um lado para outro, querendo dar a impressão de que estão incrivelmente ocupadas, passar a sensação de que são indispensáveis. A hiperatividade no trabalho torna-se a fonte principal de justificativa e segurança, independentemente do fato de que estão fazendo, no fundo, atividades do quadrante 3.

Pense no custo em termos de tempo e esforço desperdiçado nas organizações porque as pessoas não têm uma noção clara do que é importância compartilhada! Uma das grandes empresas com as quais trabalhamos fez um estudo há alguns anos e compilou informações das empresas que tinham recebido o prêmio Deming de qualidade no Japão. Foi analisado o percentual de gerenciamento do tempo dedicado ao quadrante 2. Com base nessas informações e nos registros de uso do tempo de outras organizações, percebemos que as empresas excepcionalmente produtivas, como as ganhadoras do prêmio Deming, têm um perfil de uso do tempo significativamente diferente das organizações tradicionais. No gráfico a seguir, o padrão típico é representado sem negrito; o das organizações de alto desempenho é mostrado em negrito.

É fácil observar que os números mostraram uma grande polarização – não há um meio-termo – e que a maior diferença está nos quadrantes 2 e 3. As empresas de alto desempenho passam muito mais tempo fazendo o que é importante, mas não urgente; e um tempo bem menor fazendo o que é urgente mas não é importante. A razão principal por trás dessas diferenças, na maioria dos casos, está no grau de clareza em relação ao que é importante.

	Urgente	Não urgente
Importante	1 **20%-25%** 25-30%	2 **65%-80%** 15%
Não importante	3 **15%** 50-60%	4 **Menos de 1%** 2-3%

[Os dados em negrito representam as organizações de alto desempenho.]
[Os dados sem negrito representam as organizações típicas.]

Quando compartilhamos esses dados em nossos seminários, percebemos que a maioria das pessoas sente que os números relacionados às empresas cujo desempenho não é alto também se aplicam às empresas nas quais elas trabalham, e em geral pela mesma razão. Isso significa que em muitas empresas (grandes e pequenas), as pessoas percebem que de 50% a 60% do gerenciamento do tempo não contribui para os objetivos da empresa!

O grau de urgência com o qual uma empresa trabalha é inversamente proporcional ao grau de importância. Isso não quer dizer que não exista urgência. O quadrante 1 é muito real, e boa parte do tempo deve ser dedicada a coisas que, além de importantes, são urgentes. Mas a razão por que se gasta tanto tempo no quadrante 3 é não se saber com clareza o que é e o que não é importante.

A PAIXÃO DA VISÃO COMPARTILHADA

A paixão criada pela visão compartilhada gera o empoderamento sinérgico. Ela libera e combina a energia, o talento e as capacidades de todas as pessoas envolvidas. A criação da visão compartilhada produz a própria ordem; a tentativa de controlar produz o efeito contrário: desordem funcional ou caos.

Todos já ouvimos história de grupos, equipes esportivas, empresas ou outras organizações que conduziram seus esforços para realizar grandes objetivos. O desempenho delas é superior ao de seus recursos.

Acontece o mesmo em uma família.

(Stephen) Eu gostaria de ter palavras para descrever os efeitos que a declaração de missão tem tido em nossa família – efeitos conscientes e inconscientes que unificam, energizam, harmonizam e direcionam a vida. Fizemos essa declaração há vários anos. Na maioria dos domingos, ao longo de oito meses, nós nos reuníamos entre meia e uma hora à tarde ou à noite para lidar com as questões mais profundas. "Para que estamos aqui? O que é verdadeiramente importante? Que tipo de lar desejamos? O que o deixa orgulhoso ao trazer seus amigos aqui?"

A certa altura, chegamos a esta declaração:

"A missão de nossa família é criar um lugar propício à fé, à ordem, à verdade, ao amor, à felicidade e ao relaxamento, e oferecer oportunidade para cada um se tornar responsavelmente independente e eficazmente interdependente a fim de servir a objetivos valiosos na sociedade."

Minha mãe participou algumas vezes do desenvolvimento dessa declaração, bem como meus filhos, e agora meus netos, de modo que temos uma declaração de missão intergeracional que ajudou a criar continuidade entre as gerações. Ela está pendurada em nossa parede e constantemente nos avaliamos com base nela. Ainda encontramos áreas de desalinhamento e fraquezas, mas nos mantemos voltados para essa missão. Ela nos mantém concentrados no que somos potencialmente.

A visão compartilhada torna-se a constituição, o critério de tomada de decisão para o grupo. Ela mantém as pessoas unidas. Ela nos dá um sentido de unidade e de finalidade que provê força nas horas de desafio.
Um homem nos contou a seguinte história:

Logo depois de escrever minha declaração de missão pessoal, comecei a pensar sobre meu papel como pai e percebi como gostaria de ser lembrado por meus filhos. Então, ao planejar nossas férias de verão naquele ano, decidi aplicar o princípio de visão para a família. Criamos uma espécie de declaração de missão familiar para o evento. Nós a chamamos de "equipe Smith". Ela descreveu para nós que perspectiva deveríamos assumir durante a viagem.

Cada um de nós assumiu um papel específico que ajudaria a contribuir para criar a equipe Smith. Minha filha de 6 anos escolheu o papel de animadora da família. Sua meta era ser uma influência para dissipar qualquer rusga, em particular durante a viagem de carro. Ela elaborou diversos lemas, e sempre que havia um problema, ela recitava um deles "Smiths! Smiths! Estamos na estrada! Quando estamos juntos, toda briga é frustrada!" Independentemente da nossa vontade, deveríamos todos repetir e isso ajudou bastante a dissipar qualquer irritação que pudesse surgir.

Também usamos camisetas iguais. Em uma de nossas paradas em um posto de gasolina, o frentista olhou para nossas camisas combinando e fez um ar de surpresa: "Ei, parece até que vocês fazem parte de um time." Era exatamente isso que queríamos ouvir. Todos nos entreolhamos e sentimos uma grande energia fluir. Voltamos para o carro e botamos o pé na estrada, as janelas abertas, o rádio ligado, o sorvete derretendo no banco traseiro. Éramos uma família!

Três meses depois dessas férias, os médicos disseram que nosso filho de 3 anos estava com leucemia. Essa situação desafiou a família durante meses. Sempre que o levávamos ao hospital para fazer quimioterapia, ele perguntava se podia usar a camiseta dele. Talvez essa fosse sua forma de se reconectar à equipe, à sensação de apoio e às memórias que tinha em torno das experiências de estarmos todos juntos naquelas férias.

No sexto mês de tratamento, ele contraiu uma infecção grave e precisou ficar na unidade de terapia intensiva durante duas semanas. Quase o perdemos, mas ele se salvou. Praticamente não tirou a camiseta durante aqueles terríveis dias.

Quando ele enfim se recuperou e o levamos para casa, todos estávamos com as camisetas da família em sua homenagem. Queríamos nos reconectar à sensação de missão de família que tínhamos criado nas férias.

Essa visão da equipe Smith nos ajudou a superar o maior desafio enfrentado pela família.

Uma poderosa visão compartilhada tem uma profunda influência sobre a qualidade de vida – na família, na organização, em qualquer situação em que trabalhemos com outras pessoas. Nós nos tornamos partes de um todo maior. Podemos viver, amar, aprender e deixar poderosos legados juntos.

A CRIAÇÃO DE DECLARAÇÕES DE MISSÃO COMPARTILHADA EMPODERADORAS

Então, como criamos declarações de missão compartilhada empoderadoras?

Pense ganha-ganha. Procure primeiro entender. Crie sinergia.

Organizações, famílias ou grupos de qualquer tipo podem usar esse processo ganha-ganha para criar uma visão compartilhada. Como assistimos a pessoas de todos os cantos do mundo fazerem isso, vimos a realidade do "norte verdadeiro" comprovada todas as vezes em que estas quatro condições estão presentes:

1. Há pessoas suficientes
2. que estão plenamente informadas
3. e que agem livre e sinergicamente
4. em um ambiente de alta confiança.

Esse tipo de interação penetra na consciência coletiva. Nós a vimos na Rússia, em Cingapura, na Inglaterra, na Austrália, na África do Sul, na América do Sul, no Canadá, nos Estados Unidos, em todos os lugares em que colocamos em prática a declaração de missão. À medida que as pessoas se reúnem e percorrem o processo, eles se conscientizam de muitas Leis Básicas da Vida. Elas usam a sinergia criativa para visualizar formas nas quais seus talentos e energia combinados podem fazem a diferença.

As declarações de missão mais empoderadoras estão em harmonia com o que chamamos de missão universal: "melhorar o bem-estar econômico e a qualidade de vida de todos os envolvidos". Essa declaração lida com as quatro necessidades. Ela reconhece que as pessoas não são apenas estômago ou coração ou mente ou espírito, mas as quatro coisas juntas em um todo sinérgico. "Todos os envolvidos" inclui todos que tenham alguma participação no sucesso do empreendimento. Em uma organização, esse conceito vai além da administração e dos funcionários; envolve os clientes, os fornecedores, as famílias dos empregados, a sociedade, o meio ambiente e as futuras gerações. Na família, ela inclui os familiares atuais, membros que foram da família, que serão da família no futuro e a família da humanidade como um todo.

As declarações de missão empoderadoras se concentram na contribuição, nos propósitos valiosos capazes de criar um profundo e ardente "sim!" coletivo. Elas se originam do coração e da mente de todas as pessoas envolvidas – não como um decreto executivo vindo do "Olimpo".

Se você planeja criar uma declaração de missão organizacional ou rever uma que já tenha sido criada, a lista de características a seguir deverá ser útil.

Uma declaração de missão organizacional empoderadora:

- focaliza o espírito de cooperação, os propósitos valiosos que criam um profundo e ardente "sim!" coletivo;

- surge das entranhas da organização, não do "Olimpo";
- é baseada em princípios eternos;
- contém visão e princípios baseados em valores;
- abrange as necessidades de todos os envolvidos;
- abrange as quatro necessidades e capacidades.

Demanda bastante tempo do quadrante 2 criar uma declaração de visão compartilhada, mas ela resultará em uma grande economia de tempo e esforço posteriores. O resultado é mais do que uma simples visão compartilhada. O processo nos modifica. Modifica nossos relacionamentos com os outros. Transforma a qualidade de nossa vida de maneira significativa.

A IMPORTÂNCIA DE PAPÉIS E METAS SINÉRGICOS

Quando procuramos executar com eficácia uma visão compartilhada, começamos a enxergar o valor de papéis e metas sinérgicos.

Quando encaramos nossos papéis como partes segmentadas da vida, eles entram em conflito e competem entre si. No entanto, quando os vemos como partes de um todo altamente inter-relacionado, elas trabalham juntas para criar uma vida de abundância.

Isso também se aplica à realidade interdependente no que diz respeito aos papéis dos indivíduos. Quando vemos como cada papel contribui para o todo, em vez de pensar em termos de escassez e competição, podemos usar o processo ganha-ganha para criar abundância e sinergia. A chave está na elaboração de acordos de desempenho sinérgicos.

Quando as pessoas trabalham juntas para realizar uma tarefa em particular, mais cedo ou mais tarde elas devem lidar com estes cinco elementos:

- Resultados desejados: O que estamos tentando fazer? Quais os resultados que queremos em termos de quantidade e qualidade, e quando?
- Diretrizes: Quais são os parâmetros que vamos seguir para tentar alcançar esse resultado? Quais são os valores, as políticas, as questões legais e éticas, os limites e os níveis de iniciativa de que temos que nos conscientizar enquanto trabalhamos com o objetivo de alcançar os resultados desejados?

- Recursos: Quais são os recursos de que dispomos? Qual é a ajuda orçamentária, sistêmica e humana de que dispomos e como ter acesso a ela?
- Prestação de contas: Como vamos mensurar o que estamos fazendo? Quais os critérios que indicarão a realização dos resultados desejados? Eles são medidos, observados, discernidos ou será feita uma combinação dos três? A quem devemos prestar contas? Quando esse processo será realizado?
- Consequências: Por que estamos tentando fazer isso? Quais são as consequências lógicas e naturais de alcançar ou não os resultados desejados?

De uma perspectiva do gerenciamento do tempo, quanto tempo é preciso para tentar consertar, redefinir ou resolver problemas em nossas interações com os outros por não termos esclarecido essas cinco questões?

Quando as pessoas não são claras em relação aos resultados desejados:
– Eu pensei que você queria que eu fizesse isso.
– Não, não era isso que você devia fazer.
– Bem, foi assim que compreendi. Pensei que essa fosse a prioridade.
– Não, ela já deixou de ser a prioridade.

E quando elas não esclareceram as diretrizes:
– Pensei que a iniciativa coubesse a mim.
– Nós jamais demos a iniciativa a você.
– Eu não sabia que existia uma política da empresa.
– Mas há.

Elas não sabem quais são os recursos disponíveis.

Elas avaliam o trabalho a partir de um critério; os chefes avaliam a partir de outros.

Elas sofrem consequências negativas que nem mesmo conseguem relacionar com seu desempenho no trabalho ou não sabem como os prêmios estão associados ao desempenho.

Quando perguntamos às pessoas nos seminários o tempo que suas organizações dedicam aos efeitos de expectativas não esclarecidas, em geral elas apontam um mínimo de 60%. Quando falamos sobre gerenciamento do tempo, tocamos no cerne da questão da eficácia. Estamos nos referindo a uma quantidade significativa de tempo e energia que é desperdiçada pela organização no quadrante 3 ou de outros modos negativos – tempo e energia que poderiam estar sendo dedicados às prioridades.

Como dissemos no Capítulo 6, cada papel é um território. A chave para o esforço interdependente eficaz é o que chamamos de "acordos de desempenho ganha-ganha". Esses acordos representam a junção crítica de pessoas e possibilidades. É aqui que a missão pessoal e a missão organizacional se casam e a chama interior se propaga pela organização.

A CRIAÇÃO DE ACORDOS DE DESEMPENHO GANHA-GANHA

O acordo de desempenho demarca o fim da tradicional prática de delegar, que com frequência costuma se transformar em "empurrar" tarefas para os outros. O acordo de desempenho cria uma parceria sinérgica para que as prioridades sejam executadas em conjunto. O ato de delegar se transforma em uma delegação de liderança. Em vez de se sentirem "atoladas" de tarefas, as pessoas são envolvidas no trabalho. Elas são motivadas. Ambas as partes estão realizando coisas de importância compartilhada.

Então, como criamos esses acordos?

Pense ganha-ganha. Procure primeiro compreender. Crie sinergia.

Quando você se sentar com um chefe, um subordinado direto, um colega de trabalho, uma criança, examine todo o processo até chegar a uma conclusão sobre cada um dos cinco elementos do acordo de desempenho ganha-ganha.

1. Especifique os resultados desejados

Os resultados desejados são a visão compartilhada do acordo de desempenho. Essa é a declaração do que é importante, e é o fator-chave para colocar o que é mais importante em primeiro lugar em todos os relacionamentos interdependentes. Esse é um teste da mentalidade da abundância, o processo de procurar constantemente soluções de terceira alternativa e sinergia.

Muitos dos elementos que criam declarações de missão organizacionais empoderadoras são úteis para a elaboração eficaz de declaração de resultados desejados, como:

- Foco na contribuição.
- Atendimento das quatro necessidades.

- Compreensão do que constitui uma "vitória" para todos os envolvidos.

Também é importante especificar o que será feito a fim de melhorar a habilidade para produzir os resultados desejados no futuro: fomentar a capacidade de produção. E é fundamental se certificar de que os resultados desejados sejam resultados de fato, não métodos. Sempre que supervisionamos métodos, nos tornamos responsáveis pelos resultados.

A declaração de resultados desejados é onde acontece o alinhamento da família, do grupo ou da organização, onde as metas e as estratégias de cada território são alinhadas com a missão global e os esforços de outras pessoas ou equipes dentro da organização. Isso cria um processo de "co-missão", a combinação das missões dos indivíduos com as da empresa.

2. Defina as diretrizes

Além das políticas e dos procedimentos que podem influenciar a execução do acordo, é importante identificar outras diretrizes, por exemplo:

- princípios do "norte verdadeiro" que serão usados para produzir os resultados;
- princípios organizacionais (princípios operacionais, não necessariamente leis naturais) subjacentes às políticas;
- pontos de atenção e caminhos fracassados já conhecidos (o que não deve ser feito);
- níveis de iniciativa.

Uma clara compreensão das diretrizes evita muitos problemas. Considere os níveis de iniciativa, por exemplo. Um garçom ao qual se dá a iniciativa de oferecer uma cortesia a um cliente insatisfeito em um restaurante poderia ser demitido de outro emprego pela mesma ação. Um nível de iniciativa discutido elimina o problema.

Com base no trabalho de William Oncken, destacamos os seis níveis de iniciativa:[4]

1. Espere ser chamado
2. Pergunte
3. Recomende
4. Aja e reporte imediatamente

5. Aja e reporte periodicamente
6. Aja por conta própria

Um acordo pode conter diferentes níveis de iniciativa para diferentes funções. Por exemplo, uma secretária poderia estar no nível três na manipulação de correspondência ou resposta aos problemas da equipe e no nível cinco ao lidar com visitantes e telefonemas.

Os níveis de iniciativa podem mudar de acordo com o aumento da capacidade e da confiança. Uma criança de 3 anos que espera até que lhe digam para limpar o quarto deve progredir até o nível cinco quando estiver com 10 ou 12 anos.

O importante é combinar o nível de iniciativa com a capacidade do indivíduo.

3. Identifique os recursos disponíveis

Essa área lida com os recursos financeiros, humanos, técnicos e organizacionais (como sistemas de treinamento e de informação) disponíveis para a realização do acordo. É importante identificar não apenas os recursos disponíveis, mas também como acessá-los, como trabalhar com os outros que usam os mesmos recursos e quais são os limites.

Um dos recursos mais ignorados – e que é típico dos acordos de desempenho ganha-ganha – são os próprios participantes, particularmente aqueles que têm papéis de liderança, gerenciamento e supervisão. Em razão da natureza dos acordos de desempenho, o líder pode se tornar um líder/servidor para os indivíduos.[5] Vamos analisar essa ideia com mais profundidade no Capítulo 13.

4. Defina a prestação de contas

A prestação de contas lida com a forma como relatamos o que estamos fazendo. Ela cria integridade em torno do acordo. Aqui os detalhes de comunicação são revelados e também a maneira como os resultados serão medidos.

A prestação de contas inclui os critérios de P (produção) e CP (capacidade de produção) associados a cada um dos resultados desejados. O critério pode ser medido, observado ou discernido. Sem dúvida, a parte mais difícil da definição de acordos ganha-ganha é a criação de um conjunto claro e abrangente de resultados desejados (P e CP) e um critério claro para cada um deles a ser colocado no processo de prestação de contas.

No processo de prestação de contas, o indivíduo avalia a si mesmo com base nos resultados desejados especificados no acordo. Uma ferramenta bastante útil no processo de avaliação é o feedback de 360 graus, que o indivíduo pode solicitar aos envolvidos e seria dado diretamente a ele. Nós também vamos analisar esse feedback no Capítulo 13.

5. Determine as consequências

Há dois tipos de consequências: as naturais e as lógicas. As consequências naturais lidam com o que acontece naturalmente se alcançarmos ou deixarmos de alcançar os resultados desejados. Perdemos mercado? Qual o impacto nos lucros da empresa? Como as outras pessoas são afetadas? O que acontece quando os afazeres domésticos não são realizados? O que acontece quando são? É importante identificar as consequências positivas e negativas.

As consequências lógicas podem incluir compensação, oportunidades de promoção, oportunidades adicionais de treinamento e desenvolvimento, territórios ampliados ou reduzidos, disciplina, entre outras.

É preciso lidar com as consequências lógicas e naturais. Às vezes, alguns pais preferem conscientemente colocar para uma criança consequências lógicas acima das consequências naturais. Se ela insiste em correr para o meio da rua, por exemplo, um pai provavelmente a deixaria experimentar a consequência lógica de não ter permissão para sair, em vez da consequência natural que poderia resultar dessa teimosia.

Devemos nos preocupar com cada uma das cinco questões do acordo de desempenho ganha-ganha, seja antecipando-nos, no tempo de liderança de qualidade do quadrante 2, ou no gerenciamento de crises do quadrante 1 ao longo do caminho. Nossa escolha influencia significativamente a quantidade de tempo que gastamos nessas questões e a qualidade resultante de todo nosso tempo.

Como disse uma mulher:

> Adoro o ganha-ganha. Terminei um casamento em que eu nunca sabia o que era esperado de mim e me sentia como se fracassasse constantemente porque tentava sempre atender a expectativas que não compreendia. É maravilhoso ser capaz de dizer a alguém: "É isso que você espera de mim; é isso que espero de você. Vamos chegar a um meio-termo e seguir em frente."

A frustração é essencialmente uma questão de expectativa. O esclarecimento antecipado de expectativas é uma grande contribuição para a qualidade de vida.

MAS E SE NÃO CONCORDARMOS?

É bastante possível que você passe a ver as coisas de modo diferente quando conseguir elaborar acordos de desempenho. Isso é fantástico! A única diferença é o início da sinergia! Quando você percorre o processo, também fala sobre ele. Você coloca as questões na mesa antes que causem problemas. Você procura soluções de terceira alternativa. Não vive com as consequências negativas de questões não resolvidas e sentimentos não expressos. Em vez disso, usa seus dons humanos para localizar e resolver cooperativamente a diferença.

Pense ganha-ganha
Você deseja do fundo do coração que a outra pessoa ganhe. Você também quer ganhar. Você se compromete em interagir até que encontrem uma solução com a qual ambas as partes se sintam bem.

Procure primeiro compreender
Quando você busca a compreensão mútua, pode achar útil voltar-se para as seguintes questões:

- *Qual é o problema do ponto de vista do outro?* Ouça com o objetivo real de entender, não de rebater. Esqueça sua experiência. Trabalhe a questão até poder expressar melhor o ponto de vista da outra pessoa do que ela mesma. Em seguida, encoraje o outro a fazer o mesmo em relação ao seu ponto de vista.
- *Quais as questões-chave (não os pontos de vista) envolvidas?* Uma vez que os pontos de vista são expressos e ambas as partes se sentem completamente entendidas, analisem juntos o problema e identifiquem as questões que precisam ser resolvidas.
- *Quais resultados comporiam uma solução plenamente aceitável?* Descubra o que constituiria um ganho para a outra pessoa. Identifique o que constituiria um ganho para você. Coloque ambos os critérios na mesa como a fundação da interação sinérgica.

Crie sinergia

Abra a porta para a descoberta de soluções de terceira alternativa. Faça brainstormings. Use sua mentalidade de MacGyver. Abra a cabeça. Esteja preparado para surpresas. Elabore uma lista de opções que atenderiam ao critério definido.

Vamos mostrar dois exemplos de como esse processo pode funcionar:

Exemplo 1

Imagine que você seja um representante de vendas da empresa. Trata-se de um mercado competitivo, e há diversos fabricantes na sua área. A maioria dos clientes opera em um sistema de encomendas *just-in-time*, e a habilidade de atender as datas de entrega com as quais se comprometeu é vital para o negócio.

No entanto, a fábrica tem liberado as mercadorias na última hora. Você fez algumas entregas atrasadas para clientes-chave. Você entende a situação deles e sabe que eles procurarão outro fabricante se sua empresa mantiver essa postura não confiável. Não quer perder nenhuma conta, então vai até o gerente de produção da fábrica a fim de entender o que está acontecendo.

Ao chegar lá, encontra esse gerente enterrado vivo no quadrante 1, sentindo-se pressionado pelas demandas que você e todos no mercado estão colocando na fábrica. Ele diz que é um milagre que você consiga as encomendas.

O que você faz?

Pense ganha-ganha

Você quer ganhar. Quer que esse gerente ganhe. E também que seus clientes ganhem. Você não está pensando "este ou aquele", mas em "e". Você está buscando soluções de terceira alternativa que atendam as necessidades de todos. Está procurando soluções para problemas crônicos em vez de um paliativo para os sintomas.

Procure primeiro compreender
1. Qual é o problema do ponto de vista do outro?
Quando você ouve o gerente, descobre que nos últimos seis meses a demanda cresceu 30% e nenhum investimento para aumentar a capacidade de produção foi aprovado. Os funcionários estão fazendo horas extras e

a manutenção foi ignorada, aumentando os custos trabalhistas e o tempo de manutenção, tensionando de maneira significativa os relacionamentos com a sede. O gerente sente que está sendo pressionado por todos os lados e que o tempo de entrega que você solicita é irreal. Por sua vez, você percebe que esse gerente quer fazer um bom trabalho. Ele não está fazendo corpo mole; quer entregar a tempo tanto quanto você. No entanto, ele não vê saída. Depois de analisar todos os aspectos da situação, você abre o jogo para o cliente e explica suas preocupações. Com todos os pontos de vista na mesa, você está pronto para trabalhar em conjunto de forma a identificar as questões e encontrar as soluções.

2. Quais são as questões-chave?
Quando você se comunica abertamente, reconhece que o problema é um sintoma de uma série de problemas maiores. As questões-chave podem estar relacionadas aos seguintes aspectos:

- Capacidades
- Recursos financeiros
- Relacionamentos com a diretoria
- Relacionamentos com os clientes

3. O que você definiria como uma solução aceitável para todas as partes envolvidas?
Você quer trabalhar em soluções de curto e longo prazos. E percebe que o gerente da fábrica não pode simplesmente passar as suas encomendas na frente dos pedidos dos outros. Isso só criaria mais problemas para todos. Você também deseja minimizar os custos e o futuro tempo de manutenção, de modo que um número maior de horas extras não chega a ser uma vitória. O que quer que aconteça, é preciso que haja consistência e confiabilidade. E é preciso assentar firmemente as bases para melhorias de longo prazo.

Crie sinergia
Ao explorar soluções de terceira alternativa, você talvez encontre diversas possibilidades viáveis:

- Você deve ser capaz de dar à fábrica um tempo maior, planejando antecipadamente as encomendas futuras de seus clientes.

- Alguns de seus clientes podem ficar satisfeitos a curto prazo caso a fábrica seja capaz de liberar parte das encomendas na data combinada, entregando o restante alguns dias depois.
- Talvez você possa atuar em parceria com o departamento de marketing para informar aos outros representantes de vendas o que está acontecendo. Pode ser que, na tentativa de fechar negócios, os representantes estejam fazendo muitas promessas aos clientes, criando para a fábrica uma demanda inflada artificialmente.
- Talvez o gerente da fábrica possa acompanhá-lo e discutir as questões com o departamento de marketing.
- Um representante do marketing e o gerente da fábrica podem analisar as tendências e preparar uma avaliação conjunta para a diretoria da empresa mostrando a importância de investir na ampliação da capacidade da fábrica.
- Talvez, ao trabalharem juntos, vocês possam aumentar a eficiência no sistema de processamento de encomendas, de modo que seja dedicado mais tempo na produção do que na documentação.

Vocês podem cumprir essas ou uma série de outras etapas possíveis à procura de uma solução. O importante é que trabalhem juntos para resolver o problema, e não entrem em conflito. Ao pensar ganha-ganha, ao procurar entender e criar sinergia, seu tempo e sua energia estão sendo usados na geração de soluções, e não em conflitos. A saída final poderia ser capturada como parte de um acordo de desempenho geral.

Exemplo 2
Suponha que sua filha de 19 anos quer um carro. Ela não quer depender da disponibilidade dos automóveis da família. Economizou algum dinheiro, mas não tem o suficiente para comprar um. Além disso, afirma ela, muitas de suas amigas têm os próprios carros e ela acha que é responsável e que você deve confiar nela.

Sua primeira inclinação é dizer não. Você sabe que ela é responsável, mas dirige há menos de um ano e já foi multada uma vez. O fato de ser dependente dos veículos da família permite que você controle (de alguma forma) aonde e com quem ela vai. Além disso, é preciso dinheiro não só para comprar o carro, mas para pagar o seguro, a gasolina e a manutenção geral.

Novamente, não é uma situação com uma resposta apenas. Mas com que frequência situações como essa deixam sequelas em um relacionamento pai-filho? Com que facilidade sua filha iria se rebelar por achar que você não a entende ou não confia nela, ou você iria bater o pé e afirmar sua autoridade de pai porque em sua opinião você sabe o que é melhor. Quanto tempo e quanta energia podem ser desperdiçados em um conflito negativo? Como você pode chegar a uma solução satisfatória? Lembre-se: *pensar ganha-ganha, procurar primeiro compreender, criar sinergia.*

Trabalhe os dois pontos de vista com sua filha, identifiquem as questões e elaborem soluções sinérgicas de terceira alternativa, e considerem ainda a criação de um acordo de desempenho ganha-ganha em torno de um carro adicional. Ela pode usar esse carro desde que atenda a certos critérios. Você poderia especificar as necessidades de manutenção e obrigá-la a pagar o seguro e a gasolina. É possível chegar a um acordo relacionado à comunicação sobre aonde ela vai e com quem. Como parte do acordo, você pode fazer com que ela assuma a responsabilidade das necessidades de transporte das crianças mais novas, liberando o seu tempo e/ou o de seu cônjuge.

A questão não é apresentar essa solução como a ideal ou tentar provar que soluções de terceira alternativa são fáceis de identificar. A questão é que, quando o problema está diante de vocês e não entre vocês, é possível evitar a geração de ciclos negativos em um relacionamento crítico que poderia levar meses ou anos para se resolver, e isso influencia poderosamente o tempo e a qualidade de vida de todas as pessoas envolvidas.

MAS E SE REALMENTE DISCORDARMOS?

Embora a maioria dos acordos de desempenho ganha-ganha não lide com questões explosivas e controversas como as envolvidas nas experiências a seguir, gostaríamos de compartilhá-las com você apenas para dar uma ideia de como esse processo é poderoso. Ele pode ser aplicado nas questões mais conflituosas.

(Stephen) Em um treinamento de 200 alunos de um curso de MBA, além de convidados especiais e de pessoal da própria faculdade, introduzimos a questão mais delicada, mais sensível e vulnerável com a qual podiam deparar: o aborto. Convidamos uma pessoa pró-feto e uma pessoa pró-escolha, que possuíam profunda convicção em relação a seus pontos de vista, para ficarem diante da classe. Elas tinham que interagir na frente desses 200 alunos. Eu estava lá para insistir que praticassem os hábitos da interdependência eficaz – pensar ganha-ganha, procurar primeiro compreender e criar sinergia.

– Vocês estão dispostos a se comunicar até chegar a uma solução ganha-ganha?

– Eu não sei como isso seria possível. Não acho que eles...

– Espere um minuto. Você não pode perder. Vocês dois terão que sair ganhando.

– Mas como isso seria possível? Se um de nós vence, o outro perde.

– E você está disposto a tentar? Lembre-se de que não pode desistir. Não se dê por vencido. Não se comprometa.

– Vamos tentar.

– Tudo bem. Procure primeiro compreender. Você não vai poder defender sua posição enquanto não for capaz de explicar o ponto de vista do outro de uma forma que ele mesmo aprove.

Quando começaram a dialogar, interromperam um ao outro diversas vezes.

– Sim. Mas você não percebe que...

– Esperem um pouco! – interrompi. – Eu não sei se a outra pessoa acha que foi compreendida. Você acha que foi compreendido?

– Não.

– Tudo bem. Você ainda não pode dar seu ponto de vista.

Mal dá para acreditar no desgaste que aquelas pessoas passaram. Elas não eram capazes de se ouvir. Tinham vindo com um veredicto pronto sobre a outra, só porque tinham posições diferentes.

Finalmente, depois de cerca de 45 minutos, começaram a de fato ouvir. E você não pode imaginar o efeito que isso teve sobre elas – pessoal e emocionalmente – e sobre a plateia que observava o processo se desenrolar.

Quando escutaram aberta e empaticamente as necessidades subjacentes, os medos e os sentimentos das pessoas acerca de uma questão tão delicada, foi muito poderoso. As duas pessoas tinham lágrimas nos olhos. Metade da plateia tinha lágrimas nos olhos. Elas estavam claramente envergonhadas pela forma como haviam julgado uma à outra, como haviam rotulado e condenado todas as pessoas que pensavam de modo diferente. Foram totalmente tomadas pelas ideias sinérgicas que surgiram sobre o que poderia ser feito. Apareceu uma série de alternativas, incluindo novas descobertas sobre prevenção, adoção e educação. Depois de duas horas, cada uma disse da outra: "Nós não tínhamos ideia de que 'ouvir' significava isto! Agora entendemos por que eles se sentem assim."

O espírito da verdadeira empatia é fundamental para a sinergia eficaz. Ele transcende a energia negativa que se cria em torno das tomadas de posição pessoais. Cria a abertura e a compreensão e une as pessoas na solução do problema. A questão-chave torna-se a qualidade do relacionamento entre os envolvidos e a habilidade para se comunicarem e entrarem em sinergia enquanto procuram soluções de terceira alternativa.

Vimos esse espírito de empatia transformar situações inúmeras vezes. Uma delas aconteceu quando o diretor administrativo de uma rede de hospitais e o diretor médico confrontaram-se diante de uma questão delicada relacionada à contratação de socorristas, durante duas horas, diante de uma plateia com cerca de 150 membros do conselho diretor, administradores, médicos e outros.

Aconteceu com uma organização que sofreu uma reação interna extrema contra novas normas ambientais que inibiam a iniciativa, a criatividade e a competência dos engenheiros de projeto a ponto de eles quererem deixar a companhia e ir para outro lugar. Os diretores-executivos ainda estavam inseguros, temerosos de sofrer uma sanção das comissões de fiscalização. Mas, quando os executivos representando os dois pontos de vista percorreram o processo, chegaram a uma abordagem completamente nova, que manteve a criatividade e a competência dos engenheiros de projeto e também atendeu aos critérios do órgão fiscalizador.

Isso aconteceu em uma empresa em que um conflito entre uma das divisões principais e os diretores se arrastava há muito tempo. A questão girava em torno de como os patrimônios deveriam ser depreciados. A divisão achava que isso desmoralizaria completamente a cultura deles. Os diretores-executivos estavam defendendo a prática. Mas, quando percorreram juntos o processo, o espírito da empatia os transformou. As pessoas começaram a olhar ambas na mesma direção, com um sentimento de visão compartilhada e intenções, em vez de lutarem umas contra as outras. Começaram a ser respeitosas em sua comunicação, criativas nas sugestões, e, em apenas meia hora, uma questão profundamente arraigada, que havia dividido a empresa ao ponto de ninguém poder discuti-la, foi resolvida. E todos ficaram pasmos com o poder dessa interdependência.

Quando as pessoas realmente pensam ganha-ganha, quando procuram compreender profundamente uma à outra e concentram suas energias em resolver os problemas de modo cooperativo em vez de direcioná-las para o conflito, os efeitos são profundos. Temos testemunhado o poder desse processo em situações extremamente tensas e difíceis.

(Stephen) Eu estava viajando para trabalhar com um poderoso empresário, quando ele me liga e diz:

– Pode voltar para casa. A reunião acabou de ser cancelada.
– Por quê? O que aconteceu?
– O sindicato decretou greve.
– Por quê?
– Porque algumas pessoas não estavam sendo tratadas conforme o estabelecido.
– A gerência admite isso?
– Sim.
– Então, agora as circunstâncias são as ideais. Mantenha a reunião. Não bata em retirada. As pessoas costumam polarizar e manter suas posições e se reunir para atacar.

Já tínhamos ensinado o processo ganha-ganha para os funcionários da organização, e ele estava tendo um efeito profundo nas vidas pessoais e familiares deles. Algumas das pessoas do médio escalão chegaram até a gravar um vídeo com testemunhos do poder desse processo. Mas o pessoal do alto escalão de certa forma se sentia superior a tudo, achava que não precisava daquilo.

– Peçam desculpas – falei à gerência. – Isso é uma coisa pequena. Remarquem a reunião. A hora é esta.

Eles se desculparam. Era a primeira vez que algo assim acontecia. Mas era um princípio correto. O presidente do sindicato foi chamado de volta.

– Tudo bem – disse ele –, nós iremos. Mas chegaremos atrasados em protesto, para que vocês não pensem que estamos nos entregando.

Quando cheguei à reunião, disse para o presidente da empresa e para o presidente do sindicato:

— Vou pedir que façam algo que exigirá um bocado de coragem. Estão dispostos a tentar?

Depois de alguma hesitação, ambos concordaram.

Pedi que fossem para a frente do auditório.

— Só queria que vocês dois ouvissem o que essas pessoas estão dizendo. Vocês conhecem as metas ambiciosas, quase heroicas, que foram estabelecidas para vocês e que aparentemente não assimilaram.

Voltei-me para a plateia e continuei:

— Quantos aqui honestamente acreditam que, com a cultura atual, poderiam atingir essas metas?

O auditório era grande e tinha algo entre 700 e 800 pessoas, que iam de supervisores de primeiro nível a todos os tipos de diretores executivos. Não vi uma mão se levantar.

— Agora quantos acreditam que, se praticássemos o processo sobre o qual conversamos, de pensar ganha-ganha, procurar primeiro compreender, criar sinergia, poderíamos realizar essas metas aparentemente impossíveis e heroicas?

Quase todos ergueram as mãos.

Voltei-me para os dois e disse:

— Olhem para a mensagem dessa organização. Quero que se comprometam na frente de todos a aprender e ensinar esse processo para as equipes que se reportam diretamente a vocês. E eles também farão o mesmo até que todos estejam envolvidos e vocês possam resolver essa questão. Agora, se não estiverem preparados para colocar esse compromisso em prática, não o assumam. Digam: "Prefiro pensar a respeito. Vamos esperar." Vocês não devem criar uma expectativa que não possam atender.

Eles se olharam durante um longo tempo. A tensão tomou conta da sala. Por fim, eles estenderam as mãos e as apertaram, abraçando-se em seguida. O auditório explodiu em aplausos.

Atualmente, essa empresa é considerada uma das mais bem-sucedidas dos Estados Unidos, não apenas por causa dessa experiência – havia muitas variáveis em jogo, é claro –, mas certamente a disposição de aplicar esse processo fez uma grande diferença na qualidade de vida de todos os envolvidos.

Há alguma técnica de gerenciamento do tempo capaz de poupar esse tipo de desgaste? Não estamos falando sobre controle e delegação "obrigatória", ou mesmo uma boa delegação. Estamos falando em mudar de relacionamentos transacionais para relacionamentos transformacionais – sobre o verdadeiro empoderamento. Estamos falando sobre fazer aflorar os dons humanos de todas as pessoas envolvidas em um processo sinérgico que permite discutir até as questões indiscutíveis e resolver as questões mais delicadas de modo que todos sejam beneficiados.

O ganha-ganha não implica confrontos; é um processo sinérgico. Não é transacional; é transformacional. E todo mundo que participa dele ou o testemunha pode vê-lo.

A DIFERENÇA DE COLOCAR O QUE É MAIS IMPORTANTE EM PRIMEIRO LUGAR EM GRUPO

O que seria de nós se todos vivêssemos e trabalhássemos em culturas com visões compartilhadas e acordos de desempenho, em que o ganha-ganha fosse uma forma de interação? Que diferença isso faria?

Considere a *supervisão*. Em uma cultura na qual o nível de confiança é baixo, a supervisão está associada a palavras como *controle*, *monitoração* e *vistoria*. Em uma cultura em que o nível de confiança é alto, as pessoas supervisionam a si mesmas em função de um acordo. Os critérios são claros, as consequências estão definidas. Há uma compreensão comum do que se espera alcançar. Um gerente, um líder ou um pai torna-se uma fonte de auxílio – um facilitador, assistente, incentivador, conselheiro, divulgador e treinador, alguém para remover o óleo da pista e em seguida sair do caminho.

O que seria da *avaliação*? Em uma cultura na qual o nível de confiança é baixo, você é submetido a uma hierarquia, avaliação de desempenho externo, julgamento. Em uma cultura em que o nível de confiança é alto, o julgamento é feito no acordo de desempenho antes do fato, não depois dele. As pessoas julgam a si mesmas. Essa avaliação passa a ser, além de uma questão de medição, uma questão de discernimento. "Os números parecem ser bastante satisfatórios, mas estou preocupado com essa área em particular..." As pessoas têm muito mais consciência das questões que influenciam o desempenho e o sucesso delas.

E quanto aos *métodos de controle*? Em uma cultura na qual o nível de confiança é baixo, há muitos métodos de controle. É preciso tempo e energia para averiguar tudo. Você só pode controlar um número limitado de pessoas. Em uma cultura em que o nível de confiança é alto, você não precisa revisar e verificar. Você não está tentando controlar, mas liberar. Em vez de um para controlar cada oito ou 10, você terá um para 50, um para 100, um para cada 200 pessoas.

E o que seria da *motivação*? Em uma cultura de baixo nível de confiança, você depara com a "grande teoria da motivação": a cenoura na frente, a vara atrás. Em uma cultura de alto nível de confiança, a motivação é interna. As pessoas são movidas pela chama interior. São empoderadas por uma paixão sobre a realização de uma visão compartilhada que é também uma "co-missão", uma sinergia entre as próprias missões e a missão da família ou da organização.

E o que dizer da *estrutura* e dos *sistemas*? Uma cultura de baixo nível de confiança está repleta de burocracia, regras e regulamentos em excesso, sistemas restritivos, fechados. Receando alguma bala perdida, as pessoas desenvolvem procedimentos aos quais todo mundo deve se acomodar. O nível de iniciativa é baixo – basicamente, "faça o que lhe disserem". As estruturas são piramidais, hierárquicas. Os sistemas de informação são de curto prazo. Os lucros obtidos a cada trimestre tendem a dirigir a mentalidade na cultura. Em uma cultura de alto nível de confiança, as estruturas e os sistemas são alinhados com a finalidade de criar empoderamento, liberar a energia e a criatividade das pessoas na direção dos objetivos sobre os quais as pessoas concordaram dentro das diretrizes de valores compartilhados. Há menos burocracia, menos regras e regulamentos, mais envolvimento.

Agora, qual o tipo de influência que essa mudança tem sobre seu tempo?

Quanto tempo é gasto nas culturas de baixo nível de confiança com controle, monitoração, avaliação, verificação, bisbilhotagem?

Quanto tempo é gasto nos sistemas de avaliação competitivos, nos jogos de avaliação, nos programas de motivação?

Quanto tempo é dedicado aos sistemas burocráticos, às regras e aos regulamentos?

Quanto tempo é dedicado à classificação da miríade de problemas de comunicação decorrentes da baixa confiança?

E o que dizer do custo, em termos de tempo e de oportunidades, quando as pessoas estão tão ocupadas com o microgerenciamento e a solução de crises imediatas que já não investem em atividades altamente alavancadoras, como planejamento, prevenção e empoderamento do quadrante 2, capazes de produzir diferença significativa?

Desperdiçamos um tempo enorme lidando com os sintomas da baixa confiança, e aprender a lidar com os sintomas mais rapidamente não vai produzir uma diferença qualitativa.

É uma questão de empoderamento "o grupo colocar o que é mais importante em primeiro lugar". É a última palavra para deslocar a proporção de "um para um" para uma proporção "uma unidade de esforço para mil unidades de resultados". Não há técnica de gerenciamento do tempo que possa sequer chegar perto de tais resultados. E é por essa razão que o empoderamento está no coração do quadrante 2.

13

Empoderamento de dentro para fora

*O verdadeiro problema é pensar
que o problema está "lá fora".*

Seria fantástico se todos vivêssemos e trabalhássemos em culturas de alta confiança, nas quais os poderes fossem descentralizados. Obviamente, isso não acontece. As organizações nas quais trabalhamos frequentemente são inundadas por regras, regulamentos e burocracias. Temos parâmetros conflitantes, sistemas competitivos. Os níveis de iniciativa são baixos. Em geral as pessoas obtêm prazer fora do ambiente de trabalho. Dedicam a maior parte do tempo que passam no trabalho ao quadrante 3: fazendo politicagem, fofocando, culpando, acusando. Em seguida, ficam pelos corredores reclamando umas com as outras:

– Você acredita no que fez esse gerente?
– Puxa vida! Deixe-me contar sobre minha experiência!
– Não é à toa que aqui não se faz nada.
– Bem, o que você poderia esperar?

Então, o que podemos fazer?

O verdadeiro problema é pensar que o problema está "lá fora". Nós nos desestimulamos. Em outras palavras, renunciamos a nosso espaço – o espaço que nos permite escolher uma resposta construtiva. Deixamos que as circunstâncias e as fraquezas dos outros nos controlem. Colocamos nossa energia no círculo de preocupação, em coisas sobre as quais não temos controle.

A liderança baseada em princípios é o empoderamento pessoal que cria o empoderamento na empresa. Ela concentra nossa energia no círculo de influência. Não é uma questão de culpar ou acusar; é de agir com integridade para criar o ambiente no qual nós e os outros podemos desenvolver o caráter, a competência e a sinergia.

Talvez não sejamos *o* líder, mas somos *um* líder. E à medida que exercitamos nossa liderança baseada em princípios, nosso círculo de influência cresce.

(Stephen) Um homem que estava no gerenciamento de nível mais baixo dentro de uma organização queria participar de um de nossos seminários. O programa era para altos executivos, mas ele implorou para que o deixassem participar. Por fim, a pressão da persistência os fez ceder e concordar.

Esse homem era tão proativo que logo estava com a bola no pé e começou a correr. Passou a se preocupar com o crescimento pessoal e profissional e com a ampliação de suas habilidades. Conseguiu uma promoção atrás da outra e, em apenas dois anos, se tornou o número três dentro da organização.

Então, decidiu se dedicar à comunidade e ajudar a resolver algumas importantes questões sociais. Ele era tão dinâmico que virou secretário-executivo de um órgão assistencial e chegaram a lhe pedir que trabalhasse em tempo integral, mas ele não quis abandonar a empresa.

Estou convencido de que seria possível largar esse homem nu e sem um centavo no bolso em qualquer lugar do mundo que, em pouco tempo, ele chegaria ao topo de uma organização, pois é muito proativo, sensível e consciente. Jamais esquecerei o brilho em seus olhos quando percebeu o poder de trabalhar em seu círculo de influência.

Neste capítulo, gostaríamos de analisar três ações específicas que podem ser feitas em qualquer círculo de influência para trabalhar no quadrante 2, empoderando a nós mesmos e ajudando a transformar nosso meio.

1. Cultivar as condições de empoderamento.
2. Deleitar-se no banquete dos campeões.
3. Tornar-se um líder/servidor.

1. CULTIVE AS CONDIÇÕES DE EMPODERAMENTO

O empoderamento não pode ser estabelecido; deve ser desenvolvido. É uma questão de cultivar as condições que o criam. Quanto mais essas condições estão presentes, mais empoderadora será a cultura.

Não é possível "empoderar" as pessoas de fato, mas, ao cultivar essas condições, criamos o ambiente no qual elas podem empoderar a si mesmas por meio do uso dos quatro dons que lhes são inerentes. Esse é um investimento do quadrante 2 altamente alavancador e que tem retorno.

De uma forma ou de outra, cada uma dessas condições está em nosso círculo de influência. Vamos analisá-las a fim de identificar onde e como podemos concentrar nossos esforços para criar uma mudança empoderadora.

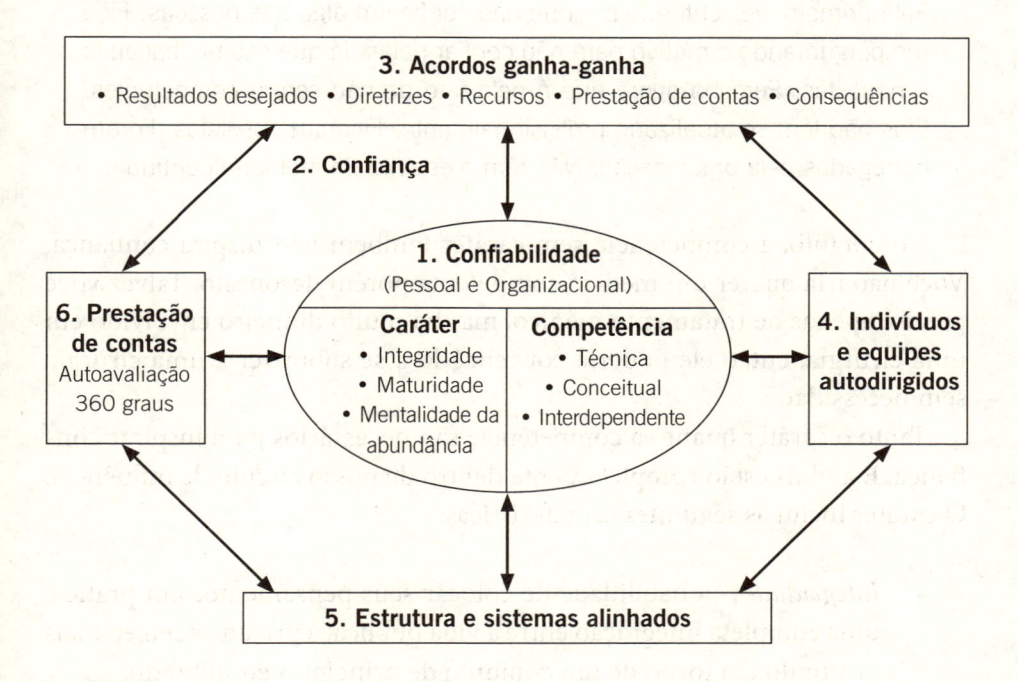

```
                    3. Acordos ganha-ganha
  • Resultados desejados • Diretrizes • Recursos • Prestação de contas • Consequências

                         2. Confiança

                       1. Confiabilidade
                    (Pessoal e Organizacional)
  6. Prestação      Caráter      Competência      4. Indivíduos
  de contas       • Integridade   • Técnica        e equipes
  Autoavaliação   • Maturidade    • Conceitual     autodirigidos
  360 graus       • Mentalidade da • Interdependente
                    abundância

                5. Estrutura e sistemas alinhados
```

Condição 1: Confiabilidade

No cerne do empoderamento, encontra-se a confiabilidade, que é uma questão de caráter e competência. Caráter é o que nós somos; competência é o que podemos fazer. E ambos são necessários para se criar confiabilidade.

> (Stephen) Um homem que mancava levemente por causa de um problema que tinha no joelho esquerdo foi a um médico que, embora fosse ótima pessoa, era incompetente: não tinha habilidade para entender tridimensionalmente uma imagem bidimensional. Ele fez uma pequena

limpeza na cartilagem, mas não diagnosticou a fragilidade crucial do ligamento anterior. Por essa razão, esse homem jamais se submeteu a um tratamento. Mais tarde, quando seus filhos apresentaram problemas nos joelhos em consequência dos esportes que praticavam, o homem não os encaminhou para esse médico. Não confiava nele.

Ao ouvir essa história, um executivo fez o seguinte comentário:

Pela primeira vez entendo por que não confio em algumas pessoas. Fico me perguntando o motivo para não confiar nelas, já que são tão bacanas e honestas. Percebo agora que é pelo fato de não serem competentes. Elas não têm se atualizado profissionalmente. Ficaram obsoletas. Foram carregadas pela organização. Não têm o espírito da melhoria contínua.

No entanto, a competência sem caráter também não inspira confiança. Você não iria querer um médico competente porém desonesto. Talvez você precise apenas de tratamento médico, mas há muito dinheiro envolvido em uma cirurgia, então ele poderia convencê-lo a se submeter a uma cirurgia sem necessidade.

Tanto o caráter quanto a competência são necessários para inspirar confiança. E ambos estão completamente dentro de nosso círculo de influência. O caráter inclui as seguintes características:

- *Integridade* – a habilidade de colocar seus pensamentos em prática, uma completa integração entre a vida pública, a privada e seu eu mais profundo em torno de um conjunto de princípios equilibrado.
- *Maturidade* – o equilíbrio de coragem e consideração que lhe permite dizer o que é preciso ser dito, dar um feedback honesto, tratar as questões de forma objetiva, mas com consideração e respeito pelos sentimentos, pensamentos e opiniões dos outros.
- *Mentalidade da abundância* – o paradigma de que a vida está sempre em expansão, de que há um número infinito de terceiras alternativas (em contraste com o paradigma de que a vida é um jogo de soma zero, que o bolo não é tão grande assim e que, se outra pessoa pegar um pedaço, isso significa menos para mim).

A competência contém as seguintes características:

- *Competência técnica* – o conhecimento e a habilidade de conseguir os resultados aos quais se propôs; a habilidade de analisar exaustivamente os problemas e procurar novas alternativas.
- *Competência conceitual* – a habilidade de ter uma visão ampla das questões tratadas, de examinar premissas e mudar as perspectivas.
- *Competência interdependente* – a habilidade de interagir com eficácia com os outros, incluindo a habilidade de ouvir, comunicar, obter terceiras alternativas, criar acordos de ganha-ganha e trabalhar no sentido de soluções sinérgicas; a habilidade de ver e operar com eficácia e de modo cooperativo em organizações e sistemas.

O caráter e a competência são áreas de foco altamente alavancadoras que tornam possíveis as outras condições.

Uma divisão de uma grande empresa internacional foi capaz de ver como essa conexão estava influenciando sua malsucedida tentativa de implementar um programa da Qualidade Total. Eles fizeram um comentário mais ou menos assim:

> Nosso problema é a escassez. A escassez está presente no modo de admissão, de promoção e de remuneração das pessoas, na forma como as tornamos nossas parceiras e de como os prêmios são distribuídos. Não é à toa que temos uma cultura tão confusa! Não é à toa que há tanto ciúme. Há muito fingimento e dissimulação em relação a uma aparente união, mas lá no fundo há diversas forças conspirando contra essa cultura: interesses escusos operando em todos os lugares, problemas de relacionamento, departamentos brigando entre si. Temos que ter estruturas e sistemas pesados, regras e regulamentos cuja finalidade é dar a ordem para permitir à organização sobreviver à mudança de ambiente. Existem evidências de que não estamos acompanhando as evoluções da concorrência. Percebemos que não vamos nos adaptar a elas com um paradigma de soluções rápidas, compartimentalizadas, que não são baseadas em uma compreensão ecológica daquilo que cria essa cultura sinérgica.

Nós vemos essa situação se repetir inúmeras vezes. Indivíduos formados em ambientes competitivos criam sistemas competitivos que não facilitam em nada o espírito cooperativo. As pessoas com um paradigma de urgência fundamental criam sistemas que se desenvolveram a partir dele. Mesmo quando alguém de fora entra e tenta instalar sistemas e estruturas de ganha-ganha ou baseados na importância, se o paradigma fundamental permanecer inalterado, as pessoas voltarão para os seus paradigmas quando a situação se assentar.

A realidade é que o caráter e a competência conduzem tudo na organização. Cultivar caráter e competência é a medida mais alavancadora para gerar o empoderamento.

Uma poderosa forma por meio da qual podemos cultivar caráter e competência é nos fazermos as seguintes perguntas enquanto nos preparamos para definir nossas metas semanais:

- *Quais são os conhecimentos e as habilidades de que preciso para executar melhor o trabalho e para interagir de modo mais eficaz com as outras pessoas?*
- *Estou exercitando minha coragem para avançar e lidar com as questões que surgirem?*
- *Estou sendo atento e sensível para as necessidades dos outros?*
- *Estou buscando constantemente as soluções de terceira alternativa?*
- *Estou ouvindo minha consciência e agindo de forma que não corresponde com minha missão e meu "norte verdadeiro"?*

Essas perguntas convidam a consciência a localizar as áreas em que devemos concentrar nossos esforços. Com base nas respostas, podemos definir metas para "afinar o instrumento" ou metas relacionadas aos papéis que desempenhamos.

Além da confiabilidade individual, o caráter e a competência coletivos são condições necessárias de empoderamento para a empresa.

- *Posso confiar que a empresa manterá seus compromissos?*
- *Posso confiar que a equipe os executará, quando for preciso?*
- *Os membros da família se apoiam?*

Lembre-se de que não existe um comportamento organizacional; há apenas o comportamento de indivíduos dentro da organização. Uma organização só se torna digna de confiança quando os indivíduos da organização se tornam dignos de confiança.

Condição 2: Confiança

A confiança é o que une tudo. Cria o ambiente no qual todos os outros elementos – acordos de desempenho ganha-ganha, indivíduos e equipes autodirigidos, estruturas e sistemas alinhados e prestação de contas – podem florescer. Então, à medida que cada uma dessas condições for satisfeita – quando as pessoas criarem acordos de desempenho ganha-ganha, os indivíduos e as equipes se tornarem autodirigidos, as estruturas e os sistemas forem alinhados e a prestação de contas for um processo contínuo –, a confiança crescerá ainda mais. O processo é contínuo.

Novamente, a confiança é a consequência natural da confiabilidade. Então, o que podemos fazer de mais alavancador para gerar confiança é sermos dignos de confiança.

Condição 3: Acordos de desempenho ganha-ganha

Talvez não estejamos em uma posição de liderança formal em nosso grupo ou organização, mas isso não significa que não possamos iniciar acordos de desempenho relativos à nossa área de atuação. Podemos fazer isso em nossa família, em nossa equipe de trabalho, em nosso grupo de assistência comunitária.

- *Quais são os resultados que desejamos alcançar?*
- *Quais diretrizes devem ser seguidas?*
- *Quais os recursos de que dispomos?*
- *A quem vamos prestar contas desse esforço?*
- *Quais são as consequências?*

Qualquer que seja nosso círculo de influência, qualquer que seja a cultura, você pode trabalhar no sentido de criar expectativas e compreensão compartilhadas. Devemos fazer algumas perguntas ao preparar nossas atividades da semana e para nos ajudar a definir metas para cultivar acordos de desempenho. Exemplos:

- *Tenho acordos de desempenho significativos em cada um dos papéis que exerço?*
- *Há algum acordo que precisa ser reforçado, modificado ou colocado em um patamar mais elevado?*
- *Estou agindo com integridade para realizar os acordos que assumi?*

Sempre que ajudamos a criar visão compartilhada e estratégia – com chefe, colega de trabalho, funcionário direto, cônjuge, criança, parceiro –, empoderamos a nós mesmos e aos outros.

Condição 4: Indivíduos e equipes autodirigidos

Em uma cultura de alta confiança, quem supervisiona? O acordo.

A autodireção baseada no acordo está em nosso círculo de influência. Podemos aceitar a responsabilidade de nos governar como indivíduos e como parte de grupos ou equipes, em harmonia com o "norte verdadeiro" e em função do acordo que fizemos. Podemos fazer o que foi combinado – inclusive o planejamento, a ação e a avaliação – sem que ninguém tenha que dirigir, controlar, vistoriar e vigiar. E podemos desenvolver essa capacidade nos outros não supervisionando métodos, mas mantendo as pessoas responsáveis pelos resultados e sendo uma fonte de ajuda para que alcancem os resultados a que se propuseram.

Eis algumas perguntas que podemos nos fazer durante a organização do quadrante 2:

- *Normalmente eu espero que me digam o que fazer mesmo quando já sei o que deve ser feito?*
- *Dou liberdade para que os outros usem os métodos com os quais se sintam mais à vontade, independentemente de minha preferência pessoal, desde que eles alcancem os resultados com os quais se comprometeram?*
- *Dou espaço para os outros enquanto trabalham ou estou constantemente vigiando e vistoriando?*

Condição 5: Estruturas e sistemas alinhados

Quando as estruturas e os sistemas são alinhados, eles facilitam o empoderamento; quando não são, eles se tornam um empecilho. Se você quer usar a importância como paradigma governante e seu sistema de planejamento está baseado em tarefas diárias, o sistema não está alinhado. Se você tenta fazer seus filhos desenvolverem o sentido de responsabilidade e constantemente lhes dá instruções detalhadas – o que, como e quando fazer –, o sistema não está alinhado. Se está tentando estimular o espírito cooperativo dentro da organização, mas premia a competição, o sistema não está alinhado. Em cada um desses casos, você está trabalhando justamente contra o que quer realizar.

Quando a estrutura e o sistema estão alinhados, eles criam integridade ou integração. Deixam de ser um empecilho e passam a facilitar o que você está tentando fazer.

Algumas estruturas estarão em nosso círculo de influência; outras, não. Se ocuparmos uma posição de liderança formal, podemos ser responsáveis por sistemas como o de compensação, informação ou treinamento, todos capazes de influenciar o tempo e a qualidade de vida de muitas pessoas. O investimento no tempo do quadrante 2 para criar sistemas baseados na abundância e em princípios desenvolve um poderoso alinhamento na cultura.

No entanto, mesmo que não estejamos em uma posição que nos permita criar estruturas e sistemas para a organização, ainda assim podemos usar a oportunidade adequada para influenciar a criação ou recriação deles. Podemos empregar o tempo do quadrante 2 para estabelecer sistemas e estruturas alinhados à nossa vida pessoal – nosso organizador, nossos sistemas de informação pessoal, nosso programa de desenvolvimento. Podemos criá-los em nossa família e cultivar um ambiente em que os acordos de desempenho se tornem a forma de interação. Podemos desenvolvê-los em nossa equipe de trabalho ou no serviço de assistência comunitária ou em grupos de interesse especial. Em todas as esferas nas quais interagimos com os outros, podemos levantar as questões e ajudar a estabelecer estruturas e sistemas que sejam baseados no "norte verdadeiro".

Isso reitera outra importante diferença entre o gerenciamento e a liderança. Enquanto o gerenciamento trabalha *no* sistema, a liderança trabalha *sobre* o sistema. Quando fazemos nossa organização semanal, podemos cultivar estruturas e sistemas alinhados ao fazermos as seguintes perguntas:

- *Há sistemas ou estruturas impedindo a obtenção dos resultados desejados?*
- *Há sistemas ou estruturas que podem ser criados para facilitar a obtenção dos resultados desejados?*
- *Qual é o melhor método que eu poderia usar, dentro de meu círculo de influência, para criar ou alterar esses sistemas?*
- *Como posso trabalhar sinergisticamente com os outros a fim de gerar a mudança?*
- *Quais os sistemas e estruturas que tenho e que poderiam ser aperfeiçoados?*

Condição 6: Prestação de contas

Quando estamos em um ambiente de crescente confiança, no qual os acordos de desempenho ganha-ganha estão sendo desenvolvidos e as estruturas e os sistemas são alinhados, de que forma se faz a prestação de contas? Basicamente, por meio da prestação de contas a si mesmo, passando pelo crivo dos critérios estabelecidos no acordo.

Estas são algumas ações específicas que aperfeiçoam a prestação de contas:

- Definir critérios no acordo.
- Exercitar o discernimento.
- Solicitar e receber feedback.

Quando estabelecemos critérios no acordo, geramos um padrão para medir nosso próprio desempenho.

Quando desenvolvemos discernimento, dependemos menos dos fatores externos, como promoções, premiações, reconhecimento formal ou social, para termos a consciência de que cumprimos nosso dever. Aceitamos a responsabilidade por nossa própria excelência. Não atribuímos um desempenho abaixo da média a outras pessoas; não nos orgulhamos com elogios que não merecemos. Mais importante do que a crítica ou o elogio dos outros, é a consciência do que fizemos.

Mas também temos a humildade de procurar o feedback dos outros como parte vital de nosso processo de avaliação, planejamento e tomada de decisões. Falaremos com mais profundidade sobre feedback ao analisarmos "o banquete dos campeões".

A identificação e a compreensão dessas seis condições de empoderamento permite que concentremos nossos esforços nas atividades mais alavancadoras do quadrante 2. Quando não reconhecemos ou não sabemos como resolver os problemas crônicos de famílias, grupos e organizações, dedicamos muito tempo às crises dos quadrantes 1 e 3 e até o trabalho que realizamos no quadrante 2 está restrito aos sintomas – podamos as folhas quando na verdade temos que trabalhar nas raízes.

A compreensão dessas condições, porém, permite que concentremos nossos esforços em temas subjacentes, mais profundos. Ajuda-nos a saber como agir em nosso círculo de influência – qualquer que seja ele – para fazermos a diferença.

2. DELEITE-SE NO BANQUETE DOS CAMPEÕES

A criação de caráter e competência é um processo, e uma das medidas mais alavancadoras desse processo é procurar com regularidade um feedback de 360 graus. É preciso humildade para solicitá-lo e recebê-lo. Talvez você tenha que respirar fundo para aguentá-lo. Mas a compreensão e a sábia ação a partir dele podem influenciar de maneira poderosa seu tempo e sua qualidade de vida.

Por causa da importância desse feedback, algumas pessoas o chamam de "o café da manhã dos campeões". Mas não é o café da manhã; é o almoço. A visão é o café da manhã. A autocorreção é o jantar. Sem a visão, não temos contexto para o feedback. Estaremos apenas respondendo ao que outra pessoa valoriza ou deseja; vivendo a partir do espelho social. Cairemos na armadilha de tentar nos tornar tudo para todas as pessoas, tentando atender a todas as expectativas, e no fim terminando sem atender às expectativas de ninguém, nem mesmo as nossas.

No entanto, com um sentido claro de visão e missão, podemos usar o feedback para nos ajudar a obter maior integridade. Temos a humildade de reconhecer que possuímos pontos fracos, que a obtenção de outras perspectivas só nos ajudará a melhorar. Percebemos sabiamente que o feedback nos informa tanto sobre as pessoas de quem o recebemos quanto sobre nós mesmos. As respostas dos outros refletem não apenas como nos veem, mas também como encaram as coisas que fazemos que são importantes para eles. Como as pessoas são importantes para nós e como parte de nossa liderança é criar importância compartilhada, essa dimensão de feedback também é vital. Mas não somos governados pelo feedback; somos governados pelos princípios e objetivos que criamos em nossa declaração de missão.

Podemos obter feedback como funcionários – de chefes, subordinados, parceiros, colegas de trabalho. Podemos obter feedback como pais – de nossos filhos, nosso cônjuge, nossos próprios pais. Podemos obter feedback no papel que desempenhamos na comunidade ou em qualquer outro em que uma perspectiva adicional possa ser de grande utilidade.

(Rebecca) Lembro-me da primeira vez que Roger solicitou um feedback a nossos filhos. Quase tive um troço. "Ótimo! Vai ser uma reclamação geral: aula de piano, espinafre, hora de dormir, tarefas domésticas..." Minha cabeça só faltou explodir enquanto pensava em tudo o que eu tinha certeza de que eles iam trazer à tona.

Roger pediu que cada uma das crianças escrevesse três palavras em um pedaço de papel: continue, pare e comece. Então, ele disse: "Quais são as coisas que vocês gostariam que eu continuasse a fazer? O que vocês gostariam que eu parasse de fazer? E o que vocês gostariam que eu começasse a fazer, que não faço agora?" Admito que admirei a coragem dele.

Mas o que admirei ainda mais foi a profundidade das respostas das crianças. De alguma forma, elas perceberam que chegara a hora de dar um tipo de resposta diferente. As respostas que deram foram sérias, úteis e encorajadoras. Refletiam consciência e apreço. As sugestões que fizeram nos alertaram para coisas que eram importantes para elas e propunham mudanças realmente importantes. Algum tempo depois, tomei coragem para me submeter ao mesmo tipo de avaliação e mais uma vez me surpreendi com a maturidade das respostas.

Ao longo dos anos, passamos a dar muita importância ao feedback das crianças, sobretudo quando os mais velhos saíram de casa e conquistaram uma perspectiva mais ampla da experiência deles conosco. Não foi útil apenas do ponto de vista pessoal; essa experiência deu às crianças um sentido de participação e investimento na criação do tipo de família que queremos ser.

Ao receber o feedback, você deve analisá-lo com cuidado e depois agradecer às pessoas que o forneceram. "Obrigado. Gostei de seu feedback. Deixe-me compartilhá-lo com você. É isso que você está me dizendo." Dê um feedback a elas e em seguida envolva-as na criação de um plano de ação baseado nele. Ao agir dessa forma, você se tornará um catalisador de mudanças. Modelará a mudança, e, quando as pessoas virem o que aconteceu, elas se tornarão abertas às suas mudanças e às delas também.

Há uma série de métodos simples e eficazes para se obter feedback; o método "continue/pare/comece" é apenas um exemplo. Há métodos formais e informais. O feedback pode ser anônimo ou comunicado diretamente. As ferramentas de feedback que têm critérios objetivos, como as de nossas *Avaliações dos 7 hábitos*, costumam ser mais poderosas porque os critérios estão associados à consciência coletiva – princípios com os quais as pessoas conseguem se identificar –, em vez de refletir mais os valores da pessoa que está dando o feedback.

É fundamental que a pessoa não julgue o caráter do outro. O feedback deve ser dado de acordo com critérios de desempenho e eficácia, não em função de critérios de caráter. Quando os resultados desejados dizem respeito a critérios de desempenho, as pessoas se fecharão e farão mudanças em seu caráter se, para chegar a tais resultados, houver esse tipo de necessidade.

O diretor-executivo de uma organização pediu que as pessoas lhe dessem o feedback em função de duas perguntas criadas em torno da ideia de que passamos nosso tempo em três papéis diferentes:

- *Produtor* (faz o que é necessário para alcançar os resultados desejados).
- *Gerente* (define os sistemas e ajuda as pessoas a se adaptarem a eles).
- *Líder* (oferece a visão e a direção, e cria uma equipe complementar baseada no respeito mútuo).

Ele pediu que as pessoas indicassem pelo tamanho das letras P, G e L onde acreditavam que ele passava a maior parte de seu tempo. Em seguida, pediu que mostrassem de que forma ele deveria distribuir seu tempo. Ao obter o feedback, percebeu que seu perfil era **P G** l, mas que o resultado desejado era esmagadoramente **P** G **L**. As pessoas desejavam que ele passasse mais tempo liderando a organização. Na opinião deles, o diretor-executivo precisava visualizar o futuro, ler as tendências e definir a direção que a empresa tomaria, já que se tratava de um mercado que mudava com extrema rapidez. Na opinião deles, o gerenciamento e a produção eram coisas que eles mesmos poderiam fazer, e que as energias do diretor-executivo seriam mais bem aplicadas na provisão de liderança.

Com base nesse feedback, esse diretor-executivo promoveu mudanças significativas em suas atividades. Ele passou a concentrar sua atenção no ambiente dos negócios. As pessoas que lhe deram o feedback o incentivaram e o apoiaram nessa mudança. Pouco tempo depois, os benefícios desse novo foco se tornaram óbvios. Ele foi capaz de detectar e responder a algumas tendências emergentes e fez a empresa dar um salto significativo e conquistar uma importante fatia de mercado.

Não queremos dizer que a liderança é mais importante do que a produção e o gerenciamento; as três atividades são vitais para o sucesso da empresa. A questão é que a liderança estava sendo negligenciada. Ao procurar e agir de acordo com o feedback que obteve, esse diretor-executivo tornou-se consciente da necessidade e foi capaz de promover mudanças significativas na empresa.

A maioria dos executivos negligencia a liderança do quadrante 2 e mantém o foco no gerenciamento. Só que isso, na verdade, acaba gerando a necessidade de mais gerenciamento para lidar com todos os problemas decorrentes do negligenciamento da liderança. Tal fato realça outra vantagem do processo do quadrante 2: a organização semanal estimula a liderança com visão e perspectiva. O planejamento diário, por outro lado, aumenta a necessidade de gerenciamento, pois dedica muito tempo à administração de crises.

Um feedback de qualidade obtido no início de um projeto pode acarretar uma diferença positiva no decorrer do processo. Um associado relatou a seguinte experiência:

> Na primeira semana em que recebi uma nova função, tive uma visão fantástica do que desejava fazer e pensei: "Eu sou o rei." Eu me sentia no controle absoluto da situação.
>
> Em seguida, um funcionário júnior da organização, que estava na empresa havia poucos anos, me procurou para dizer que aquele plano era uma porcaria. Ele não usou bem essa palavra, mas a mensagem era essa. "Isso nunca vai funcionar. Na minha opinião, não devíamos fazer nada disso."
>
> Tive vontade de dizer que ele estava falando uma grande besteira, mas me contive e disse: "Eu valorizo a divergência de pensamento. Por que você não entra para conversarmos sobre o assunto?"
>
> Em 15 minutos, ele resumiu todas as falhas de meu plano e criou um paradigma inteiramente novo para mim. Foi uma experiência altamente didática, a partir da qual comecei um processo de levantamento de opiniões, ouvindo e conversando com todos os envolvidos. Perguntei a eles qual era o paradigma de nossa divisão. Ainda tenho pilhas de anotações que de vez em quando consulto para evitar as falhas.

Muitas organizações não obtêm feedback de 360 graus, pois estão preocupadas com números, lucros (ou prejuízos) registrados em suas planilhas.

Trabalham exclusivamente com os dados de curto prazo. Esse, porém, é um sistema de informações incompleto, pois ignora as pessoas. E nem sequer tem a pretensão de realizar algo diferente disso. Até pode registrar as atividades e os custos relacionados às pessoas, mas não diz nada sobre o coração e a mente, o poder, a capacidade delas. Esse tipo de sistema de informações cria uma mentalidade focada em resultados que conduz a organização a negligenciar uma série de fatores-chave impossíveis de ser mensurados, como o desenvolvimento das pessoas, as melhorias de qualidade, as alterações processadas no sistema, os investimentos de longo prazo, o espírito de equipe, a confiança na cultura e a melhoria dos serviços.

Quanto mais trabalho com organizações, mais convencido fico de que esse feedback de 360 graus com todos os envolvidos – clientes, fornecedores, empregados, filiais, fabricantes, investidores, comunidade – tem um poderoso impacto sobre a qualidade. Algumas vezes, chamamos esse processo de análise de 360 graus de Sistemas de Informação dos Stakeholders, ou SIS.

(Stephen) Certa vez, ministrei um programa de treinamento para os comandantes da Força Aérea de um país com um histórico de desafios e conflitos. Quando comecei a falar sobre a importância dos SIS, percebi que os generais balançavam a cabeça, concordando. Voltei-me para o general-comandante e perguntei se tal gesto significava que eles estavam usando o sistema.

– É dessa forma que treinamos nosso pessoal – revelou. – Trabalhamos com pilotos de elite, não com gerentes treinados. Todo mundo recebe um relatório anual com percepções de todas as pessoas com as quais interagem e a força dessas percepções. Eles as utilizam como base para seu desenvolvimento pessoal e profissional, e as promoções só ocorrem se as notas forem altas, inclusive a de seus subordinados.

– O senhor não imagina como é difícil difundir esse conceito nas empresas de meu país. Como vocês fazem para impedir que se transforme apenas em um concurso de popularidade?

– Stephen, a sobrevivência de nosso país depende dessas pessoas, e elas sabem disso. Algumas vezes, os mais impopulares obtêm as melhores notas, porque são os mais empenhados.

É preciso humildade para buscar feedback. É preciso sabedoria para entendê-lo, analisá-lo e agir com base nele de forma adequada. Mas ele é o verdadeiro banquete dos campeões.

3. TORNE-SE UM LÍDER/SERVIDOR

Quando desempenhamos um papel formal de liderança, como usamos o tempo que não gastamos microgerenciando, vigiando, vistoriando e administrando crises?

Desenvolvemos uma visão compartilhada. Incentivamos, treinamos e aconselhamos para ajudar a desenvolver as capacidades dos indivíduos e das equipes. Criamos relacionamentos de confiança. Fazemos planejamento de longo alcance, perscrutamos o horizonte, analisamos as necessidades dos envolvidos, estudamos as tendências do mercado, trabalhamos nos sistemas, alinhamos. Em outras palavras, dedicamos nosso tempo às atividades importantes porém não urgentes do quadrante 2 capazes de promover profundas mudanças no ambiente em que trabalhamos. Não estamos apenas gerenciando nosso tempo de modo a fazer o que está diante de nós; literalmente fazemos coisas diferentes. Tornamo-nos um líder/servidor.

A ideia da liderança servidora está em voga há muito tempo, mas não tem sido colocada em prática pela simples razão de que não havia condições de empoderamento. Ela então se torna apenas outra frase bonita, outro jeito de exercitar um tipo de controle autoritário mais benevolente. Com o passar do tempo, isso transforma-se em cinismo.

Mas quando as condições para o empoderamento se apresentam, a liderança servidora cria resultados bastante significativos.

(Stephen) Houve uma época em que eu só conhecia a abordagem de "controle suave" da liderança – uma espécie de autocracia benevolente. Então comecei a trabalhar com um chefe diferente, empoderador de verdade, que via o mundo por meio do paradigma do empoderamento. E minha primeira experiência com ele me desarmou completamente.

Eu coordenava uma grande operação e muitos gerentes se reportavam a mim. Meu primeiro contato com esse líder foi através de um telefonema. Ao pensar nisso agora, percebo que todos os elementos de ganha-ganha – os resultados desejados, as diretrizes, os recursos, a prestação de contas e as consequências – estavam disseminados pela organização, embora na época não houvesse nenhum registro escrito.

"Stephen, acho que é meu papel ser uma fonte de ajuda para você e gostaria que pensasse em mim dessa forma e me colocasse sempre a par do que eu posso fazer para ajudar." Pensei que jamais vira uma abordagem tão suave e respeitosa, mas acreditava que no fundo ele estava tentando criar o relacionamento de modo a poder vir e se certificar de que tudo estava indo bem e corrigir o que porventura estivesse errado. O bom julgador julga os outros por si mesmo, e era assim que eu pensava. Assim, quando ouvi suas palavras, projetei meus próprios motivos sobre seu comportamento, sem perceber o paradigma a partir do qual ele operava.

Ele disse: "Pode acreditar em mim, Stephen. Gostaria de visitá-lo, mas a hora talvez não seja adequada. Você talvez esteja bastante ocupado e agora não deve ser o melhor momento para tentar ajudá-lo. Você decide."

Comecei a pensar: "Ele está dizendo a verdade. Parece que aqui eu posso ter voz ativa. Não se trata de um supervisor abelhudo vistoriando meu trabalho. Ele realmente deseja ser uma fonte de ajuda."

"Talvez eu possa lhe falar um pouco a meu respeito", comentou ele em seguida, "e a maneira como venho trabalhando. Acredito que dessa forma você pode ter uma ideia de como eu poderia ser uma fonte de recursos para você." Bom, ele tinha cerca de 20 anos a mais de experiência do que eu. Possuía um manancial muito rico e era extremamente sábio. Mas eu realmente estava assoberbado naquele momento, então disse a ele que seria melhor se conversássemos em outra hora e desligamos.

Quando pedi que nos visitasse algumas semanas depois, o homem teve a mesma atitude. Encontrei-o no aeroporto e perguntei o que ele desejava examinar. Ele me informou que estava ali para ajudar. "Vamos fazer o que você quiser." Então, levei-o para uma reunião e disse que seria muito útil se ele reforçasse uma questão em particular, que eu estava tentando tornar clara para o grupo. Ele fez o que pedi. Em seguida, solicitei outra coisa e ele atendeu. Toda vez, ele se voltava para mim e perguntava se havia algo mais a fazer.

Percebi então que eu era o responsável e que ele estava ali para ajudar. Passei a me abrir bastante com ele. Quando saía de uma reunião depois de resolver alguns problemas do meu jeito, perguntava a ele: "O que você achou do modo como contornei essa situação? Está de acordo com o que diz sua experiência?"

Ele então respondia que talvez eu pudesse ter levado em conta o que estava sendo feito em outra divisão ou considerado outra opção.

Ele jamais me dizia o que fazer. Basicamente reafirmava minha responsabilidade e meu poder para tomar as decisões, mas dava exemplos de elementos que eu deveria levar em consideração.

Percebi então que minha consciência, não esse homem, tornou-se a força dominante. Ele tinha outras áreas de responsabilidade. Ele me deixaria e iria fazer outras coisas, mas minha consciência não. Ela estava sempre comigo.

Puxa, como eu me senti responsável! Comecei a me balizar por sua sabedoria e sua experiência, e ela aflorou com abundância. No entanto, o homem nunca me disse o que fazer. Sempre recomendava: "Considere esta opção" ou "Já pensou nesta outra possibilidade?".

Bem, isso exaltou minha consciência de uma forma que eu jamais havia experimentado.

Logo depois, comecei a trabalhar com outro supervisor, que também era ótima pessoa, porém extremamente controlador. E a certa altura descobri como era fácil fazer apenas o que ele ordenava. Só que não havia nenhuma chance criativa, nenhuma oportunidade de aprendizado. Eu me sentia totalmente desestimulado. Então, todas as minhas fontes de satisfação passaram a estar fora do trabalho. E o mesmo aconteceu com todas as pessoas em torno desse supervisor. Elas se acomodaram ao estilo dele.

Esse tipo de experiência me ajudou a perceber a diferença entre empoderamento e controle.

Ao entrevistar vários ganhadores do prêmio Malcolm Baldrige (concedido a empresas americanas que alcançaram a excelência em gestão), perguntamos qual havia sido o maior desafio deles. "Abrir mão do controle!", era a resposta quase unânime. É difícil. Não faz parte de nosso roteiro preestabelecido. A maioria de nós não teve mentores que acreditassem no paradigma do empoderamento e que fossem capazes de ensiná-lo. Mas como disse o ex-presidente norte-americano George Bush em uma cerimônia do prêmio Malcolm Baldrige: "Essas empresas vitoriosas percebem que são tão fortes quanto a inteligência, o discernimento e o caráter de seus funcionários."[1]

O trabalho do líder/servidor é ajudar a criar essa inteligência, esse discernimento e esse caráter. Isso pode demandar rupturas com as formas tradicionais de ver e fazer. Por exemplo, você pode:

- Levar seu filho para a próxima reunião de pais e professores e deixar que ele ajude a conduzir a entrevista. Permita que descreva seus esforços, fale sobre seus desejos e esperanças e responda, se assim o escolher, ao feedback do professor. Você e o professor tornam-se líderes/servidores. Mostre, na prática, que ele tem a iniciativa da própria educação. O que as pessoas podem fazer para ajudá-lo?
- Na próxima vez em que um sistema burocrático exigir que você faça avaliações de desempenho, entregue o formulário ao funcionário *antes* do respectivo período de avaliação. Certifique-se de discutir com ele os elementos do formulário, pois fazem parte dos resultados desejados, das diretrizes, dos recursos, da prestação de contas e das consequências do acordo de desempenho. Em seguida, seja uma fonte de ajuda para o funcionário. Quando se encontrar com ele, faça-lhe as seguintes perguntas:

  - *Como estão indo as coisas?*
  - *O que você está aprendendo?*
  - *Quais são suas metas?*
  - *O que posso fazer para ajudar?*

  Quando o momento da avaliação de desempenho chegar, peça ao funcionário para preencher o formulário e em seguida analise-o com ele. Aproveite a ocasião para discutir também o seu desempenho. Você ofereceu o suporte e os recursos adequados?

- Quando alguém lhe apresentar um problema, faça a seguinte pergunta: "O que você recomenda?" Não se apresse em resolver problemas que as pessoas podem e devem resolver sozinhas. Estimule-as a usar a própria criatividade a fim de encontrarem alternativas melhores e inovadoras para fazer as coisas. Cobre a prestação de contas dos resultados, não dos métodos.

(Rebecca) Há algum tempo, fui convidada para trabalhar com um grupo de jovens na criação e na produção de um musical. Eu estava aprendendo o conceito de líder/servidor e decidi que, mais do que produzir uma peça, queria ajudar essas pessoas a crescerem e a desenvolverem seus talentos e sua habilidade de liderança.

Em cooperação com aqueles que haviam me chamado para ajudar na produção, defini certos princípios orientadores que acreditava serem melhores para realizar esse objetivo:

- Determine a responsabilidade e ensine os jovens a assumi-la.
- Não tolere a incompetência; ajude-os a se tornarem competentes.
- Ensine os princípios corretos e deixe-os governar a si mesmos.

Os líderes, Becky e Brent, tinham ambos 17 anos. Eram talentosos e estavam entusiasmados com o projeto, mas não eram experientes. Quando fomos apresentados, falei o seguinte: "Estou emocionada por estar trabalhando com vocês. Tenho certeza de que essa produção será maravilhosa. Gostaria de me encontrar com vocês regularmente, e estou disposta a fazer tudo o que for necessário para ajudá-los a alcançar o sucesso. Meu trabalho é ser uma fonte de recursos para vocês. O que gostariam que eu fizesse?"

No começo, eles ficaram com um pé atrás. Na verdade, eles não tinham a menor ideia do que precisava ser feito e acreditavam que eu iria conduzi-los. Mas não o fiz. Quando expliquei a eles o papel de líder/servidor, firmamos um contrato psicológico e eu me comprometi a estar sempre à disposição para oferecer informações, ajuda e apoio. Assim que compreenderam o papel que iriam desempenhar, começaram a pensar e chegaram à conclusão de que precisavam de um roteiro.

"Isso!", concordei. "Como vão consegui-lo?"

Ao discutir o assunto, a primeira ideia que tiveram foi anunciar o tema e pedir que outros jovens enviassem roteiros. Francamente, eu não sabia se essa abordagem iria funcionar. Tínhamos apenas seis meses até a apresentação. Queria que eles aprendessem, mas também desejava que fossem bem-sucedidos. Eu revelava minhas preocupações, mas também expressava minha confiança na liderança deles e deixei claro que a decisão era dos dois. Eles decidiram estabelecer um prazo para o envio dos roteiros de modo que ainda tivessem tempo para colocar em prática outra opção, caso não fossem satisfatórios.

Nenhum serviu. Por essa razão, fiz o seguinte comentário na reunião seguinte: "Tudo bem, o que aprendemos com isso? E qual será nosso próximo plano de ação?" Eles discutiram diversas possibilidades e decidiram que eles mesmos escreveriam – Becky ficaria com o roteiro e Brent comporia. Embora Becky gostasse de escrever e Brent adorasse música, nenhum dos dois havia feito nada do gênero até então. Eles se sentiram pressionados e um pouco assustados. Mas expressei minha confiança na habilidade deles para transformar o projeto em realidade. Eles começaram a trabalhar.

Em poucas semanas, conseguiram produzir o que na minha opinião era um ótimo roteiro e uma série de belas músicas originais. Nas reuniões subsequentes, decidiram envolver outros jovens como líderes em todos os aspectos da produção. O diretor, o coreógrafo, o cenógrafo e o continuísta eram jovens entre 12 e 17 anos. Eu me encontrava com Becky e Brent antes de eles se reunirem com os outros líderes para ajudá-los a planejar e a preparar a reunião. Passei a me encontrar com eles também depois de cada uma dessas reuniões a fim de ajudá-los a avaliar e a implementar o que tinham aprendido. Sugeri que uma das formas como eu poderia ajudar seria oferecendo um assistente adulto para aconselhar, treinar e ajudar cada um dos jovens líderes – mas não fazer o trabalho por eles. Como Becky e Brent gostaram da ideia, recrutei especialistas em cada área e me reuni com eles para explicar a abordagem que desejávamos executar para ajudar os jovens a se desenvolverem.

Era emocionante testemunhar os progressos. Em nossas reuniões, eu sempre perguntava a Becky e Brent como tudo estava indo. Eles compartilhavam as experiências e falavam sobre as frustrações. Quando pediam conselhos, às vezes eu fazia alguma sugestão, perguntando se haviam considerado uma possibilidade em particular ou se não podiam abordar a questão por determinado ângulo. Mas em geral eu dizia: "Realmente, isso é preocupante. O que vocês recomendam?" Em algumas ocasiões, eu levantava detalhes que os dois tinham ignorado. Ficava absolutamente fascinada com as ideias criativas que apresentavam quando reconheciam suas responsabilidades e que ninguém faria nada por eles, embora tivessem uma monte de pessoas dispostas a trabalhar sob sua direção e ajudá-los a transformar o sonho em realidade.

Nem sempre era fácil seguir as diretrizes. Em um dos ensaios, um dos líderes adultos – que era muito competente do ponto de vista técnico, mas estava mais acostumado com o estilo de liderança do controle – começou a realizar o trabalho da jovem líder. Meu impulso imediato foi o de me dirigir a ele e perguntar o que estava fazendo, já que ele sabia muito bem que seu papel era ajudar aquelas crianças a aprender a fazer as coisas por si mesmas. Mas decidi que era mais lógico para o nosso propósito aguardar a reação dos jovens líderes. Eles por fim se aproximaram de mim e descreveram a situação. Eu disse: "Isso é um problema. O que vocês vão fazer?" Eles discutiram e decidiram que a jovem líder deveria abordar o conselheiro para discutir a questão. Ela encarou o desafio com coragem e determinação, e o problema foi resolvido.

No fim, eles envolveram 90 pessoas na produção. Os jovens líderes e todas as outras pessoas que participaram do projeto trabalharam, suaram e aprenderam muito mais do que se os adultos tivessem conduzido o show. E a qualidade da produção foi fantástica. Os expectadores ficaram profundamente emocionados. Depois de apresentarem a peça em sua cidade, os jovens foram convidados a realizar duas apresentações para centenas de pessoas no salão de convenções de uma cidade vizinha. Foram aplaudidos de pé em ambas as noites.

Descobri que ser um líder/servidor era bem mais difícil – pelo menos na primeira vez – do que ser um líder controlador. Mas a recompensa foi infinitamente maior! A produção foi emocionante – mas muito mais emocionante para mim foi saber que, aonde quer que esses jovens fossem no futuro, eles levariam consigo a capacidade ampliada de fazer uma diferença qualitativa no que quer que realizassem.

"Realizar tarefas por meio das pessoas" é um paradigma diferente de "desenvolver pessoas por meio da realização de tarefas". Com o primeiro, você consegue que as coisas sejam feitas. Com o segundo, consegue que elas sejam feitas com muito mais criatividade, sinergia e eficácia, e, no processo, desenvolve a capacidade de fazer mais também no futuro.

TUDO ISSO PARECE FANTÁSTICO, MAS...

A maioria das pessoas é capaz de perceber o poderoso impacto que a liderança baseada em princípios tem na criação de um ambiente de empoderamento. Mas há desafios. Na prática, às vezes deparamos com situações que nos testam profundamente, que exigem que acessemos nossos dons e capacidades de um jeito novo e poderoso. Para concluir este capítulo, gostaríamos de apontar os desafios enfrentados com mais frequência na criação do empoderamento de dentro para fora.

E se meu chefe nunca tiver ouvido falar de ganha-ganha?

Ainda que seu chefe nunca tenha ouvido falar de ganha-ganha, ao menos já ouviu falar de ganhar, então comece por aí. Você não precisa usar as palavras "acordo de desempenho". Basta dizer a ele o seguinte: "Estou analisando os papéis que exerço e gostaria de me certificar de que temos um acordo claro quanto às minhas funções. Tenho aqui uma lista do que acredito serem minhas prioridades. Você poderia analisá-la e me dizer se espera algo diferente disto?" Procure entender. Discuta sobre o assunto. Estabeleça um acordo sobre os resultados desejados.

Em outra ocasião, pode voltar e dizer: "Estas aqui são as políticas e as diretrizes-chave de que tenho conhecimento. Há alguma outra coisa importante que eu precise saber?" Da mesma forma, você pode analisar cada um dos cinco elementos do ganha-ganha.

Esse processo talvez leve semanas, meses. Mas depois você poderá basear seu desempenho nas respostas que obtiver. E se lhe for feita alguma solicitação que não esteja em harmonia com o acordo, pode voltar até ele e dizer: "Aqui estão as prioridades que desejava que eu seguisse. O que gostaria que eu mudasse?" Talvez a solicitação represente uma mudança genuína de direção. Ou talvez seja apenas uma outra "tarefa" que esteja prestes a ser repassada para você (e que agora seja passada para outra pessoa com foco em urgência em vez de você). O acordo lhe dará – e a seu chefe – um padrão no qual se basear.

E se meu chefe não quiser me ver empoderado?

Uma mulher compartilhou a seguinte experiência:

> A cultura da minha empresa é como um clube de senhores à moda antiga. O comitê executivo é formado por senhores sexagenários que estão há anos na empresa, para os quais as mulheres estão ali apenas para servir cafezinho. É extremamente difícil ser levada a sério e galgar degraus hierárquicos. Eles fazem tudo do mesmo jeito há 30 anos e não estão nem um pouco dispostos a mudar. E quando alguma funcionária proativa se aproxima deles e diz que gostaria de fazer um acordo ganha-ganha, eles não lhe dão a menor atenção.

Realmente há algumas situações em que a cultura está tão arraigada e as pessoas a seguem há tantos anos que se torna muito difícil mudá-la, sobretudo se seu círculo de influência for restrito. Se a situação não lhe permitir obter ganhos, talvez a melhor opção seja procurar um outro emprego.

No entanto, há inúmeros exemplos de pessoas em situações semelhantes que foram capazes de promover grandes mudanças.

(Roger) Há alguns anos, fui convidado para desenvolver um programa de treinamento em uma grande organização. Quando cheguei, herdei uma secretária que estava há alguns anos na casa.

Ela fazia com eficácia tudo que se podia esperar de uma assistente pessoal. Mas, ao poucos, começou a demonstrar outras aptidões. Passados alguns dias em que eu lhe ditava as respostas para as correspondências, ela me trouxe as cartas do dia, abriu-as, classificou-as e disse: "Se o senhor pretende responder a alguma dessas cartas da forma como fizemos ontem, eu poderia rascunhá-las a fim de economizar seu tempo. Depois o senhor pode dar uma olhada e me dizer o que achou." Como eu estava um pouco apressado, aceitei. Os rascunhos que ela me deu eram bem-escritos e sensíveis – melhores até do que as cartas que eu mesmo escrevia. Em pouco tempo, ela estava fazendo 95% das cartas e apenas as trazia para minha aprovação.

Como eu estava impressionado com seu texto, perguntei-lhe se não gostaria de participar da criação de um manual de treinamento. Ela concordou.

Então lhe atribuí um tópico específico e pedi que ela anotasse algumas ideias. Ela não se limitou a colocar as ideias no papel; produziu um excelente rascunho do material proposto.

Com o passar do tempo, assumiu a posição de treinadora e assistente administrativa do departamento. Só então eu soube que tinha mestrado em comunicação e que aceitara a posição de secretária porque era a única vaga disponível na época. Devemos a ela grande parte do sucesso do programa de treinamento.

Essa mulher ampliou minha visão sobre a eficácia com que uma pessoa pode desempenhar um papel. Alguns de meus maiores parceiros de trabalho foram pessoas que começaram como assistentes pessoais e desenvolveram suas capacidades e foram galgando posições ou continuaram onde estavam porque essa era a função que queriam desempenhar.

Em quase todas as situações, se você desenvolver suas habilidades e capacidades e trabalhar dentro de seu círculo de influência, com o tempo poderá modificar o modo como as pessoas veem você e seu trabalho. Se não enxergar com clareza o que deseja fazer em seu emprego e não estiver disposto a investir na mudança, perderá o ânimo com facilidade, passando a culpar e a acusar os outros por seu eventual fracasso. É fundamental manter o ânimo, perceber que pode fazer a escolha de tentar mudar o paradigma ou mudar a situação.

E se as pessoas não quiserem ser empoderadas?
Algumas pessoas foram tão massacradas por experiências do gerenciamento por objetivos nas quais exercitaram alguma liberdade e acabaram se dando mal que ficaram traumatizadas. Guardam marcas profundas e sua atitude passa a ser a de total passividade: "Olhe, basta que me digam o que eu tenho que fazer. Deixe-me ganhar o máximo possível de dinheiro com o mínimo possível de esforço e depois ir embora." Outras acham que o que acontece no trabalho não tem a menor influência em sua qualidade de vida. Obtêm prazer fora do ambiente de trabalho. Já alcançaram certa estabilidade e não desejam ser incomodadas.

O acordo ganha-ganha pega as pessoas onde elas se encontram, não onde você gostaria que estivessem. Por essa razão, você deve ir até onde elas estão. Pode definir um acordo de desempenho baseado em qualquer que seja o nível de iniciativa com o qual elas se sintam à vontade. Mas seja totalmente aberto. Revele suas intenções.

"Creio que você prefere apenas atender às expectativas, como vem fazendo. Você acha que se fizer bem seu trabalho, deve ser o suficiente. Desde que possamos fazer um acordo sobre desempenho e níveis de prestação de contas que satisfaçam tanto a você quanto a mim, se é isso que representa um ganho para você, para mim está tudo bem. Mas eu queria que você soubesse que eu valorizo seu trabalho e que gostaria de sua contribuição. Quando surgirem as oportunidades, vou mantê-lo informado. Estou convencido de que, com o tempo, poderemos encontrar áreas que despertem mais o seu interesse e que estimulem maiores níveis de iniciativa, o que será melhor para nós dois."

Outras medidas que podem ajudar a construir maior empoderamento incluem:

- Envolver as pessoas na criação de uma declaração de missão para o grupo ou para a organização.
- Quando elas apresentarem problemas, perguntar: "O que você recomenda?"
- Ser paciente e deixar que falem por si os exemplos de outros no grupo com acordos de iniciativa de alto nível.

E se o sistema de trabalho for ganha-perde?

Imagine que você seja o gerente de um pequeno departamento que realmente acredita em uma abordagem de gerenciamento de equipe. Você trabalhou com a equipe para criar uma declaração de missão, e ela funcionou muito bem. Todos da equipe aderiram. Gostaram dela. Estão empolgados. Ela os energizou. Eles têm uma sensação de serem responsáveis pelo próprio destino.

Mas você está em uma estrutura organizacional que o obriga a hierarquizar a equipe. O sistema não está alinhado: você contrata vencedores e em seguida é obrigado a perder tempo classificando-os. O que pode fazer?

Envolva-os no problema; elabore uma solução em conjunto.

Você pode reuni-los, explicar como funciona o sistema e perguntar se eles têm ideias criativas a partir das quais possam trabalhar juntos dentro do sistema para atender às próprias necessidades. "Temos este problema. O que vocês sugerem?"

Se seu nível de confiança for alto, vocês poderão criar verdadeiras soluções de terceira alternativa em conjunto.

Dependendo de seu círculo de influência e da confiança que os outros depositam em você, seus esforços para modificar o sistema podem se difundir até influenciar toda a organização. Se você for paciente e perseverante, e trabalhar em harmonia com os princípios corretos, a mudança positiva que criar poderá beneficiar a todos.

E se houver uma realidade de escassez?

Em dada ocasião, em uma grande empresa petrolífera, uma pessoa perguntou o que acontece nos tempos de vacas magras, quando a empresa precisa se reestruturar e reduzir seu quadro.

Outra pessoa se levantou e disse que em alguns casos deve-se fechar a própria fábrica, como já havia acontecido, época em que os diretores executivos envolveram todas as pessoas no problema desde o começo. Eles estavam tentando entender, buscando sinergia, o ganha-ganha. Juntos, analisaram os dados econômicos e financeiros, o mercado no qual atuavam, a situação da empresa. Todo mundo pôde ver a realidade econômica que havia condenado a fábrica. Ela era obsoleta. O mercado estava estagnado. Foi possível ver que não havia possibilidade de qualquer operação de salvamento. Então juntos eles se concentraram na realocação dos funcionários no mercado de trabalho.

No dia em que a fábrica foi fechada, a imprensa foi até lá na expectativa de encontrar piquetes, protestos, raiva e hostilidade. Em vez disso, eles se surpreenderam ao ver uma enorme festa de despedida. Havia uma grande sensação de confiança na cultura graças à abertura com que os executivos seniores envolveram as pessoas no problema e que juntos eles elaboraram a solução.

E se a situação mudar?

O que acontece quando entra um novo chefe, quando o departamento no qual você trabalha é reestruturado, quando você percebe que os resultados desejados deixaram de ser satisfatórios?

E se ocorrerem mudanças fora do âmbito da empresa? Como você responde à mudança do ambiente? O que acontece quando muda o fornecedor, a bolsa de valores apresenta uma queda brusca ou as tendências de mercado de repente mudam de direção? De que maneira você equilibra tudo isso dentro da estrutura do acordo?

A premissa da criação de um acordo de desempenho é a de que a situação *vai* mudar. Não se trata de um contrato com efeito legal. As pessoas não correm com medo dele. Ele é estabelecido na base da confiança. Não foi criado para escravizar as pessoas, mas para libertá-las. É uma forma de melhorar a comunicação e de esclarecer as expectativas. *E* deve ser modificado se a situação mudar. Ele pode ser renegociado por ambas as partes a qualquer momento. É um documento vivo.

E se eu tiver medo de o barco afundar?

Um participante de um de nossos programas, gerente de uma grande empresa, compartilhou esta experiência:

Certo dia, participei de uma reunião na empresa em que as pessoas estavam discutindo políticas importantes com potencial de causar grandes problemas ambientais. Enquanto estava ali sentado, percebi que, embora realmente me preocupasse com as questões ecológicas, não estava me pronunciando.

"Por quê?", perguntei a mim mesmo. "Por que estou com medo de dar opiniões? Quando fui contratado para trabalhar nessa empresa, anos atrás, eu não tinha medo. Expressava abertamente meus sentimentos e minhas preocupações. Era uma pessoa segura. Acreditava poder agir com integridade. O que aconteceu para eu mudar tanto?"

Enquanto pensava, percebi que passara a dar valor a outras coisas. Tinha comprado uma casa nova. Estava pagando as prestações de um barco. No fundo, não queria fazer nada que ameaçasse minha segurança financeira. Percebi que tinha me acomodado, estava preso a "algemas de ouro".

Naquele momento, tomei duas decisões: colocar minhas finanças em ordem e fazer algumas reservas, além de melhorar continuamente minha projeção no mercado. Não queria voltar a uma posição em que minha integridade fosse comprometida pela dependência de um emprego.

Esse gerente relatou que, mais tarde, promoveu uma reunião com os subordinados, deu um jornal para cada um e pediu que abrissem na seção de empregos. "Procurem", disse. "Vejam se encontram uma posição melhor do que a que têm no momento." Eles obedeceram e vários auxiliares encontraram trabalhos que lhes pareciam bastante interessantes. "Tudo bem", disse ele. "Deem uma averiguada. Vejam se podem se candidatar para esses trabalhos. Voltem e compartilhem a experiência."

Quando voltaram no dia seguinte, a maioria estava chocada, pois havia descoberto que não estava qualificada. Os trabalhos requeriam novas habilidades, conhecimentos e informações que eles não possuíam. Esse gerente compartilhou sua experiência pessoal e os encorajou a basearem sua segurança na própria capacidade, não no emprego.

Se você tiver medo de agir com autenticidade, falar corajosamente, desafiar as premissas, estará prestando um desserviço a si mesmo e à própria organização. Analise seus medos e liberte-se, de modo que possa ser e dar o melhor.

E se as pessoas com quem trabalho não forem confiáveis?

E se você tiver sérias dúvidas quanto às pessoas com as quais trabalha? E se você questionar a competência ou mesmo o caráter delas? Como poderá estabelecer um acordo de desempenho baseado na confiança?

Veja a seguir alguns princípios-chave:

1. Antes de mais nada, ouça o que seu coração tem a dizer. O sucesso vem sempre de dentro para fora. Comece por você mesmo. Como você vê essa pessoa? Seu paradigma poderia ser parte do problema? Você tem certeza de que deseja que essa pessoa seja bem-sucedida? Você acredita que essa pessoa tenha a capacidade de crescer e se desenvolver?

Nossa experiência diz que as pessoas não são incompetentes porque querem. Nem são propositalmente mesquinhas, traidoras ou manipuladoras. Elas apenas ainda não aprenderam a trabalhar em grupo. Em geral, os juízos negativos a respeito do caráter de uma pessoa provêm de mal-entendidos. Presuma que as intenções delas sejam boas. As crenças profundamente arraigadas sobre uma pessoa em particular darão o tom de todas as interações que vocês tiverem. O caráter e a competência estão sempre em um *continuum*. Certifique-se de que os paradigmas sejam verdadeiros desde o princípio.

2. Cultive a autorresponsabilidade e a autodireção. É importante perceber que em última instância não somos responsáveis pelo desenvolvimento de ninguém. Jamais podemos mudar alguém; as pessoas devem mudar a si mesmas. Mas podemos ajudá-las. Podemos ser uma fonte de recursos. Podemos cultivar, incentivar e dar apoio. Podemos ser um líder/servidor.

Use o acordo de desempenho como um veículo para alcançar o crescimento. Ele é suficientemente flexível para lidar com uma larga faixa de caráter e também de competência. Ajuste o acordo de modo a se adequar à situação.

Seja realista e claro quanto aos resultados desejados. Fale a respeito deles. Você não ajudará ninguém se criar artificialmente um conjunto agradável de expectativas. Certifique-se de representar os interesses de todos os envolvidos: a empresa, a família ou o grupo de trabalho, além do indivíduo. Em alguns casos, os funcionários podem chegar a se desligar do trabalho atual e procurar outra posição, mais adequada às suas aptidões.

Discuta as diretrizes. É preciso estabelecer mais diretrizes? Talvez seja necessário estabelecer uma comunicação mais frequente. Discuta o nível de iniciativa. Talvez o nível dois seja suficiente em um momento do relacionamento em particular. À medida que melhorar o desempenho, ele pode sofrer ajustes.

Analise os recursos. Alguma coisa pode ser particularmente útil? Dê à pessoa todas as oportunidades de obter sucesso em sua empreitada. Talvez o acordo possa incluir apoio para cursos noturnos ou um programa de treinamento dentro da empresa ou ainda metas de um programa de leitura pessoal. Em uma família, pode incluir determinadas habilidades a serem aprimoradas, tendo os pais como fonte para seu desenvolvimento.

Fale especificamente sobre prestação de contas e consequências. Use a prestação de contas de curto prazo. Ajude as pessoas a desenvolver a habilidade de avaliar o próprio desempenho de acordo com um critério específico. Mais uma vez, você não tem nada a ganhar sendo artificialmente suave ou artificialmente duro. Lide com a realidade. Ajude as pessoas a enxergar os resultados de seus comportamentos.

Às vezes, é melhor oferecer feedback direto. Não se coloque na condição de juiz ou jurado. Seja uma fonte de ajuda. Concentre o feedback em torno dos elementos do acordo de desempenho. Deixe-se governar pelo acordo. Ao analisarem o acordo em um ambiente amistoso, as defesas são retiradas e os princípios assumem a condição de mestre. Estimule as pessoas a olhar para a própria bússola interna. Faça perguntas do tipo: "De que maneira você analisa seu desempenho, comparando-o com esse acordo?"; "Como você avalia a opinião de seus colegas de trabalho sobre seu envolvimento?". Crie autoconsciência. Ajude-as a ver o resultado lógico do nível de desempenho que têm. Com clareza e confiabilidade de sua parte, as pessoas se abrirão para aprender e crescer. A própria consciência pode instruí-las.

Você também pode sugerir que o funcionário obtenha feedback de outras pessoas. Pode ser que essa pessoa não tenha consciência da forma como seu comportamento influencia os outros. Esse feedback deve ser dado de maneira honrosa – diretamente para o indivíduo, não a você. Se uma pessoa for extremamente dependente da opinião alheia, é possível que tenha sérios pontos vulneráveis – fraquezas muito difíceis de admitir de forma consciente. Se as pessoas são muito vulneráveis e suscetíveis, você pode envolvê-las em um desenvolvimento profissional que lide com a fraqueza de que têm consciência. Aos poucos, ganharão confiança e aceitarão o feedback sobre os pontos vulneráveis.

Falando de modo geral, quando pessoas relativamente seguras obtêm esse feedback de 360 graus em seus pontos vulneráveis, elas ficam arrasadas. Revelam tendências egoístas. Sentem-se humilhadas. Embora não o reconheçam ou expressem consideração, o feedback terá seu efeito.

Nessas ocasiões, é muito importante dar apoio e atenção de modo que saibam que você se preocupa com elas. Elas devem saber que você não sente nenhum prazer secreto em dizer o que realmente precisam ouvir.

Se a pessoa em quem você não confia for seu chefe, a comunicação aberta é igualmente importante. Ofereça um feedback honesto baseado nos critérios definidos no acordo. Talvez seja necessário um longo tempo para criar a confiança desejada. Se você perceber que não pode revelar suas preocupações ou achar que a pessoa não está disposta a mudar, talvez seja o caso de explorar outras posições ou oportunidades de emprego. O trabalho em um ambiente de desconfiança é desgastante para você e para a empresa.

O fato de as pessoas não serem perfeitas não deve conter seu empenho para criar um ambiente de alta confiança. Não pegue a saída mais fácil, que é a de voltar para um estilo de ação autoritário, linha-dura. O estabelecimento de controle excessivo para se proteger dos problemas de algumas pessoas comprometerá o desempenho de toda a organização.

Como a perspicaz liderança de uma empresa observou em seu relatório anual:

> A confiança no fato de que as pessoas são criativas e construtivas quando têm mais liberdade não implica uma exagerada e otimista crença na perfeição da natureza humana, mas a crença de que os inevitáveis erros e pecados da condição humana são superados com muito mais facilidade pelos indivíduos que trabalham juntos em um ambiente de confiança,

liberdade e respeito mútuo do que por indivíduos que trabalham sob regras, regulamentos e restrições impostas a eles por um outro grupo de pessoas imperfeitas.[2]

O que acontece quando alguém comete um erro?
Em uma cultura de alta confiança, os erros honestos são vistos exatamente como o que são: uma oportunidade de aprendizado. Se você não for bem-sucedido na primeira tentativa, descubra o motivo. Comunique-se. Inicie um diálogo. Descubra o que é possível ganhar com a experiência. E depois vá à luta. A empresa não ganha nada se os indivíduos têm medo de assumir riscos, se eles morrem de medo de cair do cavalo. As pessoas só têm o controle das próprias vidas quanto estão livres para errar.

Um gerente disse:

> As coisas afloram de todos os lados nos lugares em que é preciso tomar decisões independentes. Como gerente, quero que essas pessoas trabalhem a toda, que sejam seres humanos empoderados, usando sua inteligência para fazer seu trabalho enquanto prosseguem. Sei que é esse o caminho para conquistar o coração das pessoas, em vez de apenas um aperto de mão. O acordo que temos é o de que, se eles cometerem um erro, a culpa é minha. Mas se eles acertarem, o sucesso é deles. Eles têm cobertura para tomar decisões independentes.

Se o mesmo erro for cometido sistematicamente, trata-se de um indicador de que o acordo pode estar fora de sincronia com a realidade. Pode haver necessidade de uma comunicação e uma prestação de contas mais frequente. Talvez a situação tenha mudado. Talvez as expectativas não tenham ficado tão claras quanto você pensava. Talvez exista a necessidade de um novo conhecimento ou uma nova habilidade.

Existem tantas razões para um erro acontecer que você raramente ganha alguma coisa ficando furioso quando alguém comete um. Essa atitude mandará um sinal claro para a cultura de todo o grupo ou da própria organização – um sinal que pode eliminar a criatividade e a iniciativa de que você precisa para ser competitivo. Em vez de sacar a arma e sair atirando para todos os lados, recorra ao acordo. Analise-o cuidadosamente. Discuta-o com as pessoas. Seja aberto e honesto. Dê um feedback claro. Faça as mudanças que precisam ser feitas e siga em frente.

O MILAGRE DO BAMBU CHINÊS

O bambu chinês é plantado depois que a terra é preparada e, nos primeiros quatro anos, todo o seu crescimento é subterrâneo. A única coisa visível no chão é uma pequena planta bulbosa e um pequeno broto crescendo a partir dele.

No quinto ano, o bambu cresce até 24 metros.

Os líderes baseados em princípios compreendem a metáfora do bambu. Eles compreendem o valor do trabalho no quadrante 2. Sabem o que significa investir no preparo do terreno, plantar a semente, fertilizar, cultivar, aguar e semear, mesmo quando não podem ver resultados imediatos, pois têm confiança de que serão deles os frutos a serem colhidos.

E que frutos maravilhosos!

A cultura de sua organização é a única vantagem competitiva que não pode ser reproduzida. A tecnologia pode ser copiada. As informações podem ser adquiridas. O capital pode ser comprado. Mas a habilidade de sua organização de colaborar com eficácia, de trabalhar no quadrante 2, de colocar o que é mais importante em primeiro lugar não pode ser comprada, transferida ou instalada. Uma cultura de alta confiança, com o pessoal altamente empoderado, é sempre para consumo interno.

Isso também acontece em uma família ou em qualquer outro grupo. Uma cultura de qualidade deve ser cultivada ao longo do tempo. Apenas agindo em harmonia com os princípios corretos, exercitando a paciência, a humildade e a coragem, e trabalhando dentro de seu círculo de influência, você poderá mudar a si mesmo e influenciar positivamente sua organização. Só se pode criar o empoderamento de dentro para fora.

Parte IV

A PAZ E O PODER DE UMA VIDA BASEADA EM PRINCÍPIOS

Quais são os resultados de um estilo de vida do quadrante 2? Quando colocamos o que é mais importante em primeiro lugar – enxergamos tudo em termos de princípios, fazemos uma pausa no espaço entre o estímulo e a resposta, agimos com base na importância –, o que acontece em nossas vidas?

Nesta última parte do livro, vamos mostrar como o paradigma do quadrante 2 funciona em situações comuns – no escritório, na família e com equipes. Vamos mostrar como a quarta geração muda o que você faz e as razões pelas quais as faz. Você verá como o relógio e a bússola combinam com os novos mapas para criar uma vida de alegria, realização e resultados fantásticos. Identificaremos tanto os pontos-chave quanto os principais obstáculos a uma vida baseada em princípios. Falaremos sobre a coragem e a segurança nos momentos decisivos da vida.

A vida baseada em princípios não é um fim em si mesmo: é o meio *e* o fim. É a qualidade de nossa viagem pela estrada da vida. É o poder e a paz que experimentamos a cada dia em que realizamos o que é mais importante.

Em uma vida baseada em princípios, a viagem e o destino são uma coisa só.

14

Do gerenciamento do tempo à liderança pessoal

*O gerenciamento atua no sistema;
a liderança influencia o sistema.*

No início deste livro, dissemos que a quarta geração é diferente em gênero, número e grau. Mais do que gerenciamento do tempo, trata-se de liderança pessoal. Não é apenas um novo processo em um paradigma antigo; é um novo processo em um novo paradigma.

Vamos examinar agora a diferença que a liderança pessoal produz nas situações práticas do dia a dia – no escritório, na família, na equipe de trabalho. Você vai perceber que os exemplos provavelmente não corresponderão exatamente às circunstâncias na sua vida. Mas não se atenha ao exemplo; busque observar o princípio em prática. Procure a diferença no modo de pensar. Em seguida, aplique o princípio a sua própria situação. Pense no impacto que a quarta geração provocará no aproveitamento do seu tempo e na sua qualidade de vida.

MANHÃ DE SEGUNDA-FEIRA NO ESCRITÓRIO

Imagine uma típica manhã de segunda-feira. Você é gerente de contas na divisão de marketing da empresa. Pertence a uma equipe, na qual cada gerente é responsável por 30 a 40 contas. Você tem sua própria sala e divide um assistente com mais dois gerentes.

Você fez seu planejamento semanal na semana passada e agora acaba de se sentar para rever as tarefas do dia. Você cria lista de itens a seguir e estima o tempo de que precisará para executar cada uma das tarefas. Os itens com um asterisco representam as atividades altamente impulsionadoras do quadrante 2 que você deseja realizar hoje.

- Preparação da reunião de amanhã com o representante da conta McKinley que virá à cidade para rever o preço e negociar a compra de uma carga (3 horas).*
- Preparar e encaminhar uma proposta para a Jameson Industries até o fim do dia (2 horas).
- Ligar para 10 pessoas da lista de expansão de contas (15 minutos a 1 hora).
- Almoçar com Bill para discutir as estratégias da conta Woffinden (1 hora e 30 minutos).*
- Examinar a caixa de e-mails: 17 mensagens (15 minutos).
- Examinar os recados da secretária eletrônica (10 minutos).
- Arquivar todo o material do dia (1 hora).

Além dos itens planejados, surgem várias outras questões às quais você precisa ficar atento:

- Duas mensagens foram colocadas em sua mesa: "O carregamento da principal conta da Anderson não chegou" (é a segunda vez este mês). "Reunião do Conselho da Qualidade, marcada para quarta-feira, foi antecipada para hoje, às 15h" (2 horas).
- Você é informado de que o assistente foi ajudar outro gerente em um grande projeto e não poderá contar com ele hoje.
- Seu chefe apareceu enquanto você revisava essa lista e perguntou se seria possível preparar uma projeção por produto para os próximos três meses de suas maiores contas. Ele precisará entregar esse relatório para o gerente da divisão às 14h (1 hora).

Como você abordaria esse dia? Para conseguir ter o melhor desempenho possível, talvez sinta a necessidade de rascunhar uma agenda em um pedaço de papel. O que deve ser feito primeiro? E depois? Como você deve encarar os desafios a seus planos? Quanto tempo terá que passar no escritório? Como estará no fim do expediente?

Uma abordagem possível seria fazer a si mesmo as seguintes perguntas:

- *Quais são as atividades mais importantes?*
- *O que pode ser adiado sem causar maiores problemas?*
- *O que posso delegar?*

- *O que pode ser dispensado?*
- *O que posso fazer com mais rapidez?*
- *Como posso organizar minha agenda para realizar as tarefas mais críticas?*

Se seguisse essa abordagem, seria capaz de reagendar algumas coisas – talvez o almoço com Bill, o arquivamento do material e as ligações de expansão de contas. Poderia delegar a tarefa do rastreamento da carga da Anderson, organizar a agenda a fim de realizar o que sente que é o mais importante – talvez a proposta da Jameson, a preparação da McKinley, os memorandos, os e-mails e as mensagens da secretária eletrônica e a projeção de contas. Talvez até consiga comparecer à reunião do Conselho da Qualidade.

Você pode agendar o dia de um modo diferente, mas digamos que essa venha a ser a abordagem básica. Como você se sentiria frente a esse dia? Teria a impressão de ter gerenciado as tarefas no sentido de colocar as prioridades em primeiro lugar, mesmo em uma situação difícil?

Agora, analise esta questão: como será sua próxima segunda-feira? E a seguinte? E todas as outras segundas-feiras de sua vida? Você estará enfrentando os mesmos desafios? Embora os detalhes possam ser diferentes, a natureza básica dos desafios continuará a mesma?

Esse é o resultado da terceira geração. Se nada mudar, você continuará delegando, adiando e livrando-se de coisas pelo resto da vida. É isso que significa colocar as prioridades em primeiro lugar?

Qual é a diferença da abordagem da quarta geração?

Em vez de atividades e compromissos, você vê seu dia em termos de pessoas e relacionamentos. Vê os processos em andamento como novas possibilidades para contribuir com a missão da organização. Não se trata apenas de uma questão de quando fazer as coisas, mas de fazê-las ou não. Além de *quando*, você deve se perguntar *por quê* e *como*. É uma questão de consultar não só o relógio, mas a bússola.

Ao tomar suas decisões, você vai querer parar e entrar em contato com sua consciência. Você vai querer:

- perguntar com intenção;
- ouvir sem desculpas; e
- agir com coragem.

Ao decidir o que é mais importante, vai querer pensar nas condições de empoderamento e considerar onde poderia concentrar seus esforços para obter um resultado de longo prazo mais positivo.

Você pode querer começar questionando a própria natureza de cada atividade:

- *Como se executa essa atividade?*
- *Por que a estou fazendo agora?*
- *Quais são as razões subjacentes da atividade?*
- *Quais são os verdadeiros objetivos?*
- *Essa atividade contribui para o objetivo da organização?*
- *Esse é o maior e o melhor uso de minhas capacidades e de nossos recursos combinados?*

As respostas a perguntas como essas determinam o que você vai decidir empreender. Em quase todos os casos, você vai querer melhorar o sistema subjacente. Vai analisar as tarefas, não como coisas a serem feitas, mas como indicadores de um processo maior que você deseja aperfeiçoar.

Vamos analisar alguns itens da lista a fim de entender como essa abordagem aconteceria na prática. Ao examiná-los, vamos sugerir algumas possíveis decisões do quadrante 2. Você pode escolher algo diferente. Tudo bem. A questão é compreender o processo básico.

1. A proposta da Jameson

Vamos pensar sobre essa atividade. Por que está sendo feita em cima da hora? Quando você tomou conhecimento dela? Qual é o sistema que você utiliza para fazer propostas? Qual é seu paradigma básico sobre propostas? Os outros gerentes de contas têm um método melhor para realizar essa tarefa?

Suponha que você perceba que a proposta será feita hoje porque você mesmo marcou esse dia para apresentá-la. Estava ansioso para fechar o negócio, para deixar claro que estava superempenhado. Então fez uma promessa audaciosa: "Entrego a proposta segunda-feira à tarde!"

Só que isso vai realmente atender às necessidades do cliente? Foi uma proposta irreal? Foi uma expectativa desnecessária? Quando o cliente irá de fato analisar a proposta? Existe algum formato que ele prefira?

Também é possível que o cliente deseje ter a proposta hoje. Nesse caso, você simplesmente vai ter que fazê-la. Mas pode ser ainda melhor esclarecer as expectativas com ele hoje e trabalhar na proposta amanhã, com uma compreensão mais precisa do que realmente necessita. Qualquer que seja o caso, o que será das futuras propostas? Existe algo que poderia fazer hoje que fosse capaz de criar maior alavancagem no futuro? Você poderia criar sinergia eficaz com outras pessoas de sua equipe no que se refere às propostas? Conseguiria estabelecer algum formato padrão que seria útil?

Ao considerar essa questão, talvez perceba que os gerentes de contas passam pouco tempo se comunicando entre si. Parte disso se deve à competitividade existente entre eles, já que a remuneração é feita por meio de comissões. Você percebe que as pessoas guardam para si as melhores ideias e métodos. E, assim, as pessoas que podem se beneficiar com o negócio são as que mais competem entre si. Por que isso acontece? O que você consegue fazer para modificar essa situação? Está dentro de seu círculo de influência? Que atitude poderia tomar para fazer a diferença?

Talvez você pudesse marcar uma reunião com os colegas sobre propostas. Talvez sugerir que um formato de proposta padrão fosse estabelecido. Mais tarde, poderia encontrar uma oportunidade para dividir as comissões em projetos coletivos. Um assistente do departamento poderia ser designado para fazer propostas a partir de informações ou condições que não são padronizadas. Isso poderia ser estabelecido com um acordo de desempenho.

Ao tomar tais medidas, você estará transformando o sistema. Em vez de apenas cumprir tarefas, poupará seu tempo futuro e o dos outros. Estará construindo relacionamentos baseados na confiança e satisfazendo as necessidades de clientes e consumidores de forma mais eficaz.

2. O problema com o carregamento

Por que esse problema ocorreu duas vezes? Há alguma razão por trás disso? Aconteceu com outra pessoa? Mais alguém precisa ser envolvido nessa questão?

Suponha que hoje você fale com o pessoal da expedição – não com uma atitude de acusação, mas tentando entender e ajudar. Qual foi a ordem que receberam? Há uma forma de melhorar o sistema? Se o problema acontece com regularidade, talvez você possa fazer um esforço conjunto com o departamento de expedição para a elaboração de uma solução. Há um fórum no qual esse problema possa ser discutido? Você poderia colocar essa questão na agenda do Conselho da Qualidade? Talvez possa preparar uma apresentação para o conselho com o pessoal da expedição sobre as necessidades que precisam ser atendidas. Envolva as pessoas no problema; elabore a solução em conjunto. Ao resolver o problema, estabeleça relacionamentos que lhe deem condições para resolver problemas com eficácia no futuro.

3. O assistente compartilhado

Por que você não foi notificado antes que não poderia contar com o assistente hoje? Essa pessoa está plenamente empoderada? Ela gostaria de contribuir mais? Talvez seja válido marcar um encontro com seus dois colegas de trabalho para iniciar o processo de um acordo de desempenho em torno dos recursos compartilhados.

Faça perguntas. Ouça. Analise os resultados desejados. O que significaria um ganho para todo mundo?

Pode ser de grande utilidade para todos que o assistente classifique a correspondência, os memorandos, os e-mails e as mensagens telefônicas de vocês três. Assim, os itens que merecem atenção imediata poderiam ser priorizados e colocados em suas mesas; o restante seria deixado em um arquivo, para ser avaliado depois. Se o assistente não for capaz de tomar essas decisões de priorização, trabalhe com ele. Explique seus critérios. Capacite-o. Cultive a autodireção e a prestação de contas para si próprio. Invista em capacitação.

4. A projeção da receita

Você provavelmente vai decidir preparar a projeção de receita para o chefe hoje, mas talvez possa se fazer as seguintes perguntas:

- *Por que meu chefe precisa disso hoje?*
- *Que informações estou deixando de fornecer com regularidade para que essa necessidade urgente surja agora?*
- *Há algum sistema que eu possa definir de modo que a informação seja colocada à disposição de imediato?*
- *Será que outros gerentes de contas precisam comunicar a mesma informação?*
- *Posso definir algo em conjunto e compartilhar as informações todas as vezes em que precisar delas?*

Você poderia incluir hoje seu nome na agenda da próxima reunião de gerentes de contas e rascunhar uma proposta em torno do que é possível ser feito a esse sistema com o intuito de ajudar a todos.

5. O Conselho da Qualidade

Por que a reunião do Conselho da Qualidade foi antecipada? É uma reunião estranha. Você nunca sabe o que está agendado. As pessoas nunca se preparam com eficácia. Nem você. Isso já vem acontecendo há algum tempo. Você acha que, ao falar com o gerente da expedição sobre a preparação de uma apresentação para o Conselho da Qualidade, talvez ele diga que esse é o último grupo com o qual deseja se envolver. É visto como pura perda de tempo. A credibilidade é baixa. Então, o que estaria ao seu alcance para fazer a diferença?

Talvez o correto fosse ligar para o presidente do Conselho da Qualidade e explicar a ele que você tem uma grande proposta e um relatório para preparar e que por isso não estará disponível para o novo horário da reunião, mas que gostaria de entrar na agenda da próxima. Você faz uma apresentação de 10 minutos sobre a aplicação de princípios de qualidade nessas reuniões. Também pode sugerir que vai trabalhar com o departamento de expedição em uma proposta de melhoria da qualidade e que em alguns dias entrará em contato para ver quando isso pode ser agendado.

Analisamos apenas alguns itens da lista, mas perceba a diferença. Em vez de se restringir a gerenciar os problemas, você trabalhará em soluções. Estabelecerá relacionamentos pessoais e sinérgicos. Cultivará cenários mentais do quadrante 2 em si mesmo e nos outros. Examinará uma agenda e procurará oportunidades de melhoria. Onde os outros veem eventos isolados, você enxerga sistemas.

É claro que você ainda vai ter um dia ocupado e muito o que fazer. E não seria realista acreditar que tudo será completamente modificado em apenas um dia. Mas você está dando alguns passos para alargar suas margens. Está criando oportunidades do quadrante 2 a partir dos itens dos quadrantes 1 e 3. Está atuando nas raízes. Está se certificando de que as próximas segundas-feiras não serão todas iguais. E está definindo o palco de melhorias significativas para futuras ocasiões. Está apoiando sua escada em uma parede diferente.

DOMINGO DE MANHÃ COM A FAMÍLIA

Quando deixamos de ver o mundo pelo paradigma do gerenciamento e começamos a concebê-lo pelo prisma do paradigma da liderança, passamos a enxergar oportunidades em lugares nos quais jamais havíamos pensado.

Um de nossos associados demonstra isso muito bem. Ele e sua esposa costumavam reservar alguns minutos uma vez por semana para se sentar com os filhos e tentar coordenar os passeios, as lições e as diversas oportunidades na vida em família. Depois de um tempo perceberam que esse hábito poderia ser uma oportunidade de liderança, além de gerenciamento.

Eles mudaram a forma como usavam seu tempo juntos e agora, em vez de tratar da agenda de uma vez, começam revendo a declaração de missão da família. Conversam sobre o que significa uma família. Discutem o que todo mundo pode fazer para tornar a família bem-sucedida. Analisam seu progresso. Repassam os princípios e valores. Então discutem os papéis de cada um dos membros da família – filho, filha, irmã, irmão, estudante, amigo. Reservam alguns minutos durante o planejamento do tempo para ajudar as crianças a definirem uma meta baseada em princípios para melhorar em cada papel, como fazer as atividades domésticas em conjunto ou perguntar sobre o dia do outro. Essas metas são simples e desenvolvem a capacidade de cada um dos filhos – o mais velho faz um pouco mais, o caçula, pouco menos. Todos aprendem pelo exemplo e conversam sobre o assunto.

Toda semana eles colocam o calendário na porta da geladeira, onde todos possam vê-lo. Reservam tempo para trabalhar em algumas metas e associar atividades, para estar juntos como família, para comparecer às atividades da escola, para que o pai e a mãe possam sair para um jantar ou um cinema. Colocam as pedras grandes primeiro. É preciso algum tempo, mas os membros da família estão começando a aprender sobre relacionamentos e como eles podem fazer a diferença juntos. Esse homem relata: "Há pouco, minha filha de 7 anos disse que percebeu que faz todo o sentido ajudar a irmã nas atividades domésticas porque dessa forma ela vai receber ajuda depois. Contou então que deixou de odiar as atividades domésticas."

Diferentes famílias fazem isso de modo diferente, mas envolver todos os membros na compreensão do que eles desejam realizar e na decisão de como trabalhar juntos para realizá-lo é energizante. Em vez de ser uma chateação, o planejamento se torna um tempo de interação positiva e compartilhamento. Nosso associado compartilha o seguinte pensamento:

> Uma das descobertas mais significativas sobre o valor desse processo veio à tona quando, como parte de um jogo familiar, nossa filha de 4 anos teve que apontar algo pendurado na parede do quarto. De todas as coisas penduradas – um cartaz de *A Bela e a Fera*, um pôster do Aladim e diversos desenhos que ela mesma tinha feito –, a menina escolheu a cópia da declaração de missão da família. Fiquei profundamente emocionado. Tornei-me ainda mais consciente da boa influência que ainda podemos ter sobre nossos filhos, assim como a importância da compreensão e do reconhecimento do bem que já está neles.

Às vezes não conseguimos encarar nosso papel na família como um papel de liderança, mas que oportunidade para influenciar! Um dos maiores legados que podemos deixar para nossos filhos é uma noção de objetivo e de responsabilidade com os princípios corretos.

UM DIA QUALQUER COM SUA EQUIPE DE TRABALHO

E quanto à equipe de trabalho? O departamento? A organização inteira? Como podemos analisar as tarefas que realizamos, os desafios diários de modo que faça uma diferença positiva significativa na forma como planejamos e nos organizamos?

A maioria das equipes em geral faz algum tipo de planejamento. Elas analisam as necessidades orçamentárias ou os números relativos às vendas e determinam o que deve ser feito para atender às obrigações de produção. Elas analisam as metas. Conversam sobre as pressões e as políticas que precisam enfrentar. Percorrem a lista, fazem atribuições específicas, definem datas, criam sistemas de acompanhamento e põem mãos à obra.

Suponha que você faça parte de uma equipe. Como poderia transformar o processo de planejamento em uma atividade de liderança?

E se você resolvesse começar a reunião de planejamento revendo a missão e a visão do grupo? E avaliasse o desempenho do último ciclo em comparação com a missão e aprendesse a partir disso? Poderia fazer perguntas como:

- *O que nos aproximou de nossa missão?*
- *O que nos afastou?*
- *Que processos impediram a realização de nossa missão?*
- *Fomos verdadeiros com os princípios corretos?*
- *Como podemos criar um alinhamento melhor?*

E se você destacasse os diversos papéis e funções e os avaliasse de acordo com a missão, fazendo as seguintes perguntas:

- *Somos dinâmicos?*
- *Há processos que poderiam ser melhorados?*
- *Quem são as pessoas envolvidas?*
- *Quem gostaria de estar envolvido?*
- *Quem deveria estar envolvido?*
- *Quais princípios aplicar?*
- *O que podemos fazer para ajudar a liberar as capacidades dos indivíduos?*
- *Podemos criar sinergia eficaz entre as tarefas e/ou metas?*
- *Há coisas que a equipe deveria começar a fazer?*
- *Há coisas que a equipe deveria parar de fazer?*
- *Os acordos de desempenho são empoderadores?*
- *Compartilhamos as mesmas expectativas?*

Existem infinitas perguntas. Não importa se você é um líder de equipe formal ou organizacional. Trabalhe dentro de seu círculo de influência. Faça perguntas. Ouça. Ajude as pessoas a refletir. Como podemos colocar a natureza de nossa eficácia em um novo nível? Como podemos progredir de forma significativa? Essas perguntas não estão relacionadas ao gerenciamento; fazem parte do universo da liderança. São questões do quadrante 2. É por meio delas que a quarta geração se diferencia.

A DIFERENÇA QUE UM DIA FAZ

Quando exercitamos a autoconsciência e examinamos nossos paradigmas, descobrimos que eles estão profundamente enraizados. A mudança não é fácil. Frequentemente olhamos as listas de tarefas, as obrigações que estão na nossa frente, e nos refugiamos na independência.

Estou constantemente me perguntando o que posso fazer para sobreviver, para me movimentar com maior rapidez, para ser mais objetivo. Já tentei consertar coisas. Já tentei substituir coisas. Sei que se trata de uma abordagem mecânica, mas é que tenho a impressão de que preciso ir mais rápido – chegar em casa mais cedo de vez em quando, diminuir um pouco a carga de problemas. As horas passando no relógio da parede aumentam a pressão. Isso aqui precisa estar pronto a tal hora, aquilo a tal hora, isso antes daquilo, e o que acontecerá se... Preciso ter mais controle. Devo ser capaz de manter os compromissos que assumo. Preciso evitar que imprevistos apareçam do nada para arruinar meu dia.

Esses paradigmas carregam seu próprio peso. São uma espiral descendente. Vão ficando mais pesados à medida que trabalhamos com mais afinco.

Em um dia do quadrante 2, as primeiras mudanças ocorrem em nossa maneira de pensar e encarar o dia. As tarefas oferecem uma oportunidade de crescimento, de melhoria. Podemos desenvolver nossa competência – aprender, expandir nossas habilidades, melhorar nosso desempenho – ou nosso caráter – ser mais honestos, mais compreensivos, ouvir os outros pontos de vista, parar com frequência para ouvir a consciência. Podemos nos dedicar a mudar os sistemas e a torná-los mais eficazes. A criatividade que surge quando ouvimos é surpreendente.

Eu paro. Analiso o contexto mais amplo. Vejo os desafios, mas os encaro como oportunidades para construir relacionamentos e criar sinergia. Você não imagina a diferença que isso faz! Fico na expectativa de orientação pessoal, de parar a fim de consultar minha bússola e os mapas. Pergunto-me como as coisas se encaixam. Percebo a força que vem à medida que as partes de minha vida se encaixam. Fico fascinado com o que posso aprender quando paro e observo os processos de minha vida – o que acontece quando estou em harmonia com os princípios. Percebo um padrão, uma beleza, uma ordem. Quanto mais alinhado estou aos princípios, mais oportunidades eu vejo. Estou realizando algo. Sinto que estou em crescimento. Que estou contribuindo. Sou uma pessoa especial. Lentamente, mas com segurança, minha visão e minha missão estão se tornando realidade. Sinto que estou me tornando mais confiável. Estou ganhando força de caráter e competência. Minha confiança nos outros está aumentando. É fascinante!

Algumas vezes é difícil. Cometemos erros. Recaímos nos antigos vícios da síndrome da urgência, nos antigos paradigmas de fazer mais em menos tempo – mesmo quando estamos fazendo coisas do quadrante 2.

No entanto, à medida que exercitamos a liderança pessoal e nos aprofundamos no quadrante 2, sentimos o crescimento, sentimos a vida. Ela se torna melhor. É uma espiral ascendente. As partes da vida se somam. E as coisas boas vão se tornando cada vez mais numerosas.

15

A paz dos resultados

Não sabemos o que acontecerá no futuro, e não podemos planejá-lo com precisão. Mas podemos manter nossos espíritos e nossos corpos tão puros e elevados, cultivar a tal ponto esse tipo de pensamento e esse tipo de ideal, e sonhar sonhos de propósito tão sublime, que seremos capazes de saber com exatidão que tipo de homens seremos, no momento e no local em que formos intimados a defender uma causa nobre. [...] Nenhum homem se torna, de súbito, diferente de seus hábitos e seus pensamentos mais caros.
– Joshua L. Chamberlain, general-comandante na Batalha de Gettysburg[1]

(Roger) Quando atravesso o cânion a caminho de Sundance, onde acontecem muitos de nossos programas, torno-me consciente de uma mudança que me toma. A agitação do escritório, com suas demandas e preocupações, evapora quando começo a perceber parte da majestade das montanhas, o fluxo do rio e a mistura de cores e formas.

Percebo que minha capacidade auditiva aumenta. O silêncio me permite ouvir com mais clareza. Vou ficando cada vez mais calmo à medida que essa voz interior se manifesta.

Esses momentos estão entre os mais importantes para mim, pois entro em contato com algo que frequentemente fica relegado a segundo plano, mas que é mais rico do que grande parte do que realizo no dia a dia. Começo então a analisar, repensar e refazer meus compromissos.

Grande parte das pessoas se sente em paz quando entra em contato com a natureza. Ficamos com uma sensação de eternidade. Nós nos tornamos conscientes da realidade e do funcionamento absoluto da lei da natureza. Vemos como somos praticamente insignificantes diante dela. Não podemos alterá-la; não podemos controlá-la. Mas o pensamento é de alguma forma tranquilizador. Então nos sentimos felizes por fazer parte de algo tão imponente e incontestável.

Há na natureza um sentido de equilíbrio e harmonia. As estações vêm e vão. Existem ciclos de vida, dando e recebendo como parte de um todo harmonioso e belo. Mesmo os eventos cataclísmicos – tempestades, terremotos, enchentes – fazem parte de uma harmonia mais ampla, um ciclo natural de crescimento e mudança. A natureza está sempre se transformando. A beleza da natureza se manifesta constantemente de acordo com as próprias leis.

A natureza nos ensina muito sobre a paz. Ela nos lembra que existem leis que estão no controle. Esse lembrete guarda um sentido reconfortante de que há ordem no universo. Tentar mudar a ordem das estações ou anular os efeitos da gravidade é tão impossível quanto mudar as consequências de nossas violações da lei natural na dimensão humana. Simplesmente não podemos definir nossas regras sem que tenhamos que arcar com as consequências. A paz e a qualidade de vida vêm apenas quando descobrimos e nos submetemos às Leis Básicas da Vida.

O QUE É PAZ?

A paz sobre a qual estamos falando obviamente é mais do que a ausência de guerra. Não se trata de um retiro em um lugar remoto para evitar as complexidades e os enigmas da vida cotidiana. A paz de que estamos falando está em nosso eu mais profundo. Está na vida prazerosa. É encontrada *na* vida, não distante dela.

A abordagem da conquista independente geralmente diz que a paz e a alegria vêm de coisas como:

- dinheiro no banco;
- controle;
- reconhecimento e fama;
- uma casa nova, o carro do ano ou outros bens materiais;
- status social superior.

O foco é basicamente se tornar mais rápido e mais eficiente na obtenção dessas metas. Mas o que resulta disso pode ser chamado de paz? Está construído em bases sólidas, capazes de perdurar?

Pare e pense na sua vida. O que a palavra "paz" significa para você? De onde ela vem? Você está satisfeito com a quantidade e a qualidade da paz que tem?

Os princípios e os processos que descrevemos neste livro criam paradigmas diferentes baseados nos princípios do "norte verdadeiro", em objetivos e perspectivas que ajudam a criar alegria e paz. Ao cultivar os paradigmas e os princípios da quarta geração, podemos ver como todas as verdadeiras virtudes das três primeiras gerações de gerenciamento do tempo são retidas e aperfeiçoadas, e seus defeitos, eliminados. O quadro das páginas 320 a 321 resumem e ilustram isso.

Ao identificar as virtudes e os defeitos dessas gerações, reconhecemos que muitos indivíduos usam suas ferramentas de um modo que reflete os paradigmas da quarta geração. Na verdade, estamos convencidos de que as pessoas em cada uma das gerações estavam o tempo inteiro bebendo na fonte dos princípios da quarta geração – porque os princípios moram no coração de todos nós. Sabemos que muitas pessoas estão na primeira geração porque são extremamente comprometidas em viver de acordo com a própria consciência e em servir onde são necessárias. Sabemos que, como as pessoas na terceira geração identificam seus valores e vivem de acordo com eles, muitas estão solidamente ancoradas nos princípios e nas leis da vida que governam a paz e a alegria. Mas também sabemos que os sistemas e os processos alinhados a esses paradigmas e desejos fundamentais do coração nos permitem traduzi-los mais plenamente no tecido de nossas vidas cotidianas.

A paz é essencialmente uma questão de colocar o que é mais importante em primeiro lugar. Na base das prioridades encontram-se as quatro necessidades e capacidades: viver, amar, aprender e deixar um legado. Priorizar o que é mais importante é uma questão de usar nossos quatro dons – autoconsciência, consciência, vontade independente e imaginação criativa – para satisfazer nossas necessidades e capacidades com base em princípios.

Quando integramos os paradigmas e os processos da quarta geração às nossas vidas, encontramos um tipo de paz diferente:

- Paz em nossa habilidade de viver, amar, aprender e deixar um legado com equilíbrio e alegria.
- Paz no desenvolvimento de nossos dons humanos, que nos energiza com caráter e competência no momento da escolha.

- Paz à medida que nossos papéis passam a cooperar em vez de competir entre si e se tornam parte de um todo sinérgico, vivo.
- A paz transcendente de aprender a ouvir e a viver de acordo com a consciência.

Os princípios existem. Nós temos consciência. E são essas duas coisas que fazem toda a diferença. Elas influenciam nossos pensamentos e a maneira como vemos tudo ao redor. Vemos como é fundamental fazer uma pausa nesse espaço entre o estímulo e a resposta a fim de ouvir nossa consciência e exercitar os atributos do coração para fazer as melhores escolhas. Vemos que existem propósitos maiores do que nosso eu para os quais podemos voltar nossas energias e nossos esforços, com paixão e com a segurança de que podemos melhorar nossa qualidade de vida. Vemos o mundo como um lugar de infinitas soluções de terceira alternativa. Vemos a importância de criar sistemas alinhados de modo que a forma como organizamos e planejamos nossa vida reforce os hábitos do coração que criam paz.

	Resumo	Ferramentas
Primeira geração	Lembretes	Anotações simples, listas de tarefas
Segunda geração	Planejamento e preparação	Calendários, agendas
Terceira geração	Planejamento, priorização, controle	Planejadores que unificam valores com metas e agendas diárias

Quarta geração	Virtudes retidas	Defeitos eliminados
As quatro necessidades e capacidades: amar, viver, aprender, deixar um legado	• Algumas necessidades satisfeitas por meio de metas e definição de prioridades (terceira geração)	• Prioridades – as coisas que estão diante de você (primeira geração) • Mais do que você quer – não necessariamente o que precisa ou o que o satisfaz (segunda e terceira gerações)
Princípios do "norte verdadeiro" Os quatro dons: autoconsciência, consciência, imaginação criativa, vontade independente	• Assume a responsabilidade pelos resultados (terceira geração)	• As habilidades, sozinhas, não produzem eficácia e liderança – é preciso caráter (segunda e terceira gerações) • Pode levá-lo a acreditar que está no controle, não as leis naturais ou os princípios – o orgulho de ter suas próprias regras (terceira geração) • Valores transparentes não necessariamente alinhados com os princípios que governam de qualquer maneira (terceira geração) • Prioridades definidas em função da urgência e dos valores (terceira geração)
A paixão da visão	• Reuniões e apresentações mais eficazes decorrentes da preparação (segunda geração) • Conexão com valores (terceira geração)	• Poder da visão reprimido (primeira, segunda e terceira gerações)
O equilíbrio dos papéis	• Menos estresse (primeira geração)	• Compromissos com os outros ignorados ou esquecidos; relacionamentos comprometidos (primeira geração) • Pode levar à culpa, à hiperatividade e ao desequilíbrio entre os papéis (terceira geração)
O poder das metas	• Muito mais realizações por meio das metas e do planejamento (segunda geração) • Visualização de metas de longo, médio e curto prazos (terceira geração) • Traduz valores em metas e ações (terceira geração)	• Algo sempre é esquecido ou negligenciado (primeira geração) • Poucas realizações (primeira geração)

Quarta geração	Virtudes retidas	Defeitos eliminados
A perspectiva semanal	• Ausência de agendas superlotadas e estruturas flexíveis (primeira geração) • Acompanhamento das listas de tarefas (primeira geração) • Acompanha compromissos (segunda geração) • Aumenta a produtividade pessoal por meio do planejamento e da definição de prioridades (terceira geração) • Aumenta a eficiência (terceira geração) • Dá estrutura/ordem à vida (terceira geração) • Reforça a habilidade de gerenciamento do tempo e do próprio eu (terceira geração)	• Ausência de uma estrutura verdadeira (primeira geração) • Viver de crise em crise em consequência do fato de ignorar as agendas e a estrutura (primeira geração) • Planejamento diário raramente deixa de dar prioridade à urgência, às pressões e à administração de crises (terceira geração)
Integridade no momento da escolha	• Capacidade de adaptação quando surge algo mais importante – flexibilidade com os fatos novos (primeira geração)	• Prioridades – coisas contidas na agenda (segunda geração) • Permite que a agenda seja mais importante do que as pessoas (segunda e terceira gerações) • Menos flexibilidade/espontaneidade (terceira geração)
A sinergia da interdependência	• Mais responsivo às pessoas (primeira geração)	• Pensamento independente e ação – vê as pessoas como meio ou obstáculo para as metas (segunda e terceira gerações) • Pode ver as pessoas como "coisas" (terceira geração)

PRIORIDADES EM PRIMEIRO LUGAR SEMEIAM A PAZ

Os princípios e os processos que descrevemos neste livro semeiam a paz nas quatro dimensões da vida: paz de consciência, de espírito, em nossos relacionamentos e até paz física. A visão proporciona objetivo e significado. Os papéis tornam-se avenidas de contribuição sinérgica. As metas tornam-se realizações fundamentadas na consciência, intencionais, integradas. A semana une a missão e o momento em um ciclo de crescimento. "Afinar o instrumento" é uma renovação diária e semanal. Cada momento de escolha se torna um espaço no qual podemos exercer nossos dons humanos para agir com integridade.

A visão compartilhada e os acordos de desempenho permitem que vejamos as pessoas em termos de oportunidades, em vez de como problemas. Percebemos que as pessoas não são coisas. Como também não são apenas representantes a quem delegamos tarefas. São seres humanos que têm o próprio espaço entre o estímulo e a resposta, as próprias qualidades particulares e a capacidade de entrar em sinergia conosco para concretizar prioridades em conjunto, de um jeito muito superior àquele que faríamos se agíssemos sozinhos.

Esses princípios e processos mudam as expectativas que grande parte das pessoas têm sobre o tempo e a qualidade de sua vida. Isso é fundamental para a paz porque, no fim das contas, a frustração é uma questão de expectativas não atendidas: esperamos que algo seja de certa forma ou produza determinados resultados, e isso não acontece. Então, ficamos frustrados.

No fundo, o problema é que boa parte de nossas expectativas provêm de um roteiro preestabelecido, da ética da personalidade ou do espelho social, ignorando o "norte verdadeiro". São paradigmas falhos e que não são fundamentados nas Leis Básicas da Vida.

Muitas pessoas esperam – consciente ou inconscientemente – ser capazes de chegar ao fim do dia tendo realizado tudo o que planejaram. Por essa razão, quando surge algum desafio inesperado, ficamos frustrados. Quando alguém surge com um problema que não tínhamos previsto, ficamos frustrados. No fundo, enxergamos as pessoas como interrupções. Concebemos as mudanças como inimigos. Nossa paz e alegria é uma questão de sermos ou não capazes de riscar todas as tarefas da lista ao fim do dia.

Mas o que acontece quando as expectativas mudam – quando vemos cada dia como uma nova aventura fascinante para a qual temos um mapa, além de uma bússola, que nos permite a percorrer os terrenos não mapeados... quando vemos os problemas como oportunidades para ajudar os outros... quando ansiamos por situações que desafiem nossas prioridades, seguros de que nossa bússola nos ajudará a continuar procurando o melhor? O que acontece quando nossa paz e nossa alegria dependem de termos ido para a cama à noite sabendo que colocamos o que é mais importante em primeiro lugar ao longo do dia? Essa expectativa muda totalmente a forma como interagimos com as realidades do dia?

Vamos analisar outra expectativa. Consciente ou inconscientemente, grande parte das pessoas tem a *expectativa* de viver sem desafios. Por essa razão todos os desafios ou problemas se tornam fonte de frustração. Porque a existência deles não atende às expectativas.

Só que essa expectativa não está baseada na realidade. A adversidade é parte natural da vida. Da mesma forma como desenvolvemos os músculos do corpo pela superação de obstáculos, como o levantamento de pesos, desenvolvemos os músculos de nosso caráter ao superar os desafios e a adversidade. M. Scott Peck observou em *A trilha menos percorrida*:

> A vida é difícil. Isso é uma grande verdade, uma das maiores porque, uma vez que nós a encaremos de fato, nós a transcendemos. Uma vez que compreendemos que a vida é difícil, ela deixa de ser difícil. Porque, uma vez que esse fato é aceito, ele deixa de ser importante.[2]

Se nossa expectativa for a de que haverá desafios, então eles deixarão de significar frustração.

Outro exemplo: a maioria de nós *espera* que os outros concordem conosco, realizando o que acreditamos que deva ser feito. Quando discordam de nós, quando manifestam dúvidas ou preocupações, quando não apoiam com entusiasmo nossas decisões, quando apresentam ideias alternativas, ficamos frustrados.

A experiência muda completamente quando esperamos que as pessoas vejam as coisas de modo diferente, quando valorizamos essa diferença e prevemos o uso sinérgico dos dons humanos para criar soluções de terceira alternativa.

As expectativas não atendidas geram frustração, mas as nossas expectativas estão sob nosso controle. Não estamos falando sobre redução de expectativas, mas sobre baseá-las nas realidades do "norte verdadeiro". Uma das maneiras mais eficazes de eliminar grande parte da frustração que experimentamos em nossa vida é examinar nossas expectativas. Toda vez que nos sentimos frustrados, podemos nos voltar para a raiz do problema.

- *Qual das minhas expectativas foi frustrada?*
- *Essa expectativa estava baseada no "norte verdadeiro"?*
- *O que devo fazer para mudar a expectativa?*
- *O que posso aprender com essa experiência para mudar minhas expectativas no futuro?*

Quando nossas expectativas não estão baseadas nas realidades do "norte verdadeiro", criamos o cenário propício à frustração e à ausência de paz.

OS DOIS PILARES: CONTRIBUIÇÃO E CONSCIÊNCIA

De todos os princípios e processos que discutimos, os dois pilares mais importantes para a paz são a contribuição (deixar um legado) e a consciência. Embora cada uma das quatro necessidades seja essencial, a contribuição dá significado e empodera as demais. Ainda que cada um dos quatro dons seja fundamental, a consciência dá significado e energiza os demais. Juntas, a contribuição e a consciência nos ajudam a saber aonde queremos ir e como chegar.

Contribuição

Certa vez, a FranklinCovey participou com uma estação local de TV educativa de um esforço para a retransmissão de uma videodramatização que desenvolvemos e filmamos na Inglaterra. A figura central da história marcante era um inglês que conseguira superar uma infância passada nas ruas para se tornar um escritor razoavelmente bem-sucedido, com uma bela casa e uma família adorável. Na época em que a história se passa, porém, ele tinha chegado a um ponto em que experimentava um bloqueio criativo. Durante algum tempo, não encontrou inspiração para escrever. Sua criatividade parecia tê-lo abandonado. As dívidas se acumulavam. Ele estava sendo extremamente pressionado pelo editor. Estava ficando deprimido, sentindo um medo cada vez maior de que os filhos terminassem na rua, como muitos que ele já vira – e como ele mesmo na juventude.

Estava desestimulado. Não conseguia mais dormir. Passava as noites andando pelas ruas de Londres. Ele constatou a pobreza, as condições degradantes das crianças trabalhando nas fábricas, a terrível luta dos pais para sustentar as famílias. Aos poucos, a dura realidade a que estava assistindo começou a invadi-lo – o impacto do egoísmo e da ganância e aqueles que se aproveitavam dos outros. Uma ideia tocou seu coração e começou a crescer em sua mente. Ele poderia fazer a diferença!

O inglês voltou a escrever com uma energia e um entusiasmo que jamais experimentara. A visão da contribuição o cativou e o consumiu. Ele deixou de se sentir em dúvida ou sem coragem. Parou de se preocupar com a própria realidade financeira. Queria terminar essa história, torná-la o mais acessível que pudesse, colocá-la ao alcance do maior número possível de pessoas. Sua vida tinha mudado completamente.

O resultado foi que o mundo mudou. A obra-prima de Charles Dickens, *Canção de Natal* (1843), iluminou a vida de milhões de pessoas. Há 150 anos sua visão deixa um maravilhoso legado de esperança, entusiasmo e carinho.

Muitos dos resultados do paradigma da conquista independente, por si sós, são vazios. Sem um contexto de propósito e significado, eles são ilusórios. Eles criam uma satisfação efêmera.

Apenas quando concentramos nossa atenção mais em contribuir do que em consumir é que podemos criar o contexto que pacifica todos os aspectos possíveis da vida. É ao deixar um legado que encontramos sentido para viver, amar e aprender.

Consciência

Grande parte da terceira geração inclui uma combinação de autoconsciência, vontade independente e imaginação criativa. Mas sem consciência, não há paz.

(Stephen) Certa vez tive o privilégio de receber um proeminente psicólogo, ex-presidente de uma associação de psicólogos. Esse homem era considerado o pai da terapia da integridade, um método de tratamento psicológico baseado na ideia de que a paz de espírito, a verdadeira felicidade e o equilíbrio são uma questão de levar uma vida de integridade para a consciência. Ele acreditava que a consciência se embebia do sentido universal de certo e errado comum a todas as culturas, religiões e sociedades duradouras em toda a história da humanidade.

Certa tarde, entre uma palestra e outra, levei-o até as montanhas para ver a emocionante paisagem. Aproveitei a oportunidade para perguntar como ele começou a acreditar na terapia da integridade.

"Foi uma experiência muito pessoal", disse ele. "Eu era maníaco-depressivo e quase toda a minha vida fora uma série de altos e baixos. Depois de algumas consultas, começava a me sentir estressado e muito vulnerável. Eu entrava em depressão e quase cheguei ao ponto de acabar com minha própria vida. Tinha consciência suficiente do que estava acontecendo; por causa de minha formação e minha atividade profissional, eu sabia que corria perigo. Quando chegava a esse estágio, resolvia me internar. Depois de um mês ou dois, eu estava apto para sair e retornar ao trabalho. Então, cerca de um ano depois, entrava em depressão novamente, hospitalizava-me e após receber nova alta aos poucos voltava para minhas pesquisas e minha produção literária."

Ele continuou: "Em uma ocasião, quando já presidia a associação, fiquei tão doente, tão deprimido, que fui incapaz de ir para as reuniões e realizar as tarefas do meu escritório. Nesse ponto, perguntei a mim mesmo: 'Será que estou trabalhando a partir da estrutura errada em minha vida e em minha profissão?' Lá no fundo, eu sabia que vivia uma mentira havia muitos anos. Existia uma parte obscura de minha vida que ainda não tinha confessado para ninguém, nem para mim mesmo."

Enquanto ele compartilhava essas experiências, fiquei muito sério e humilde. Também tive um pouco de medo do que ele poderia dizer. Ele continuou: "Decidi fazer uma grande ruptura. Abandonei minha amante. Contei tudo à minha esposa. E, pela primeira vez em muitos anos, tive paz – uma paz diferente daquela que experimentava quando retornava das minhas internações e retomava minha vida produtiva. Era uma profunda paz de espírito, uma espécie de honestidade comigo mesmo, um sentido de unidade, uma integridade. Foi quando comecei a explorar a teoria de que talvez muitos dos problemas fossem resultado da consciência natural que estava sendo ignorada, negada, violada, gerando uma perda de integridade pessoal. Então, comecei a trabalhar com essa ideia. Pesquisei-a. Envolvi outros clínicos que passaram a trabalhar a partir desse paradigma com seus pacientes.

Eu me convenci com base nos dados colhidos de que a questão era justamente essa. E foi então que surgiu a terapia da integridade."

A confissão desse homem e a profundidade de sua convicção me deixaram muito impressionado, da mesma forma como aconteceu com centenas de estudantes no dia seguinte, em um debate na universidade.

A experiência pessoal e a pesquisa desse psicólogo mostram claramente o papel essencial da consciência na obtenção da paz. E ela foi, de acordo com seu relato, "uma paz diferente". Obviamente, ele havia desenvolvido algumas de suas qualidades em alto nível. Ver a própria situação com a clareza necessária para se internar revela uma notável autoconsciência e vontade independente. O reconhecimento de seu trabalho em seu campo de atuação é prova de sua imaginação criativa altamente desenvolvida. Mas só depois que ele conseguiu entrar em contato com a consciência foi capaz de encontrar a paz que procurava.

O resultado de décadas de experiência na psicoterapia, atitude mental positiva e no desenvolvimento da criatividade comprovam a futilidade de conquistar paz e qualidade de vida de longo prazo sem o crucial elemento da consciência.[3] A consciência é nossa conexão com o "norte verdadeiro", com os princípios que possibilitam a paz e a qualidade de vida.

OS DOIS OBSTÁCULOS: DESÂNIMO E ORGULHO

Os dois maiores empecilhos à paz são o desânimo e o orgulho.

Desânimo

O desânimo é a antítese de tudo o que falamos. Ele surge como resultado de termos construído nossa vida com base em ilusões, não em princípios; de termos que enfrentar as consequências de havermos apoiado nossa escada na parede errada. Surge quando estamos cansados, fora de forma ou endividados, quando temos relacionamentos problemáticos, quando não estamos crescendo, quando não temos sentido ou propósito na vida. Surge quando não temos visão, quando vivemos em desequilíbrio, quando não conseguimos alcançar nossas metas. Surge quando nos perdemos na urgência, na limitada perspectiva do dia, quando não conseguimos agir com integridade no momento da escolha. Surge quando nosso pensamento é competitivo e escasso, quando as interações ganha-perde preenchem nossas vidas e o ambiente ao nosso redor com fofocas, politicagens e comparações.

Desânimo é estar perdido na floresta sem uma bússola ou um mapa preciso. É descobrir que grande parte dos mapas nos leva para um lugar completamente diferente daquele a que desejamos ir.

A coragem, por outro lado, provém do fato de sabermos que há princípios, da satisfação de nossas necessidades e capacidades de forma equilibrada, da obtenção de uma visão clara, do equilíbrio entre os papéis, da habilidade de definir e alcançar metas significativas, da perspectiva de transcender a urgência do momento, do caráter e da competência para agir com integridade no momento da escolha, da mentalidade de não escassez capaz de funcionar com eficácia e sinergia na realidade interdependente. A coragem vem do coração e o contato com o coração cria a esperança.

Onde quer que estejamos, a melhor maneira de desenvolver coragem é definir uma meta e conquistá-la, fazer uma promessa e mantê-la. Independentemente do tamanho da meta ou da promessa, o ato de estabelecê-la começará a criar em nós a confiança de que podemos agir com integridade no momento da escolha. Quer seja apenas a determinação de levantar mais cedo ou se alimentar melhor, nem que seja por apenas um dia. Mas, quando começamos a fazer e a manter promessas para nós mesmos e para os outros, damos os primeiros passos em um caminho que nos leva à segurança, ao crescimento e à paz.

Orgulho

Um obstáculo ainda maior, e o maior perigo ao esforço de viver com base em princípios, é o orgulho. Embora usemos com frequência a palavra para descrever um prazer ou uma satisfação profunda em relação a algo ou a alguém – podemos nos *orgulhar* de um excelente trabalho ou de um filho que esteja se destacando –, "orgulho" também descreve um dos paradigmas mais destrutivos da vida.

A dimensão negativa do orgulho é a arrogância. Uma pessoa arrogante é competitiva por natureza, procura constantemente se colocar acima dos outros. Nas palavras de C. S. Lewis:

> O orgulho não nos dá prazer de ter algo, apenas de ter mais do que o homem ao lado... É a comparação que nos deixa orgulhosos; o prazer de estar acima dos demais.[4]

Observe o impacto do orgulho em satisfazer nossas necessidades e capacidades fundamentais.

- Orgulho no *viver* significa que as pessoas não estão de fato preocupadas se sua renda atende às próprias necessidades, mas se ela é superior à dos demais. Elas estão sempre comparando a própria aparência – o cabelo, a roupa, a psique – com a de outras pessoas.
- Orgulho no *amar* acontece quando a pessoa mede seu valor pela quantidade de amigos, pelo prestígio que julga ter ou pelos elogios que recebe.
- Orgulho no *aprender* não está relacionado ao tanto que a pessoa sabe, mas ao fato de ter tirado as maiores notas e ter estudado nas escolas de status mais elevados.
- Orgulho em *deixar um legado* não é a descoberta de um propósito no simples ato de doar, mas no querer dar mais do que os outros, ser reconhecido como alguém que fez essa doação.

O orgulho é o maior parasita emocional. Não há nenhum grande prazer, nenhuma satisfação, nenhuma paz nele, pois há sempre a possibilidade de que alguém seja mais bonito ou tenha mais dinheiro, mais amigos, uma casa melhor ou um carro mais novo.

O orgulho é insidioso porque profana os sentidos de significado e propósito. Ele embota, ignora e até subjuga a consciência. Como observou C. S. Lewis, "o orgulho é um câncer espiritual; ele consome toda a possibilidade de amor ou contentamento ou mesmo de bom senso".[5] Com o tempo, ele nos leva ao ódio, à inveja e à guerra.

A segurança das pessoas arrogantes provém do fato de a escada em que estão subindo ser mais alta do que a dos outros, quer ela esteja apoiada na parede certa ou na errada. Elas se sentem merecedoras de crédito quando olham para baixo. A recompensa, o foco, é estar sempre na frente, mesmo que estejam indo na direção errada.

E assim como nas pessoas que, lá de cima, olham para baixo, também há um orgulho que vem de olhar as coisas de baixo para cima. Nas palavras do ex-secretário de Agricultura dos Estados Unidos, o líder religioso Ezra Taft Benson:

A maioria de nós considera o orgulho um pecado das pessoas que estão lá em cima, como o rico e o sábio, olhando o restante das pessoas lá embaixo. Há, no entanto, uma doença bem mais comum entre nós: o orgulho de quem está embaixo olhando para cima. Ele se manifesta de muitas maneiras, como a censura, a fofoca, a calúnia, o disse me disse, o estilo de vida além de nossas possibilidades, a inveja, a cobiça, a repressão da gratidão e do elogio que poderiam fazer bem ao próximo, além do rancor e do ciúme.[6]

O orgulho é a essência da mentalidade da escassez. É devastador para a paz. Cria uma falsa sensação de integridade ao nos manter alinhado com coisas extrínsecas. E a que custo! Quanto tempo e energia são perdidos com a preocupação de superar quem tem mais, faz mais, parece melhor, vive no bairro mais rico, tem o maior escritório, ganha mais dinheiro, realiza mais tarefas, possui mais valor? Quando o grito da competição é mais alto do que o sussurro da consciência, qual é o impacto em termos de colocar o que é mais importante em primeiro lugar?

O antídoto para o veneno do orgulho é a humildade – a humildade de perceber que não estamos em uma ilha, que nossa qualidade de vida está irremediavelmente atrelada à qualidade de vida dos outros, que o sentido não está em consumir, em competir, mas em contribuir. Não estamos acima das leis, e quanto mais cedo começarmos a valorizar os princípios e as pessoas, maior será nossa paz.

CARACTERÍSTICAS DAS PESSOAS BASEADAS EM PRINCÍPIOS

Tornar-se uma pessoa baseada em princípios é apenas isto: *tornar-se.* Não se trata de chegar lá; mas da jornada de uma vida inteira. Mas, quando as pessoas alinham a vida com o "norte verdadeiro", começam a desenvolver certas características comuns às pessoas baseadas em princípios.

Elas são mais flexíveis e espontâneas. Não são presas a planos e a agendas. As agendas são importantes, mas não são tudo. As pessoas baseadas em princípios enxergam a vida como uma aventura. São como corajosos exploradores que realizam expedições em territórios não mapeados: não estão bem certas do que vai acontecer, mas têm segurança de que isso lhes proporcionará fascinação e crescimento, além da possibilidade de descobrir um novo território e fazer novas contribuições. A segurança delas não está na zona do conforto, mas na bússola que usam – em suas qualidades específicas que as energizam e as fazem navegar com confiança em território desconhecido.

Elas têm relacionamentos mais enriquecedores e gratificantes. Colocam as pessoas à frente das agendas. Têm expectativas transparentes. Não se preocupam com comparações, competições ou críticas. Os outros começam a sentir que podem depender delas para serem honestos, diretos e não manipuladores, para fazerem e cumprirem promessas, para colocarem em prática o que pensam e dizem. As pessoas baseadas em princípios não são reativas a comportamentos negativos, críticas ou defeitos. Elas perdoam rapidamente. Não carregam ressentimentos. Negam-se a rotular, estereotipar, categorizar ou prejulgar. O sucesso alheio deixa-as genuinamente felizes, e por isso elas colaboram. Acreditam no potencial não revelado de todas as pessoas. Ajudam a criar um clima de crescimento e oportunidade.

Elas são mais sinérgicas. Em vez de fazer *para* os outros, elas se sentem mais gratificadas ao trabalhar *com* os outros a fim de conquistar uma visão compartilhada. Valorizam a diferença. Acreditam na sinergia das soluções de terceira alternativa. Trabalhando em equipe, aprendem a se basear em suas próprias virtudes e a compensar seus defeitos com as virtudes dos outros. Quando negociam e se comunicam em situações aparentemente adversas, demonstram ter a capacidade de separar a pessoa do problema. Elas concentram sua atenção nos interesses e nas preocupações do outro, em vez de questionar suas posições.

Elas estão aprendendo continuamente. Como sabem que há um "norte verdadeiro", procuram constantemente descobrir, entender e alinhar sua vida de acordo com ele. Tornam-se mais modestas e receptivas. Leem com sabedoria, cultuam o conhecimento das épocas passadas e sabem escutar os outros. Aprendem continuamente com a experiência.

Elas se tornam mais preocupadas com a contribuição. Canalizam mais seu tempo e sua energia para a contribuição do que para o consumo, concentram-se mais em dar do que em receber. Preocupam-se em servir aos outros. Procuram melhorar tanto a própria qualidade de vida quanto a dos outros.

Elas produzem resultados extraordinários. Como equilibram a produção com o aumento da capacidade, desenvolvem a habilidade de produzir muito mais no longo prazo. Não precisam virar noites trabalhando. Estão sempre adquirindo novas habilidades. Crescem graças à habilidade de trabalhar em grupo e facilitar a produção interdependente de alta qualidade. Qualquer que seja a atividade em que atuem, aplicam princípios que criam resultados de qualidade.

Elas desenvolvem um sistema imunológico e psicológico saudáveis. Conseguem lidar com os problemas. Podem ser atingidas de forma inesperada por doenças, reveses financeiros ou decepções, mas têm condições de dar a volta por cima. Desenvolvem sistemas de defesa saudáveis na família, de modo que são capazes de discutir questões cruciais e lidar com problemas como finanças, questões legais ou a educação das crianças com base em princípios, não em roteiros preestabelecidos. Elas trabalham para criar sistemas de defesa saudáveis nas equipes do trabalho ou nas organizações.

Elas estabelecem os próprios limites. Não trabalham até a exaustão, não gastam até estourar o limite do crédito nem deixam os projetos para a última hora. Tornam-se menos dependentes dos fatores extrínsecos e dessa forma têm a liberdade de sair quando quiserem. Aprendem a aplicar os princípios e a usar a sabedoria na criação dos próprios limites para maximizar sua eficácia. Concentram esforços durante as horas de pico de energia e criatividade. Destinam um tempo para a recriação. Gastam moderadamente, poupam e investem para necessidades futuras.

Elas levam vidas mais equilibradas. Não se tornam workaholics, fanáticas ideológicas ou religiosas, obcecadas por dietas, compulsivas ou mártires. São ativas física, social, mental e espiritualmente. Suas vidas são mais abundantes e sinérgicas.

Elas se tornam mais confiantes e seguras. Confiam cada vez mais no fato de que, ao viverem em harmonia com o "norte verdadeiro", obterão qualidade de vida e serão mais pacientes e tranquilas ao longo do processo. A segurança delas não advém do trabalho, das associações, do reconhecimento, dos bens materiais, do status ou de outros fatores extrínsecos, mas de seu interior – do fato de basearem sua vida nos princípios, de viverem de acordo com a consciência.

São mais capazes de colocar em prática o que pensam. Não há duplicidade de consciência, ambiguidade ou hipocrisia. Elas aumentam a habilidade de fazer e manter compromissos consigo mesmas e com os outros. Têm um saldo positivo em sua conta bancária de integridade.

Elas se concentram no círculo de influência. Não desperdiçam tempo ou energia no círculo de preocupações. Concentram-se nas áreas em que podem agir e trabalham para melhorar quaisquer situações nas quais estejam envolvidas.

Cultivam uma rica vida interior. Retiram forças da renovação espiritual regular. Alimentam-se da literatura da sabedoria, refletem, meditam ou empregam outras formas de instilar conteúdo, significado e propósito em sua vida.

Irradiam energia positiva. Tornam-se joviais, agradáveis, otimistas, positivas, alegres. Enxergam as possibilidades. Neutralizam ou evitam energias negativas e pesadas; recarregam as baterias das pessoas mais fracas que as cercam.

Têm mais prazer em viver. Não se condenam por todos os erros ou gafes banais que cometem. Perdoam a si mesmas e aos outros. Não guardam ressentimentos pelo que aconteceu ontem nem se iludem com o que acontecerá amanhã. Vivem sensível e prazerosamente no presente, planejam o futuro com cuidado e são flexíveis para se adaptar às novas circunstâncias. Desenvolvem um rico senso de humor, rindo com frequência de si mesmas, mas nunca à custa dos outros.

À medida que as pessoas desenvolvem essas características, a vida delas se torna mais tranquila e feliz e isso influencia de maneira significativa sua qualidade de vida e a de todas as pessoas que as cercam.

Não é fácil tornar-se uma pessoa baseada em princípios, mas os resultados dessa mudança trazem qualidade de vida. O importante é continuar tentando, continuar trabalhando para se alinhar mais e mais com o "norte verdadeiro".

LIBERTAÇÃO

O filme *A missão* conta a história de um homem envolvido com o tráfico de índios: ele os capturava para vendê-los como escravos. Ao voltar certo dia para sua vila, ele mata o irmão em decorrência de uma crise de ciúme. Profundamente abalado com o que fez, passa semanas mergulhado em um estupor desesperado até um jesuíta convencê-lo de que existe uma coisa que é possível fazer para reparar seu erro.

Seguindo as instruções do padre, ele tenta cumprir sua penitência atravessando a floresta com um grupo de missionários, carregando nas costas um grande e pesado fardo que contém todas as suas armas e a armadura. O caminho é extremamente difícil. Ele luta para subir montanhas, atravessar estreitas ravinas e escalar cachoeiras. Um membro do grupo, preocupado com seu bem-estar, pergunta ao padre se já não é chegada a hora de o homem abandonar o fardo. O religioso responde: "Ele saberá quando for chegada a hora."

A certa altura, depois de um esforço hercúleo, o homem rasteja sobre o pico de uma montanha, todo machucado, completamente exausto. Quando levanta os olhos, depara com um índio. Há um momento de silêncio, em seguida o índio pega um canivete e corta as cordas. Nesse momento o homem sente uma enorme sensação de alívio. A partir de então, o homem dedica a vida a ajudar os índios.

Como já dissemos, todas as rupturas são uma libertação. Quando decidimos trabalhar para colocar o que é mais importante em primeiro lugar, talvez tenha chegado a hora de nos libertarmos da cruz que carregamos, que nos impedia de dar a contribuição que poderíamos.

Liberte-se dos paradigmas populares e prazerosos, mas que são baseados na ilusão. No curto prazo, pode parecer interessante pensar que podemos definir metas e realizar o que quisermos e com isso obter resultados de qualidade de vida. Só que a realidade é que os princípios do "norte verdadeiro" governam a qualidade de vida. Quando seguimos valores que não estão em harmonia com o "norte verdadeiro", terminamos tentando controlar as consequências e as outras pessoas. Não funciona. Não se pode assoviar e chupar cana ao mesmo tempo. Há princípios; há consequências. Somente quando nos libertamos dos paradigmas ilusórios estamos livres para agir em harmonia com as leis que criam paz e qualidade de vida.

Liberte-se daquilo que não é prioridade. Em uma de nossas conferências em Cingapura, havia na plateia executivos europeus e asiáticos. Quando apresentamos o círculo de influência e o círculo de preocupações, os executivos ocidentais começaram a contar sobre como o círculo de influência os ajudava a se concentrar naquilo que precisavam fazer. Os executivos asiáticos disseram: "Isso é muito interessante. Quando vimos esses círculos, nossa reação imediata foi a de que o círculo de preocupações nos ajudaria a saber do que precisamos nos livrar!" Só poderemos nos libertar para trabalhar com as prioridades quando nos livramos das outras coisas e concentramos nosso tempo e nosso esforço no que é mais importante.

Liberte-se da racionalização. Enquanto impusermos a nós mesmos autojustificativas e racionalização, não estaremos livres para responder à voz da consciência. Uma das experiências mais libertadoras da vida é assumir o compromisso de responder apenas à consciência. As pessoas que fazem esse tipo de experiência, mesmo que seja por apenas uma semana, ficam absolutamente surpresas com essa libertação e com o tempo e a energia que descobrem ter empregado justificando ações contrárias à consciência.

Liberte-se da culpa desnecessária. A culpa que advém da consciência é uma grande mestra. Ela ajuda quando não estamos alinhados com o "norte verdadeiro". Mas grande parte da culpa que carregamos conosco é oriunda da consciência social. Não é didática; apenas impede nosso progresso. Somos libertados quando examinamos nossa culpa. Se sua origem for o espelho social, podemos deixá-la de lado. Se ela vier da consciência, podemos enfrentá-la, alinhar nossa vida, fazer o que for preciso para obter algum tipo de reparação e depois seguir em frente. Qualquer que seja a necessidade, ela não é tão dura e comprometedora quanto viver com a culpa. Viver significa aprender com nossos erros e acertos. "O único e verdadeiro erro que cometemos na vida", alguém já disse, "é o erro de não aprendermos com ele."

Liberte-se das fontes de segurança extrínsecas. Enquanto nossa segurança for proveniente do fato de vivermos assoberbados, de nossa profissão, do reconhecimento de nosso talento, dos relacionamentos ou de qualquer outra coisa que não seja nossa própria integridade básica com a consciência e os princípios, jamais conseguiremos colocar as prioridades em primeiro lugar. Essas coisas serão mais importantes para nós do que fazer o que lá no fundo sentimos que devemos fazer. Apenas quando nos libertarmos disso tudo e basearmos nossa segurança em nosso eu mais profundo estaremos livres para fazer o que realmente é prioritário.

MOMENTOS DECISIVOS

Cada decisão que tomamos é uma decisão importante. Algumas podem parecer insignificantes na hora, mas a verdade é que vão se somando umas às outras até se tornarem hábitos do coração que nos movem com força crescente na direção de algum destino.

Algumas de nossas escolhas, em geral feitas inconscientemente, tornam-se decisivas em nossa vida – ocasiões em que priorizar o que é mais importante é fundamental. Algumas vezes essas decisões são difíceis. Requerem uma posição que pode ser vista como impopular, até ilógica. Mas quando ouvimos nossa consciência e subordinamos o bom ao melhor, percebemos um grande impacto na qualidade de vida.

Como conclusão, cada um de nós gostaria de compartilhar uma experiência de um momento verdadeiramente decisivo em nossas próprias vidas e que ajudou a nos convencer do poder proveniente de colocar o que é mais importante em primeiro lugar.

(Rebecca) Há muitos anos, com meus filhos já na escola, percebi que tinha chegado a hora de eu mesma voltar a estudar. Anos antes, havia entrado na universidade com uma bolsa de estudos de quatro anos, mas, no meio do caminho, embora tivesse gostado de estudar, achei que o melhor para mim seria me casar e formar uma família. Nunca me arrependi dessa decisão: me propiciou mais felicidade, prazer, desafio e aprendizado do que eu jamais poderia imaginar. Mas acabei não me formando, e agora eu acreditava ter chegado a hora de fazê-lo.

Eu não tinha ideia do tipo de sensação que me invadiria quando retornei ao *campus* universitário para avaliar as possibilidades. Foi muito empolgante! Adorava a sensação de aventura, a fascinação de aprender, o cheiro dos livros! Estava me sentindo em casa. Estava profundamente animada quando entrei no prédio da administração, onde pude rever meus créditos e constatar que ainda havia um longo caminho a percorrer para alcançar minha meta. Quando deixei o prédio, estava pronta para contratar alguém que assumisse os cuidados com a casa e as responsabilidades da família, para permitir que eu mergulhasse de corpo e alma na arena acadêmica.

Voltei para casa sonhando. Estava empolgada com as possibilidades. Eu havia feito alguns cursos no decorrer dos anos, mas o pensamento de poder dedicar todo meu tempo e minha energia a algo que já tinha sido uma fonte de prazer e segurança era quase irresistível.

Quando digo "quase" é porque lá no fundo uma vozinha me dizia que a família ainda precisava de mim.

Mas eu não queria lhe dar ouvidos. Tinha uma série de razões para voltar a estudar. Só que essa voz interior criou uma pequena inquietação em meu coração que nem todo o meu entusiasmo e toda a minha racionalização foram capazes de extinguir. Quando por fim parei de resistir e decidi ouvir, cheguei à conclusão de que tinha muito mais coisas importantes a fazer a essa altura de minha vida do que voltar a estudar.

Foi uma das decisões mais difíceis que tomei na vida. Quando já estava sentindo o gostinho, meu prazer se esvaiu. Lá no fundo, porém, eu sabia que estava certa. Sabia que precisava recuperar minha concentração para fazer o que apenas eu poderia fazer naquele momento da vida de meus filhos. Eles iriam enfrentar muita pressão em seus momentos de escolha, e a habilidade de estar lá, de construir os relacionamentos para ser uma forte influência positiva nesses momentos, faria uma grande diferença na qualidade de vida deles.

Redobrei os esforços para criar uma casa aconchegante para minha família. Tomei algumas providências para poder cursar uma disciplina por semestre à noite e, no processo, aprendi bastante sobre psicologia, microbiologia e ciências humanas. Foi divertido. Foi enriquecedor. Mas não poderia tomar o lugar das maravilhosas experiências com meus filhos naquele momento ou com os outros dois filhos que vieram poucos anos depois. Olho para eles agora e penso o que teria acontecido se eu tivesse escolhido outro caminho.

Essa voz interior me levou a fazer escolhas que desafiam completamente a razão e as pressões sociais. Ela me levou a tomar a decisão de colocar minha família em primeiro lugar em um momento de grande tentação para agir de outra forma. Ela me levou mais tarde a aceitar a fascinante oportunidade de trabalhar com Stephen no livro *Os 7 hábitos das pessoas altamente eficazes* e contribuir de uma forma que jamais poderia ter imaginado. Foi a fonte de todas as decisões verdadeiramente boas que sempre tomei. Sinto-me compelida a reconhecer que há uma sabedoria bem maior do que a minha e que viver em harmonia com ela é a chave para contribuir e ser feliz.

(Roger) Há muito tempo, quando nossa empresa estava atravessando uma fase de crescimento, Rebecca e eu tomamos a decisão de entrar em um período de desequilíbrio consciente por um ou dois anos. Concordamos que eu precisaria passar bastante tempo viajando durante esse período de desafios. Sabíamos que isso provocaria meu afastamento da família por tempo demais segundo nossos padrões, mas sentimos que seria uma importante contribuição para a empresa e nos ajudaria a realizar nossas metas compartilhadas de longo prazo.

Esse desequilíbrio permitiu que alcançássemos os resultados desejados, mas, quando o prazo chegou ao fim, foi extremamente difícil me libertar. Havia tantas coisas boas a fazer que beneficiariam outras pessoas e a empresa, e eram tantas as pressões para que eu as fizesse... As semanas foram se transformando em meses e parecia que o desequilíbrio estava se tornando uma forma de viver.

Um dos momentos decisivos aconteceu quando parei e me perguntei: "Será que estou deixando o que é bom ocupar o lugar do que é melhor?" Foi um momento para encarar a verdade e, enquanto eu analisava a situação e me permitia ouvir a voz do coração, comecei a perceber que precisava bater o pé e definir alguns limites para a quantidade de noites que estava perdendo todos os meses.

Essa decisão foi dolorosamente testada nas semanas que se seguiram. Mas, aos poucos, as outras pessoas no trabalho começaram a reconhecer que se tratava de uma convicção e um compromisso, e várias delas desenvolveram uma abordagem de apoio para me ajudar a honrá-los e a criar soluções de terceira alternativa para maximizar minha contribuição para nossa visão compartilhada.

Estou absolutamente convencido de que minha habilidade para contribuir com essa missão aumentou no momento em que limites foram definidos e alternativas significativas passaram a ser buscadas. Na verdade, foi uma das principais decisões que tornaram possível para nós trabalhar em *Primeiro o mais importante*.

A partir de experiências pessoais como essa, e de rigorosas observações feitas por uma série de pessoas durante esse processo de tentar levar uma vida em que priorizamos o que é mais importante, estou absolutamente convencido de que há mesmo momentos decisivos: ocasiões em que devemos marcar nossa posição e assumir profundos compromissos pessoais a fim de abrir espaço para as mudanças. Há uma paz que vem com um compromisso de fazer o que você sabe que é realmente o melhor, embora não seja fácil e livre de obstáculos. Mas se não conseguirmos manter nossa posição, ficaremos entorpecidos pelo desequilíbrio e pela falta de harmonia, e, ao abdicarmos, nos tornaremos convencidos de que é mais fácil viver com o desequilíbrio do que pagar o preço pelo equilíbrio.

(Stephen) Há vários anos, resolvi sair da universidade e fundar uma empresa com o objetivo de ampliar minha contribuição. Estava na vida acadêmica havia 20 anos, e tinha uma posição muito confortável. Havia exercido vários papéis diferentes, inclusive em posições de comando administrativo. Participei da criação de um novo departamento de comportamento organizacional e tinha um estilo de vida bastante satisfatório e agradável, com flexibilidade e liberdade, e um excelente salário – particularmente quando surgiam oportunidades de fornecer consultoria e ministrar palestras.

Além disso, eu sentia uma verdadeira paixão pelo que estava fazendo! Havia algumas turmas pequenas de mestrado e outras enormes de graduação, com mais de 500 alunos. Acreditava exercer uma influência positiva considerável na vida de boa parte do corpo discente ao longo dos quatro a cinco anos que a maioria deles passava na universidade.

Mas eu me senti impelido a desenvolver novas abordagens para o treinamento de executivos que necessitariam de comprometimento por tempo integral. Realmente me debati com a questão entre o bom e o melhor. Por fim, resolvi ir à luta e levei os 7 Hábitos e a Liderança Baseada em Princípios para o maior número possível de segmentos da sociedade. Eu tinha confiança de que essa opção traria bons resultados financeiros, de modo que pudesse continuar provendo minha família de modo adequado, mas ainda assim houve muitos momentos de incerteza e vontade de desistir.

Em um ano ou dois, o nível de contribuição, a sensação de satisfação e a empolgação intrínseca com os desafios eram tão reais que eu me arrependia apenas de não ter feito essa mudança mais cedo. Concluí mais uma vez que não podemos nos seduzir pelo bom; temos que lutar pelo melhor. Lute pelo que representa sua contribuição exclusiva. Faça com que seja cômodo sair da zona de conforto e incômodo permanecer nela... por mais contraditório que isso possa parecer.

A cada estágio de um negócio em crescimento há o mesmo desafio: ficar com o bom e o conhecido ou lutar pelo melhor e desconhecido. E cada estágio provoca bastante sofrimento. Em certa ocasião estava em um táxi de alguma cidade, dirigindo-me para um hotel e suando frio com a sensação de que tinha perdido muito dinheiro e colocado em risco com novos empréstimos todo o patrimônio que acumulara no decorrer dos anos, incluindo minha casa, a pequena casa de campo e outras reservas financeiras. Também tinha colocado em risco as pessoas pelas quais era responsável, e havia boa possibilidade de perder tudo, inclusive a empresa.

Então, lembro-me de pensar que todas aquelas perdas eram na verdade investimentos no desenvolvimento de mercados, de pessoas, de produtos, e que as partes tolas das perdas eram investimentos no aprendizado e nas descobertas que eu usaria no futuro. Todos esses pensamentos provinham do racional, mas a realidade emocional era que eu estava totalmente vulnerável e correndo risco. Minha família estava correndo risco. Meu futuro também. Foi a primeira vez que me senti tão vulnerável e desprotegido.

A cada momento histórico de profundas mudanças na estrutura e na estratégia da empresa, experimentávamos as mesmas ansiedades e os receios de abandonar as práticas confortáveis adotadas no passado. Sempre parecia haver muito em jogo. E nós precisávamos apenas exercitar mais a confiança nos princípios da interdependência sinérgica – a fonte abundante do verdadeiro crescimento, da empolgação e da contribuição – e no caráter e na competência das pessoas que também estavam engajadas naquele intercâmbio cooperativo.

Em cada uma dessas ocasiões, eu tive que sair da zona de conforto. Fui forçado a me atirar de costas no precipício e, embora soubesse que havia cordas de segurança e redes, ainda assim enfrentava períodos de vulnerabilidade emocional. Mas em todos os casos os temores foram infundados e os riscos, infinitamente recompensados. A empolgação mútua, o entusiasmo espontâneo, as novas descobertas e os aprendizados genuínos, o novo sentido de contribuição, de significado, de agregação de valor, de trabalho gratificante, de vidas abençoadas, de influência em organizações inteiras, culturas, sociedades, tudo isso constituiu um mundo que eu jamais conhecera tão profundamente.

A fase determinante surgiu quando decidimos levar o material tanto para a iniciativa privada quanto para o setor público – influenciar a educação, hospitais, igrejas, fundações, organizações filantrópicas, todas as profissões, startups, empresas de porte médio, grandes corporações, empresas da lista das 500 maiores da revista *Fortune*, companhias da lista das 100 maiores da *Fortune*, governo federal, governos estaduais, municipais, o sistema de saúde pública, organizações de medicina alternativa – e então me lançar internacionalmente em um esforço de levar a liderança baseada em princípios para o mundo.

Tudo isso aconteceu em poucos anos. E agora temos uma equipe de pessoas empoderadas, comprometidas com habilidades complementares que compartilham uma visão comum, assumindo um compromisso duradouro com nossa declaração de missão:

> Servir toda a comunidade humana ao redor do mundo ao empoderar indivíduos e organizações a fim de aumentar sua capacidade de desempenho de forma significativa e permitir a realização de objetivos dignos por intermédio da compreensão e da vivência de uma liderança baseada em princípios.
>
> Ao cumprir essa missão, nos empenhamos constantemente em praticar o que ensinamos.

Declaramos de forma explícita que nos empenhamos continuamente a praticar o que ensinamos porque aprendemos que nunca se pode chegar a um fim digno por meios indignos, e que o verdadeiro poder de uma contribuição duradoura vem da integridade, do exemplo, da monitoração, do empoderamento e do alinhamento.

Até agora, o desafio mais significativo, ao menos para mim, é colocar a família à frente de minha profissão, de meu trabalho, de minha empresa, dos amigos e dos bens materiais. Acredito profundamente que se atendermos a todos os outros compromissos e responsabilidades na vida e negligenciarmos a família, seria o mesmo que abrir espreguiçadeiras no *Titanic*. Como alguém já disse: "Nenhuma outra instituição pode substituir a família." A família é a instituição-chave que modela o futuro emocional, intelectual, espiritual, moral, social e econômico dos indivíduos e de toda a sociedade.

Em tudo isso, vi a necessidade de receber conselho de muitas pessoas e de criar sólidos comitês executivos e conselhos independentes com competência profissional e grande força de caráter. Vi a importância de desenvolver sistemas de verificação e equilíbrio que não fossem rivais, mas verdadeiramente sinérgicos, dentro das empresas e das organizações. Vi a importância do corpo de conselheiros, de ter sempre consultores. Vi a importância de consultar a sabedoria de minha esposa, perceber sua intuição e realmente me abrir para ela – ainda que signifique ir de encontro a meus próprios desejos e planos. Tudo isso me obrigou a aprender e a reaprender que a humildade é a mãe de todas as virtudes, e que todas as outras coisas boas estarão disponíveis para nós se formos agentes, não uma lei acima de nós mesmos – se formos uma via por meio da qual os princípios corretos poderão passar.

Aprendi a revezar o gerenciamento da empresa com outras pessoas boas e competentes e a participar com elas de questões estratégicas de um modo sinérgico. Aprendi a importância de não recorrer à força da posição que ocupo, do poder, da autoridade ou da propriedade – embora algumas vezes tenha sido tentado, e talvez venha a ter recaídas.

No entanto, sei o que está certo. Sei quais são os princípios. E sei que devo reverenciá-los e deixá-los caminhar comigo. Quando o faço, os resultados em geral são satisfatórios. E se isso não acontece, ainda assim me sinto tranquilo.

Juntos, afirmamos que as escolhas que as pessoas fazem no espaço entre o estímulo e a resposta são escolhas fundamentais. E estamos absolutamente convencidos de que a melhor maneira de criar qualidade de vida é ouvir e viver de acordo com a consciência. Cada um de nós passou por situações em que fizemos outro tipo de opção, e por isso conhecemos o resultado. E juntos dizemos que simplesmente não há nada que tenha maior impacto em nosso tempo, na qualidade de todos os momentos de nossas vidas, do que aprender a ouvir e a obedecer à voz da consciência.

Pode haver diversos momentos decisivos em nossa trajetória, porém o mais importante de todos é aquele em que tomamos a seguinte decisão: "Viverei pela minha consciência. A partir de agora, não deixarei nenhuma outra voz – o espelho social, o roteiro, minhas próprias racionalizações – falar com mais clareza para mim do que a voz da consciência. E, qualquer que seja a consequência, vou segui-la."

Ao tomar essa decisão, criamos um estilo de vida em que começamos a amar as consequências, em vez de temê-las. O tempo deixa de ser o inimigo; torna-se parceiro. Como estamos trabalhando com os princípios do "norte verdadeiro", o tempo é que nos levará a colher o delicioso fruto que temos a paciência e a confiança de cultivar.

Nossas duas maiores dádivas são o tempo e a liberdade de escolha – o poder de dirigir nossos esforços no aproveitamento desse tempo. O segredo não é gastar o tempo, mas investi-lo em pessoas, em empoderamento, em causas e projetos significativos. Como qualquer recurso de capital, se gastarmos nosso tempo, ele jamais será recuperado. Queimamos nossa herança. Se o investirmos, aumentamos nossa herança, e ela reverterá para a bênção das próximas gerações.

DEVEMOS NOS TORNAR A MUDANÇA QUE BUSCAMOS NO MUNDO

Sabemos que a mensagem que estamos passando não é fácil. Ela pode não ser plenamente aceita em um mundo de soluções rápidas, de curto prazo e baseado no consumo. Mas temos diversas expectativas sobre você, leitor, que nos encorajou a compartilhá-la.

Como você escolheu ler esse livro, acreditamos que deva ter muito em comum com boa parte das pessoas com as quais trabalhamos em nossa organização e em seminários ministrados em todo o mundo. Você é incrivelmente ocupado. Tem um desejo de ser responsável e produtivo e fazer coisas boas. No entanto, uma vez que está muito ocupado, como muitos de nós, pode ser que não esteja contribuindo da maneira que gostaria ou poderia.

Nossa experiência nos deu uma grande confiança em pessoas como você e em nossa habilidade de, juntos, resolvermos grande parte dos problemas com os quais deparamos. Temos a sólida convicção de que, ao desenvolver a capacidade de ouvir a consciência e planejar e organizar de modo eficaz a fim de colocar as prioridades em primeiro lugar, todos nós podemos fazer muitas contribuições individuais e combinadas que atualmente estão sendo relegadas a um plano secundário.

Pedimos que entre em contato com sua consciência e faça a seguinte pergunta:

Existe algo que sinto que poderia realizar para fazer a diferença?

Pense no assunto. Talvez seja preciso você se libertar de paradigmas ilusórios, racionalizações, desejos, síndrome da urgência e até sair da sua zona de conforto. Mas, lá no fundo, com toda a honestidade do coração, você acredita que existe algo que poderia fazer, alguma contribuição que poderia dar, algum legado que poderia deixar que influenciaria sua família, sua equipe de trabalho, sua organização, a comunidade ou a sociedade de maneira positiva?

Se houver, nós o encorajamos a fazê-lo. Como disse Gandhi, "devemos nos tornar a mudança que buscamos no mundo".[7] Quando você estiver prestes a viver baseado em princípios, nós o encorajamos a tentar exercitar todos os atributos do coração. Faça uma promessa e mantenha-a. Defina uma meta e alcance-a. É aí que está a paz. Emerson disse:

Nada pode lhe trazer paz a não ser você mesmo. Nada pode lhe trazer paz a não ser o triunfo dos princípios.[8]

Epílogo

Ao concluirmos este livro, o espírito que preenche nossa mente e coração é o da reverência.

Sentimos uma profunda sensação de reverência pelas pessoas. Enquanto muitos compartilhavam conosco parte de seu eu profundo sob a forma de declarações de missão, metas e experiências pessoais ao trabalharem com os princípios expostos aqui, tivemos a profunda sensação de estarmos pisando em um solo sagrado. Nossa mente se voltou para as culturas no mundo em que indivíduos saúdam os outros juntando as palmas das mãos e fazendo uma leve inclinação, em reconhecimento dessa reverência pela nobreza da alma humana, pela centelha de divindade dentro de todos nós.

Sentimos uma sensação de reverência pelos princípios. Nossa própria experiência de viver em harmonia com eles – e de violá-los – deu a cada um de nós um profundo e permanente respeito por sua existência e a convicção de que a qualidade de vida depende do grau em que alinhamos nossa vida com o "norte verdadeiro".

Sentimos uma profunda reverência pelo domínio provisório que nos é dado sobre a vida e o tempo – pelos momentos, dias, semanas, anos e estações que temos para viver, amar, aprender e deixar um legado. Sentimos uma sensação de reverência e gratidão pela liberdade que temos para fazer escolhas relacionadas ao modo como usamos nosso tempo.

Acima de tudo, sentimos uma sensação de reverência por Deus, que acreditamos ser a fonte dos princípios e da consciência. Temos convicção de que são as centelhas de divindade dentro de cada um de nós que nos conduzem na direção de vidas baseadas nos princípios de servir e contribuir. Mas reconhecemos também – e reverenciamos – a diversidade de crenças manifestadas em nossa própria organização e em todo o mundo por pessoas que nos sensibilizaram com sua consciência e sua contribuição.

Como disse um dos pioneiros do Oeste norte-americano, Bryant S. Hinckley:

> Servir aos outros é a virtude que distinguiu os grandes homens de todos os tempos e é por ela que todos serão lembrados. Ela coloca uma marca de nobreza em seus discípulos. É a linha divisória que separa os dois grandes grupos do mundo – aqueles que ajudam e aqueles que atrapalham, os que levantam e os que abaixam, os que contribuem e os que apenas consomem. É muito melhor dar do que receber. Qualquer forma de serviço é bela e graciosa. Encorajar, demonstrar simpatia, mostrar interesse, afastar o medo, criar autoconfiança e despertar esperança no coração dos outros, em resumo, amá-las e demonstrar isto, é prestar o mais precioso serviço.[1]

Há tanto que podemos fazer para prestar serviço, para fazer algo especial pelo mundo, não importa se nosso círculo de influência é grande ou pequeno. É nossa esperança que cada um de nós se conecte à própria consciência com mais profundidade e dê luz e calor ao mundo com nossa chama interior.

Apêndice A
Seminário de Declaração de Missão

Uma das formas mais eficazes de realizar uma declaração de missão pessoal é planejar o tempo quando você estiver completamente sozinho – longe de telefones, amigos, vizinhos e da família. Embora não seja fundamental, a natureza oferece um cenário ideal, pois o retira do mundo artificial, mecânico e segmentado, colocando-o em contato com a harmonia e o equilíbrio naturais. Ela cria as condições em que você pode clarear a mente e tentar aflorar as sensações mais profundas.

Sugerimos que tente realizar uma ou mais experiências de expansão da mente apresentadas a seguir. São sete exercícios que, em nossa opinião, são altamente eficazes para ajudar as pessoas a se prepararem para escrever sua declaração de missão pessoal. Há uma vasta gama de abordagens. Alguns exercícios precisam de apenas alguns minutos; outros levam horas ou mesmo dias. Você deve achar alguns mais úteis do que os outros. Também pode encontrar outro método que funcione melhor para você do que os exercícios que propomos.

O importante é entrar em contato com seu eu mais profundo. Entre em contato com as coisas que lhe são mais caras.

Exercício 1: Tente a experiência de visualização do Capítulo 5, na qual você se transporta para o seu aniversário de 80 anos ou para as comemorações de suas bodas de ouro (veja página 123).

Exercício 2: Use seus dons humanos para explorar cada uma das necessidades e capacidades em sua vida. Você pode achar útil usar uma tabela como a que é apresentada a seguir.

	VIVER		AMAR		APRENDER		DEIXAR UM LEGADO	

AUTOCONSCIÊNCIA

Qual é minha situação atual?

Qual é meu paradigma de qualidade de vida?

CONSCIÊNCIA

O que há dentro de mim para satisfazer?

Quais são os princípios que produzirão resultados de qualidade de vida?

VONTADE INDEPENDENTE

Que escolhas preciso fazer para satisfazer minhas necessidades e capacidades?

Quais são os roteiros que preciso reescrever?

IMAGINAÇÃO CRIATIVA

Quais são os resultados de qualidade de vida que desejo?

O que posso fazer para criá-los?

Exercício 3: Programe-se para fazer um retiro pessoal e dedique algum tempo para analisar com profundidade questões como estas:

Em minha opinião, quais são minhas maiores virtudes?
_____
_____
_____
_____

Quais são as virtudes que as pessoas que me conhecem bem já perceberam em mim?
_____
_____
_____
_____

Que atividades me dão profundo prazer?
_____
_____
_____
_____

Quais são as qualidades de caráter que mais admiro nos outros?
_____
_____
_____
_____

Quem é a pessoa que causou mais impacto positivo em minha vida?
_____
_____
_____
_____

Por que essa pessoa foi capaz de provocar um impacto tão significativo?
_____
_____

Quais foram os momentos mais felizes de minha vida?
_____
_____
_____
_____

Por que eles foram felizes?
_____
_____
_____
_____

Se tivesse tempo e recursos ilimitados, o que eu escolheria fazer?
_____
_____
_____
_____

Quando sonho acordado, que tipo de coisa me vejo fazendo?
_____
_____
_____
_____

Quais são as três ou quatro coisas mais importantes de minha vida?
_____
_____
_____
_____

Quando analiso minha vida profissional, quais são as atividades a que dou mais valor?
_____
_____

Quando analiso minha vida pessoal, quais são as atividades a que dou mais valor?

O que posso fazer melhor que seria de grande valor para os outros?

Quais são os talentos que tenho e que ninguém sabe?

Embora possa já ter afastado esses pensamentos várias vezes e por razões diversas, há coisas que eu realmente acredite que deveria fazer? O quê?

Quais são minhas necessidades e capacidades físicas?

Estou satisfeito com meu atual nível de realização na área física?
_____
_____
_____
_____

Quais são os resultados de qualidade de vida que eu desejo e que são diferentes do que tenho agora nessa área?
_____
_____
_____
_____

Quais princípios poderiam criar esses resultados?
_____
_____
_____
_____

Quais são minhas necessidades e capacidades sociais?
_____
_____
_____
_____

Estou satisfeito com meu atual nível de realização na área social?
_____
_____
_____
_____

Quais são os resultados de qualidade de vida que eu desejo e que são diferentes do que tenho agora nessa área?
_____
_____
_____
_____

Quais princípios poderiam criar esses resultados?

Quais são minhas necessidades e capacidades na área mental?

Estou satisfeito com meu atual nível de realização na área mental?

Quais são os resultados de qualidade de vida que eu desejo e que são diferentes do que tenho agora nessa área?

Quais princípios poderiam criar esses resultados?

Quais são minhas necessidades e capacidades na área espiritual?

Estou satisfeito com meu atual nível de realização na área espiritual?
_____
_____
_____
_____

Quais são os resultados de qualidade de vida que eu desejo e que são diferentes do que tenho agora nessa área?
_____
_____
_____
_____

Quais princípios poderiam criar esses resultados?
_____
_____
_____
_____

Onde posso ver interseções em minhas necessidades e capacidades físicas, sociais, mentais e espirituais?
_____
_____
_____
_____

Quais são os papéis importantes que desempenho na vida?
_____
_____
_____
_____
_____

Quais são as metas de vida mais importantes que desejo realizar em cada um desses papéis?
_____
_____
_____
_____
_____
_____
_____

Quais são os resultados que estou obtendo atualmente em minha vida que me agradam?
_____
_____
_____
_____

Quais são os paradigmas que estão produzindo esses resultados?
_____
_____
_____
_____

Quais são os resultados que estou obtendo atualmente em minha vida que me desagradam?
_____
_____
_____
_____

Quais são os paradigmas que estão produzindo esses resultados?
_____
_____
_____
_____

Quais são os paradigmas que produziriam resultados melhores?
___
___
___
___

O que eu realmente gostaria de ser e fazer em minha vida?
___
___
___
___

Em que princípios importantes meu ser e meu fazer estão baseados?
___
___
___
___

As respostas a essas perguntas devem lhe proporcionar um excelente ponto de partida para sua declaração.

Exercício 4: Use seu relógio para responder ao exercício a seguir.
 a) Marque um minuto e responda à seguinte pergunta:
  Se tivesse tempo e recursos ilimitados, o que eu faria?
  Não tenha medo de sonhar. Dê livre trânsito às possibilidades. Escreva o que vier à cabeça.
 b) Marque um minuto e escreva seus valores. Veja a seguir uma lista incompleta, mas que pode ajudar a estimular seu pensamento.
  - Paz de espírito
  - Segurança
  - Riqueza
  - Boa saúde
  - Relacionamento íntimo com...
  - Reconhecimento ou fama

- Tempo livre
- Felicidade
- Satisfação espiritual
- Amizades
- Família
- Longevidade
- Contribuição de tempo, conhecimento ou dinheiro para...
- Viagens
- Sensação de realização
- Respeito dos outros

c) Marque um minuto e percorra sua lista de valores, identificando os cinco mais importantes.

d) Marque alguns minutos e compare a lista de cinco valores com seus sonhos. Você pode concluir que está vivendo com sonhos inconscientes que não estão em harmonia com seus valores. Talvez esteja sonhando em viver como Indiana Jones, mas não dá o menor valor à ideia de rastejar através de teias de aranha e dormir com escorpiões. Se seus sonhos não resistirem a uma análise criteriosa, você pode perder anos vivendo com ilusões, com o inconsciente sentindo que de alguma forma você está se satisfazendo com a segunda melhor opção. Trabalhe nas duas listas até você sentir que os sonhos realmente refletem seus valores.

e) Agora marque um minuto e analise a relação entre seus valores e as quatro áreas fundamentais de realização humana. Eles refletem suas necessidades e capacidades físicas, sociais, mentais e espirituais? Trabalhe na lista até sentir que eles as refletem.

f) Por fim, marque um minuto para responder a esta pergunta:
Quais princípios produzirão os valores de minha lista definitiva?

Exercício 5: Se você tiver um diário, veja o que escreveu no decorrer dos anos. Procure descobertas inspiradas que tenha tido. Procure padrões reincidentes que podem não ter sido óbvios no dia a dia. Tente identificar e escreva os valores e as direções.

Exercício 6: Use o modelo de Análise de Campo de Força, de Lewin, para identificar onde você quer estar, onde você se encontra e os fatores que estão atuando contra ou a favor de seu esforço de mudança.

Resultados desejados -------------------------------

FORÇAS RESTRITIVAS

↓ ↓ ↓ ↓ ↓ ↓ ↓ ↓ ↓ ↓

Resultados atuais _____

↑ ↑ ↑ ↑ ↑ ↑ ↑ ↑ ↑ ↑

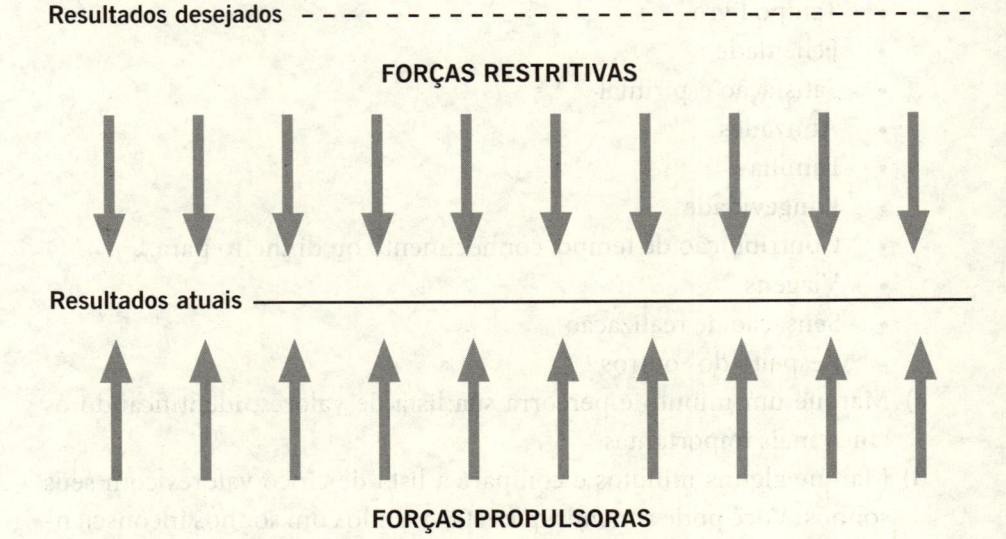

FORÇAS PROPULSORAS

Considere as seguintes perguntas:

- *Qual é a situação ideal? Como eu usaria meu tempo? Quais seriam os resultados?*
- *Qual é minha situação atual? Como uso o tempo agora?*
- *Quais são os fatores específicos que me afastam do ideal? O que posso fazer para enfraquecê-los ou removê-los?*
- *Quais são os fatores específicos que me movem na direção do ideal?*
- *O que posso fazer para fortalecê-los ou adicioná-los?*

Exercício 7: Use o gráfico a seguir para analisar sua vida em determinado período. Nesta época em que a expectativa de vida é cada vez mais longa, pode haver diversas estações de vida. A aposentadoria, atualmente, traz consigo uma expectativa bastante realista de 20 anos ou mais pela frente, abrindo as portas para a possibilidade de uma segunda carreira que possa vir a dar um grande sentido à vida. Em geral, a segunda carreira é mais bem escolhida do que a primeira. Experiência, recursos e oportunidades abrem muitas portas que antes se encontravam fechadas.

Esse é um excelente exercício para ser feito com seu cônjuge, se você for casado. Você pode estar pensando em uma segunda carreira como um patrono das artes vivendo em um condomínio na cidade, enquanto seu cônjuge pode estar pensando em comprar um rancho no campo.

O sentido de propósito costuma melhorar a qualidade de vida no presente e no futuro. A visão dos últimos anos de vida pode reavivar o entusiasmo pelos objetivos de agora quando você percebe que não são os únicos que pode realizar. Na primeira coluna do quadro abaixo, liste as coisas que realmente gostaria de fazer ou as contribuições que gostaria de dar em algum momento de sua vida. Em seguida, preencha os quadrados, indicando quando pode fazer cada uma dessas coisas. Os incrementos de cinco a 10 anos são ideais para os objetivos deste exercício.

Contribuições e realizações futuras	Quando (idade aproximada)								
	20	30	40	50	60	70	80	90	100

Para uma perspectiva mais ampla, volte agora e anote o ano em que terá a idade assinalada. Por exemplo, se você estiver com 30 anos, veja em que ano fará 40, 50, 60, etc., e escreva a data acima da idade correspondente.

Esperamos que esses exercícios expandam seu pensamento e ajudem a prepará-lo para criar sua declaração de missão. Quando estiver pronto para escrever o texto propriamente dito, não se esqueça de que está escrevendo para você mesmo. Escreva-o do seu jeito. Para algumas pessoas, as palavras certas são fluentes e suaves. Para outras, são bruscas e diretas. Há poderosas declarações de missão de poucas palavras e de diversas páginas: declarações escritas em forma de poesia, de prosa, música ou desenho. Escreva da forma que melhor capturar e acender sua chama interior. Certifique-se de rever as características das declarações de missão empoderadoras listadas no Capítulo 5, A paixão da visão (118-133).

Algumas pessoas gostam de ler as declarações escritas por outras pessoas. Outras sentem que isso inibe a própria expressão. Incluímos aqui várias delas e deixamos a seu critério decidir se a leitura será útil durante o processo de criação de sua declaração de missão. Embora tenhamos acesso a uma série de declarações de pessoas famosas no decorrer da história, escolhemos incluir aqui declarações de pessoas comuns, mas ao mesmo tempo extraordinárias, que vivem no presente, em todas as partes do mundo, em todas as atividades da vida. Com base no critério do Capítulo 5, algumas são mais empoderadoras do que outras. Mas cada uma delas é uma declaração da alma. Se você decidir prosseguir com a leitura, tente captar algo do criador, juntamente com a criação. Imagine o impacto dessa pessoa vivendo o que você lê.

DECLARAÇÕES DE MISSÃO

Suba a Montanha:

Viverei cada dia com coragem e uma crença em mim mesmo e nos outros. Viverei pelos valores da integridade, da liberdade de escolha e do amor por todas as pessoas de Deus. Lutarei para manter não apenas os compromissos assumidos com os outros, mas comigo mesmo. Lembrarei que para viver verdadeiramente, devo subir a montanha hoje, pois amanhã pode ser tarde demais. Sei que minha montanha pode parecer não mais que um morro para os outros e aceitarei isso. Serei renovado pelas minhas próprias vitórias e triunfos pessoais, não importa de que tamanho sejam. Continuarei a fazer minhas escolhas e a viver com elas como tenho feito. Não inventarei desculpas ou culparei os outros. Enquanto for possível, manterei minha mente e meu corpo saudáveis e fortes de modo que seja capaz de fazer a escolha de subir a montanha. Ajudarei os outros da melhor maneira que puder e agradecerei aqueles que me ajudarem no meio do caminho.

Viver os dias que me forem dados graciosamente com disciplina, propósito e como uma aventura. Descobrir e aceitar o que sou de fato, usando e ampliando minhas forças, com confiança e alegria. Valorizar minha família.

Enriquecer minha vida e a vida de todos que atravessam meu caminho ou compartilham meu lar, cuidando deles, afirmando pelo amor seu valor sem igual, dando o que tenho para dar e aceitando de volta o que eles tiverem e, se eles assim o desejarem, ensinando o que sei e aprendendo com eles o que puder, e ajudando-os a descobrir e a seguir seus próprios caminhos.

Proteger e promover os povos da África do Sul e a comunidade em que vivo e também o ambiente do qual dependo.

Reconhecer e aceitar que não possuo nada, apenas ocupo um cargo de confiança, e que os direitos são muito menos importantes do que os deveres.

Procurar meu Deus constantemente e entender o caminho que me conduz até Ele.

Enquanto me mantiver atento à glória de Deus, fazer do mundo um lugar melhor para se viver, estimulando as pessoas a viverem vidas mais plenas de significado.

Começando com minha família e em seguida expandindo meu círculo de influência.

Viver sendo fiel aos princípios que valorizo (caridade, fidelidade, autossuficiência, honestidade, integridade, proatividade, generosidade, confiança...).

Tornar mais leves os fardos e mais claros os caminhos para todos aqueles com quem vier a manter um contato regular.

Não me levar tão a sério e manter tudo dentro do contexto adequado.

Viver e deixar viver, aprender e ensinar, dar e receber, amar e ser amado, entender e me fazer entender.

Abraçarei e verei cada dia não como mais um, mas como um dia repleto de oportunidades e empolgação. Escolherei para mim as empreitadas que desejo enfrentar.

Desejo viver uma vida de satisfação moral e simplicidade. A preocupação com meu bem-estar será minha primeira prioridade. Acredito que, se permanecer fiel aos meus valores, terei uma influência positiva nas pessoas ao meu redor.

Tentarei, com firme convicção, compartilhar mais de meus pensamentos mais profundos com as pessoas que amo.

Percebo que sou independente e responsável pelos outros. Com isso em mente, procurarei conscientemente entender e obter uma proximidade com minha família e meus colegas.

Continuarei a crescer estimulando minha mente com novos aprendizados.

Embora valorize a liberdade e a segurança financeira que minha profissão oferece, tenho consciência de que a liberdade e a segurança sozinhas não provêm a felicidade que almejo.

Farei minhas escolhas por mim mesmo.

Minha missão é ser uma força para mudança positiva e para inspirar os outros para a grandeza, sendo um catalisador de ação e desenvolvendo uma visão compartilhada daquilo que é possível.

Lutarei continuamente para inventar o futuro a partir de minha imaginação, em vez de ser uma vítima do passado. Lutarei para escolher minha forma de honrar a coragem, a justiça, a humildade, a gentileza, a compreensão e a integridade pessoal.

Por fim, lembrarei sempre a mim mesma que, sem risco, não existe sucesso nem fracasso. Como disse São Tomás de Aquino: "Se a missão primária de um capitão fosse preservar seu navio, ele jamais deixaria o porto."

Garanto a mim mesma que serei uma amiga cuidadosa e honesta para aqueles que me cercam e sempre tentarei ligar aquilo que sei com aquilo que eu faço.

Para mim mesmo, quero desenvolver autoconhecimento, amor-próprio e autoconcessão. Quero usar meus talentos de cura para manter a esperança viva e quero expressar corajosamente minha visão por meio de minhas palavras e ações.

Em minha família, quero criar relacionamentos saudáveis e cheios de amor, nos quais cada um atinja o melhor de si próprio.

No trabalho, quero estabelecer um ambiente isento de culpa, duradouro e de aprendizado.

No mundo, quero cultivar o desenvolvimento de todas as formas vivas, em harmonia com as leis da natureza.

Agir de forma que aflore o melhor que existe em mim e o que houver de importante para mim – especialmente quando agir de outra maneira puder ser mais justificável.

Ser humilde.

Agradecer a Deus de alguma forma, todos os dias.

Nunca reagir a uma agressão passando-a adiante.

Encontrar meu eu interior que é capaz de agir e considerar todos os lados sem que nenhum saia perdendo.

Acredito em tratar todas as pessoas com gentileza e respeito.

Acredito que ao saber o que valorizo, sei o que realmente desejo.

Ser movida por meus valores e minhas crenças.

Quero experimentar as paixões da vida com o frescor de um amor de criança, a doçura e o prazer de um amor juvenil e o respeito e a reverência de um amor maduro.

Minhas metas são alcançar uma posição de respeito e reconhecimento, utilizar essa posição para ajudar os outros, desempenhar um papel ativo em um órgão de serviço público.

Finalmente, percorrer a vida com um sorriso no rosto e um brilho no olhar.

Ser a pessoa que meus filhos olhem com orgulho quando disserem: "Este é meu pai."

Ser a pessoa que meus filhos procuram quando precisam de amor, conforto e compreensão.

Ser o amigo que todos reconhecem ser atencioso e sempre disposto a ouvir enfaticamente suas preocupações.

Ser uma pessoa não disposta a vencer à custa dos outros.

Ser uma pessoa que pode sentir dor e não quer machucar os outros.

Ser a pessoa que fale pelos que não podem falar, ouça pelos que não podem ouvir, veja pelos que não podem ver e tenha a capacidade de dizer: "Você fez isso, não eu."

Que meus atos combinem sempre com minhas palavras, pela graça de Deus.

Manterei uma atitude positiva e um senso de humor em tudo que fizer. Quero ser reconhecido pela minha família como um marido e um pai carinhoso e amável; pelos meus colegas de trabalho como uma pessoa justa e honesta; e pelos meus amigos como alguém com o qual podem contar. Para as pessoas que trabalham para mim e comigo, garanto meu respeito e lutarei todos os dias para me fazer merecedor do respeito delas. Controlando todas as minhas ações há um forte senso de integridade, que considero como meu traço de caráter mais importante.

Viverei cada dia como se tivesse todo o poder e toda a influência necessários para fazer um mundo perfeito. Ao ouvir e servir os outros, aprenderei novas ideias e ganharei perspectivas diferentes.

Lutarei para conquistar o domínio sobre os desafios da vida ao aumentar meu círculo de influência e retirar a ênfase das áreas de preocupação sobre as quais não tenho o menor controle.

Eu me comportarei de maneira a me tornar uma luz, não um obstáculo, para as pessoas que escolham me seguir ou me conduzir.

Confiarei em meus sonhos e não serei prisioneira de nada.

Usarei minhas vitórias particulares sem egoísmo, tentando criar valor para os outros. A busca da excelência determinará as opções pelas quais me decidir, e os caminhos que eu escolher percorrer.

Não esperarei mais dos outros do que espero de mim. Procurarei novas fontes de aprendizado e crescimento – natureza, família, literatura, novos relacionamentos.

Demonstrarei amor, em vez de esperar amor. Escolhi que devo me concentrar em ser eficaz, não eficiente. Escolhi fazer uma diferença neste mundo.

Apêndice B
Uma análise crítica da literatura sobre gerenciamento do tempo

Ao fazer nossa pesquisa sobre a literatura e as ferramentas de gerenciamento do tempo, lemos, compilamos e reduzimos as informações a oito abordagens básicas. Gostaríamos de examinar cada uma delas – das "raízes" aos "frutos" – e analisar em profundidade suas virtudes e seus defeitos. Em suma: qual é o impacto do que existe sobre o tema na qualidade de vida?

As raízes dessas abordagens são as premissas subjacentes ou os paradigmas governantes a partir dos quais elas foram desenvolvidas. Nós realmente aceitamos as premissas fundamentais? Cada abordagem tem seu valor. Cada uma dá uma contribuição importante. Mas se os paradigmas básicos delas forem falhos ou incompletos, sua aplicação ou implantação, por mais eficaz que seja, não produzirá os resultados ideais. O fato de aumentarmos nosso empenho em uma dessas abordagens sem obter melhoria significativa nos resultados indica um problema do paradigma fundamental.

1. A ABORDAGEM DA ORGANIZAÇÃO (ORDEM)

Essa abordagem parte da premissa de que a maioria dos problemas do gerenciamento do tempo é causada pelo caos – pela falta de ordem na vida. Com frequência, não conseguimos encontrar o que desejamos, quando desejamos. E sempre nos esquecemos de algo. Na maioria das vezes, a resposta está nos sistemas: um sistema de arquivamento, um sistema de entrada e saída de informações por meio de escaninhos, um sistema de avisos, um sistema de banco de dados. Esses sistemas em geral se concentram na organização em três áreas.

- *Organização das coisas* (criação de ordem para tudo: de chaves a telas do computador, de sistemas de arquivamento a armários, do espaço do escritório ao espaço da cozinha).
- *Organização de tarefas* (dar ordem e sequência aos afazeres usando ferramentas que variam de listas simples a gráficos complexos de planejamento e softwares de gerenciamento de projetos).
- *Organização do pessoal* (definição do que você pode fazer e do que os outros podem fazer, delegando e criando sistemas de acompanhamento de modo a se manter no comando dos acontecimentos).

A abordagem da ordem vai além da aplicação pessoal na prática organizacional. Quando uma empresa enfrenta problemas, é chegada a hora de reorganizar, reestruturar e dar uma sacudida nas coisas.

Virtudes: A organização economiza tempo e promove mais eficiência. Não desperdiçamos tempo procurando chaves, roupas ou relatórios perdidos. Economizamos nossos esforços. A organização propicia clareza mental e ordem.

Defeitos: O perigo é que a organização costuma se tornar um fim, em vez de um meio. Uma grande quantidade de tempo que poderia ser usada na produção talvez seja perdida na organização. Muitas pessoas acreditam que realizam coisas apenas por estarem ocupadas com a organização, quando na verdade elas podem estar adiando e deixando de realizar um trabalho importante. Aplicada em excesso, a virtude da organização se torna um defeito. Existe a possibilidade de nos tornarmos exageradamente estruturados, encrenqueiros, inflexíveis e mecânicos. Essa afirmativa vale tanto para organizações quanto para indivíduos.

2. A ABORDAGEM DO GUERREIRO
(SOBREVIVÊNCIA E PRODUÇÃO INDEPENDENTE)

O foco da abordagem do guerreiro está na proteção do tempo pessoal para a concentração e a produção. A maioria das pessoas se sente sitiada pelas demandas de um ambiente extremamente ocupado. Trabalhamos em lugares nos quais as tarefas ultrapassam a capacidade das pessoas. Quando verificamos o cronograma dos próximos projetos, percebemos que estamos com a vida agendada pelos próximos 16 meses. Há mensagens para responder, pessoas que vivem nos chamando. Sabemos que só será possível contribuir se tivermos um tempo sossegado, sem interrupções, para fazer o trabalho independente de alta alavancagem.

O Guerreiro do Tempo percebe que, se não fizer algo para se proteger, o sistema se tornará uma avalanche que o enterrará vivo. Então, a abordagem do guerreiro tem como finalidade nos defender, proteger nosso tempo a fim de que possamos concentrar nossa atenção na ação independente de alta alavancagem. Ela contém algumas técnicas poderosas, como:

- *Insulação* (criação de proteção por meio de assistentes pessoais, portas fechadas, caixa postal, babás e comunicação reduzida ao essencial).
- *Isolamento* (retiro para um lugar em que a solidão cria tempo ininterrupto).
- *Delegação* (atribuição de tarefas para liberar o tempo para tarefas mais importantes).

Embora haja livros sobre essa abordagem, é mais comum encontrar truques e macetes.

Virtudes: A virtude dessa abordagem está na premissa de que cada um é responsável pelo seu tempo. Podemos produzir porque temos tranquilidade e tempo ininterrupto. Todos nós precisamos desse tipo de tempo às vezes, sobretudo quando estamos envolvidos em algo altamente criativo.

Defeitos: A premissa básica dessa abordagem é que os outros são o inimigo. "Arrebente os outros antes que eles arrebentem sua agenda." É um paradigma de sobrevivência – insulação, isolamento, intimidação. Levante muros. Gerencie as reuniões de modo a obter o que for estritamente necessário das pessoas. Diga não. Aprenda a tirar as pessoas de sua sala. Aprenda a interromper uma conversa telefônica – a maneira menos indelicada é desligar enquanto você mesmo está falando!

Essa abordagem pode afastar as outras pessoas do caminho e permitir que você faça o que deseja. Mas, quando o que queremos fazer inclui outras pessoas, é provável que elas tenham pouquíssima vontade de cooperar. Além disso, essa postura defensiva e reativa costuma levar a um comportamento manipulador e cria uma profecia de autossuficiência. As pessoas percebem que estão sendo dispensadas e, consciente ou inconscientemente, agem com resistência. Elas exigem tempo e atenção ou trabalham em torno de você e sem você, criando problemas que, para serem contornados, exigirão ainda mais de seu tempo. Essa abordagem protecionista e isoladora ignora a realidade interdependente da qualidade de vida e, na maioria dos casos, serve apenas para exacerbar o problema.

A responsabilidade pessoal é um princípio válido e poderoso. O problema surge quando ela está associada à ideia de que os outros são inimigos. Embora possamos ser altamente produtivos no curto prazo, o fruto desse paradigma de realizações independentes criará problemas no longo prazo. A abordagem independente é ineficaz em uma realidade interdependente.

3. A ABORDAGEM DE METAS (REALIZAÇÕES)

Basicamente, essa abordagem parte do princípio de que devemos saber o que queremos e nos esforçar para conseguir. Ela contém técnicas como planejamento de longo, médio e curto prazos, definição de metas, visualização, automotivação e criação de uma atitude mental positiva.

Virtudes: É a abordagem do artista renomado, o atleta olímpico. É o poder que faz o grande talento ser superado pelo talento limitado determinado a vencer – reunir as forças, concentrar a energia, recusar qualquer tipo de dispersão, ignorar qualquer obstáculo que o separe de seu objetivo. No campo do desenvolvimento pessoal, uma das poucas coisas que podem ser justificadas empiricamente é que os indivíduos e as organizações que definem metas têm maior capacidade de realização. A realidade é que as pessoas que sabem como definir e alcançar as metas geralmente conseguem realizar o que se propuseram.

Defeitos: Muitas pessoas usam essa abordagem para subir na vida e no fim descobrem que a escada estava apoiada na parede errada. Elas definem metas e concentram um poderoso esforço para alcançá-las. Mas, quando conseguem o que queriam, percebem que os resultados não correspondem às expectativas. A vida parece vazia, um autêntico anticlímax.

"Foi para isso que perdi todos esses anos?" Quando as metas não são baseadas em princípios ou em necessidades primárias, o esforço concentrado e a objetividade que possibilita a conquista podem impedir as pessoas de verem como a vida delas está desequilibrada. Elas talvez tenham uma renda de milhares ou milhões de dólares, mas precisam conviver com o sofrimento de divórcios e de filhos que nem sequer lhes dirigem a palavra. Podem ter uma imagem pública glamourosa, mas uma vida privada vazia. Têm os aplausos do mundo, mas não possuem relacionamentos ricos e satisfatórios, e bem no fundo não têm o menor senso de integridade.

E o que acontece quando algum fator externo repentinamente impede a conquista da meta superordenada, como um atleta que desenvolve uma doença crônica, um pintor que perde a visão, um músico que fica surdo? O que acontece quando eles perdem tudo?

A literatura da abordagem de meta faz uma série de referências à determinação, ao "pagar para ver". Mas tais referências não oferecem um quadro realista de qual pode ser o preço disso – inclusive o custo de oportunidade.

4. A ABORDAGEM ABC (DEFINIÇÃO DE PRIORIDADES E IDENTIFICAÇÃO DE VALORES)

A abordagem ABC parte da premissa de que você pode fazer qualquer coisa que quiser, mas não todas elas. Ela se baseia na abordagem de metas, à qual adiciona o importante conceito da sequência. "Primeiro, concentre seus esforços nas tarefas mais importantes." Ela contém técnicas como a definição de valores e a hierarquização de tarefas. A premissa é a de que, se você sabe o que deseja realizar e se concentrar inicialmente nessas coisas, será feliz.

Virtudes: Essa é a tradicional abordagem do "coloque as prioridades em primeiro lugar". Ela dá ordem e sequência. Do ABC ao simples 123, essa abordagem diária oferece técnicas para diferenciar as tarefas e o encoraja a manter-se concentrado nas tarefas prioritárias. A literatura mais recente amplia o conceito para analisar as prioridades de uma vida inteira. Ela afirma que as "prioridades" estão conectadas com seus valores e crenças, e que a identificação de seus valores lhe dará uma estrutura para se concentrar nessas prioridades. Essa profunda análise dos valores é produtiva e muito útil.

Defeitos: A falha principal é que a definição dos valores não reconhece a existência de princípios, leis naturais que governam a qualidade de vida e isso costuma levar as pessoas a decidirem e perseguirem valores que não condizem com as leis da natureza. Nesse caso, a busca por esses valores provoca apenas frustração e fracasso.

Há uma série de pessoas que chegaram ao topo de escadas apoiadas em paredes erradas que nos diz que a conquista do que elas valorizavam não lhes trouxe qualidade de vida. Consciente ou inconscientemente, essas pessoas agiram com base em valores que na época pareciam muito importantes. Elas definiram metas e se esforçaram para alcançar suas prioridades. Mas, quando conseguiram o que queriam, perceberam que os resultados obtidos não correspondiam às expectativas.

O fato de que podemos valorizar uma coisa a certa altura de nossas vidas não significa necessariamente que sua conquista trará felicidade duradoura. A história está repleta de exemplos de indivíduos e sociedades que conseguiram o que valorizavam – e isso não lhes trouxe "sucesso" ou felicidade. Algumas vezes, na verdade, acabam causando sua destruição.

Além da autoconsciência (conhecimento do que valorizamos), os outros dons também devem ser exercitados (consciência, imaginação criativa e vontade independente). Apenas dessa forma podemos nos certificar de que nossos valores estão em harmonia com a realidade do "norte verdadeiro". Em suma: se nossas metas não estiverem profundamente ancoradas em princípios corretos, jamais seremos capazes de conquistar profunda satisfação e qualidade de vida.

5. A ABORDAGEM DA FERRAMENTA MÁGICA (TECNOLOGIA)

A abordagem da ferramenta mágica está baseada na premissa de que a ferramenta certa (o calendário certo, a agenda certa, o software certo, o laptop certo) nos dará poder para criar qualidade em nossa vida. Essas ferramentas em geral nos ajudam a acompanhar as prioridades, organizar as tarefas e facilitam o acesso a informações-chave. A premissa básica é de que os sistemas e as estruturas nos auxiliam a ser mais eficazes. Elegantes agendas encadernadas em couro tornaram-se uma espécie de símbolo de status – um indicador de que a pessoa é rápida e extremamente organizada.

Virtudes: Há certamente um grande valor no uso de ferramentas eficazes. Da construção de uma casa à construção de uma vida, as ferramentas certas podem fazer grande diferença. Por que cavar com uma colher quando você pode usar uma retroescavadeira? Por que usar um simples calendário quando se pode ter uma agenda moderna capaz de ajudá-lo a:

- acompanhar as prioridades;
- manter suas metas em vista;
- organizar tarefas;
- organizar e acessar com rapidez informações usadas com frequência.

A quantidade de ferramentas tanto de papel quanto eletrônicas disponível no mercado sugere que essa abordagem é extremamente popular. As ferramentas são um símbolo de esperança. O fato de ter algo na mão que sugere ordem nos dá uma sensação de ordem. Há uma satisfação em registrar os acontecimentos, riscar as tarefas, acompanhar tudo o que acontece em nossa vida.

Defeitos: Os paradigmas fundamentais por trás do projeto da maioria das ferramentas de gerenciamento do tempo remete à abordagem de metas e à abordagem ABC. Como já dissemos, essas abordagens têm algumas virtudes, mas apresentam também alguns defeitos sérios, derivados em grande parte do fato de que nenhuma consideração é dada às realidades externas que promovem qualidade de vida.

A premissa básica de que a tecnologia é a resposta também é falha. A melhor das ferramentas não substitui a visão, o julgamento, a criatividade, o caráter ou a competência. Uma excelente câmera não produz um excelente fotógrafo. Um excelente processador de textos não faz um grande poeta. Da mesma forma, uma excelente agenda não criará uma vida bem-sucedida – embora uma nova agenda ou sistema de arquivo costume trazer implícita essa promessa. Uma boa ferramenta pode melhorar nossa capacidade de criar qualidade de vida, mas não tem por si só o poder de criá-la para nós.

Na verdade, a maioria das ferramentas atuais estimula o fazer humano em detrimento do ser humano. O foco nas tarefas diárias nos mantém checando continuamente se "aquilo foi feito", sem jamais nos questionarmos se "aquilo" devia ou não ser feito. Para grande parte das pessoas, as ferramentas parecem rigidamente estruturadas e artificiais. Em vez de servas, elas se tornam senhores autoritários, concentrados no que deve ser feito e distorcendo o ritmo e o equilíbrio naturais, até transformar o que deveriam ser enriquecedores momentos de vida em "fatias" predeterminadas de tempo.

E quantas pessoas usam as ferramentas de gerenciamento do tempo na forma que foram projetadas para serem usadas? Como reconhecem os próprios fornecedores das ferramentas, muito poucas. As pessoas compram agendas sofisticadas e complexas, e acabam usando-as como vistosos calendários. Consultores corporativos de gerenciamento relatam que encontram tais agendas sendo usadas como cadernos de anotações ou até mesmo fechadas nas gavetas da mesa do escritório. Para muitas pessoas, as ferramentas são símbolos de promessas não cumpridas.

6. A ABORDAGEM 101 DE GERENCIAMENTO DO TEMPO (HABILIDADES)

A abordagem 101 de gerenciamento do tempo está baseada no paradigma de que o gerenciamento do tempo é, no fundo, uma habilidade – como um processamento de cálculos ou de textos – e que, para funcionar de modo eficaz no mundo de hoje, temos que dominar certos fundamentos, por exemplo:

- utilização de uma agenda ou um calendário de reuniões;
- criação de listas de tarefas;
- definição de metas;
- delegação;
- organização;
- definição de prioridades.

A teoria é que esses fundamentos criam uma forma de literatura social necessária à sobrevivência. Trata-se de uma abordagem organizacional bastante popular. Quando as pessoas não têm habilidade de saber como planejar, definir metas ou delegar, isso pode criar um sério impacto em sua organização. Como parte dos programas de desenvolvimento de recursos humanos, muitas empresas produzem apostilas e cursos destinados a ensinar esses fundamentos básicos a seus funcionários.

Virtudes: Acontecem algumas melhorias, especialmente em termos de habilidades relacionadas ao trabalho, e que são valorizadas pela organização.

Defeitos: A profundidade e a qualidade do treinamento é a questão principal. Quais os paradigmas fundamentais que estão sendo ensinados? Eles estão associados a princípios corretos? Ou divulgam premissas imprecisas sobre a natureza da vida e da eficácia?

É interessante notar que muitas pessoas que não são tão organizadas ou não usam agendas muito complexas parecem desfrutar de mais paz interior, relacionamentos mais enriquecedores e mais satisfação na vida do que outras que dão importância a esse tipo de ferramenta. E a longo prazo, essas pessoas costumam contribuir mais para a organização do que as outras, que são mais "habilitadas" nas técnicas de gerenciamento do tempo.

Mais do que a habilidade ou a técnica, a qualidade individual e organizacional é uma questão de saber alinhar o caráter e o comportamento pessoal com os princípios. Grande parte do treinamento do gerenciamento do tempo é um misto de técnicas e truques de economia de tempo, com alguns princípios (como a organização e a definição de prioridades). Mas dificilmente as pessoas estão empoderadas para aplicar adequadamente esses princípios, ou detectar e aplicar outros. Habilidades, apenas, não fornecem a resposta.

7. A ABORDAGEM "SIGA O FLUXO" (HARMONIA E RITMOS NATURAIS)

Esta abordagem propõe um conjunto de premissas sobre o tempo e a vida totalmente diferente do que é utilizado pelo gerenciamento do tempo tradicional. O paradigma básico é que, ao aprender a "seguir o fluxo" e retornar ao ritmo natural da vida, abriremos nossa vida para a espontaneidade e as surpresas que são inerentes ao nosso ser.

Grande parte dessa literatura é baseada na filosofia das culturas orientais, nas quais a ênfase está na coerência do eu profundo e em sua harmonia com o fluxo da natureza. Essa abordagem é também fundamentada em pesquisas biológicas, que sugerem que todos os seres vivos têm certas vibrações e que viver em nosso mundo mecânico de relógios medindo cada nanossegundo, de computadores e celulares, nos coloca em desarmonia com os ritmos naturais de nosso corpo, gerando doenças graves e outros problemas. É uma espécie de contramovimento ao gerenciamento do tempo tradicional – um retiro para aqueles que se sentiram massacrados e culpados pelos sistemas e paradigmas das outras abordagens.

Virtudes: Sugere que escavações arqueológicas no futuro chegariam sem dúvida à conclusão de que nossa sociedade cultuava os relógios. Temos relógios nas escolas, nas igrejas, no escritório, em todas as dependências de nossas casas. Usamos ainda miniaturas deles em nossos pulsos!

Quer nós os cultuemos ou não, os relógios tiquetaqueiam, os telefones tocam, os computadores emitem bips, roncam e zunem (ou o que quer que seja que os programemos para fazer), e a cadência mecânica define um ritmo animado e insistente.

Mas algumas vezes, no meio dessa marcha rápida aparentemente forçada, experimentamos um desses momentos "eternos" no tempo, quando a cadência simplesmente se funde ao silêncio no prazer do momento. Pode ser em meio à natureza, longe dos relógios, telefones e computadores, onde nos sentimos conscientes e em sintonia com os ritmos naturais em torno e dentro de nós. Pode ser quando estamos envolvidos em algo que amamos, como música, arte, literatura, jardinagem. Pode ser quando estamos envolvidos com alguém que amamos, compartilhando, descobrindo, comunicando. O ritmo é drasticamente diferente, e sentimos uma qualidade naquele momento que o faz rico e satisfatório. Nós nos tornamos conscientes dessa diferença radical. Queremos mais momentos eternos em nossas vidas.

Essa abordagem nos sensibiliza para o valor desses momentos e nos ajuda a torná-los mais frequentes. Ela nos afasta do domínio das coisas urgentes contra as quais somos constantemente pressionados. Ela cria e encoraja a harmonia interna e externa.

Defeitos: Frequentemente, essa abordagem é uma reação à síndrome da urgência – uma fuga em vez de uma ajuda à criação de qualidade de vida. Elementos fundamentais como visão, objetivo e equilíbrio costumam ser esquecidos. Além disso, há muitas ocasiões em que a realização de coisas importantes implica o exercício da vontade independente e um movimento contra o fluxo, no lugar de simplesmente seguirmos o fluxo.

8. A ABORDAGEM DA RECUPERAÇÃO (AUTOCONSCIÊNCIA)

Algumas pesquisas feitas com seriedade foram baseadas no que se convencionou chamar de abordagem da recuperação. O paradigma básico é o de que há falhas essenciais na psique, em decorrência de influências ambientais, hereditárias, inconscientes, entre outras que se manifestam na forma de comportamentos autodestrutivos ou disfuncionais em relação ao gerenciamento do tempo.

Influenciado por exemplos precocemente assimilados ou pela mentalidade de seu círculo familiar, um indivíduo pode se tornar um "perfeccionista" – com medo de delegar, com tendências a microgerenciar, gastando muito tempo em projetos que ultrapassam o uso eficaz dos recursos. Uma pessoa cuja infância ou ambiente o transformou em alguém ansioso para agradar pode assumir compromissos em demasia e trabalhar em excesso em razão do medo de ser rejeitada. O "procrastinador" pode temer tanto o sucesso quanto o fracasso, se no passado o sucesso acabou servindo para machucar alguém ou teve um grande custo na vida da família. A solução está na recuperação das deficiências psicológicas e sociológicas que criam os problemas de gerenciamento do tempo.

Virtudes: Essa abordagem é valiosa porque se concentra em alguns dos paradigmas que criam nosso comportamento – as raízes do problema. Ela lida com mais autoconsciência e prepara as pessoas para fazer mudanças e melhorias fundamentais.

Defeitos: Os métodos de recuperação sugeridos são tão variados quanto os do próprio movimento de recuperação geral. Embora essa abordagem ofereça descobertas importantes e ajude a definir parte do problema, seu valor é mais diagnóstico do que prescritivo. Ela nem sequer chega a oferecer uma abordagem unificada para a solução, e diversas abordagens correntemente aceitas contradizem umas às outras mesmo nas questões mais básicas. Além disso, ela corta uma fatia muito estreita da realidade e nem toca em uma vasta gama de outros assuntos relacionados ao gerenciamento do tempo.

Além disso, embora a autoconsciência seja importante, é incompleta. A compreensão de nosso roteiro passado é apenas parte da criação de mudança significativa.

O quadro a seguir resume as principais contribuições, virtudes e defeitos das oito abordagens de gerenciamento do tempo.

Abordagem	Contribuição	Virtudes	Defeitos
Organização	• ordem	• economiza tempo • reduz ou elimina o desperdício • possibilita maior produtividade	• torna-se um fim em vez de um meio para obter fins maiores • dá a ilusão de produtividade • não ajuda as pessoas a conquistar necessariamente o que é importante
Guerreiro	• grande produção independente	• parte do princípio de que cada um é responsável por seu tempo e pelos resultados que obtém • cria tempo ininterrupto para ação independente altamente alavancadora de curto prazo	• alimenta uma independência forte e às vezes até arrogante • muitas vezes ofende as pessoas • leva a um comportamento manipulador • cria comportamento conspiratório ao qual os outros reagem na mesma moeda • cria falta de efetividade a longo prazo
Metas	• comprometimento e foco	• hierarquiza os valores • cria plano sequencial para a obtenção de metas	• cria a falsa expectativa de que a conquista de metas trará necessariamente resultados de qualidade de vida • cria um desequilíbrio de vida pelo foco exclusivo no tempo e na energia • coloca a conquista de metas à frente de respostas espontâneas a momentos de vida de grande riqueza • exalta a conquista independente
ABC	• priorização	• dá ordem e sequência às conquistas	• "prioridade" é frequentemente definida pela urgência, circunstâncias ou outras pessoas • não possibilita a resposta segura ao surgimento espontâneo de prioridades genuinamente mais importantes • não reconhece as realidades externas que governam a qualidade de vida

Abordagem	Contribuição	Virtudes	Defeitos
Ferramenta Mágica	• alavancagem	• oferece poderosas ferramentas para comunicar, acompanhar o progresso e os resultados, e organizar • aumenta a produtividade • amplia a capacidade individual • possibilita a criação de produtos e serviços de alta qualidade	• cria a ilusão de que o poder está na ferramenta • algumas vezes é restritivo e artificial • encoraja o fazer humano em detrimento do ser humano • frequentemente transforma as ferramentas em senhores autoritários em vez de servos úteis • subutiliza o potencial das ferramentas já que as pessoas costumam usar ferramentas avançadas como calendários vistosos • frequentemente se concentra nas prioridades do dia, em geral urgentes
Gerenciamento do Tempo 101	• habilidades	• desenvolve habilidades que melhoram a realização de objetivos • aumenta o desempenho	• cria a ilusão de que a eficácia está na habilidade • varia em qualidade e na orientação da instrução do "norte verdadeiro" • geralmente gera um foco limitado nas habilidades consideradas importantes para a organização
Siga o Fluxo	• harmonia	• começa a se afastar do paradigma da urgência • cria um ritmo de vida mais harmonioso com nossos ritmos naturais	• não possui a força de abordagens mais focadas em propósitos • não apresenta o equilíbrio de uma abordagem mais integrada • ignora os valores representados pela manutenção de compromissos com os outros por meio de compromissos, agendas e certos tipos de produtividade sequencial
Recuperação	• autoconsciência	• ajuda a identificar a natureza e a fonte de hábitos disfuncionais relacionados ao gerenciamento do tempo	• não oferece uma solução unificada • é incompleta: a autoconsciência sozinha não cria qualidade de vida • atende a uma estreita faixa de preocupações • concentra-se no passado e ignora o futuro

Embora existam valiosas contribuições em cada uma das abordagens, em geral elas provêm de um paradigma de controle, esforço independente, eficiência e tempo cronológico. O quadro a seguir mostra como essas abordagens se relacionam com as três gerações de gerenciamento do tempo descritas no Capítulo 1.

Abordagem	Primeira Geração	Segunda Geração	Terceira Geração
Organização (ordem)		X	X
Guerreiro (sobrevivência e produção independente)		X	X
Metas (conquistas)		X	X
ABC (definição de prioridades e identificação de valores)			X
Ferramenta Mágica (tecnologia)		X	X
Gerenciamento do Tempo 101 (habilidades)		X	X
Siga o Fluxo (harmonia e ritmos naturais)	X*		
Recuperação (autoconsciência)	X*		

*De algumas formas, essas abordagens fazem parte da primeira geração; de outros pontos de vista, começam a se deslocar na direção da quarta ao fazer perguntas que transcendem os limites da eficiência do paradigma cronológico.

Os pioneiros de cada geração de gerenciamento do tempo fizeram contribuições significativas. Expressamos nosso reconhecimento e apreciamos o empenho deles e o de outras pessoas que se envolveram no trabalho de implantação de uma nova geração baseada nas leis naturais que governam a qualidade de vida. Estamos convencidos de que as descobertas e a sinergia de muitos trarão a todos nós um nível mais alto de compreensão e contribuição.

BIBLIOGRAFIA SOBRE GERENCIAMENTO DO TEMPO

ALEXANDER, Roy. *Guia para a administração do tempo*. Rio de Janeiro: Campus/AMACOM, 1994.
ALLEN, Jane Elizabeth. *Beyond Time Management*. Addison-Wesley, 1986.
APPLEBAUM, Steven H.; ROHRS, Walter, F. *Time Management for Health Care Professionals*. Aspen Systems, 1981.
BARNES, Emilie. *The Fifteen-Minute Organizer*. Harvest House, 1991.
BENNETT, Robert F. *Gaining Control: Your Key to Freedom and Success*. Franklin Institute/Pocket Books, 1987.
BEST, Fred. *Flexible Life Scheduling*. Praeger, 1980.

BILLINGSLEY, Anne Voorhees. *Getting the Twenty-Fifth Hour*. Hearth, 1988.
BOND, William J. *199 Time-Waster Situations and How to Avoid Them*. Frederick Fell, 1991.
_____. *One Thousand and One Ways to Beat the Time Trap*. Frederick Fell, 1982.
CADDYLAK SYSTEMS. *Easy to Make Management Forms*. Caddylac Systems, Westbury, Nova York, 1983.
CARNAHAN, George R. *T.I.M.E.* Cincinnati: South Western, 1987.
COOPER, Joseph D. *How to Get More Done in Less Time*. Doubleday, 1962.
CRISWELL, John W. *Maintenance Time Management*. Englewood Cliffs, NJ: Fairmont Press. Distribuído por Prentice Hall, 1991.
CULP, Stephanie. *How to Get Organized When You Don't Have Time*. Writer's Digest Book, 1986.
DAVENPORT, Rita. *Making Time Making Money*. St. Martin's, 1982.
DOUGLASS, Merril E.; DOUGLASS, Donna N. *Manage Your Time, Manage Your Work, Manage Yourself*. AMACOM, 1980.
_____. *Time Management for Teams*. AMACOM, 1992.
DOUGLASS, Merril; GOODWIN, Phillip H. *Successful Time Management for Hospital Personnel*. AMACOM, 1980.
EYRE, Richard; EYRE, Linda. *Life Balance*. Ballantine, 1988.
FANNING, Tony; FANNING, Robbie. *Get It All Done and Still Be Human*. Menlo Park, CA: Open Chain Publishing, 1990.
GUASPARI, John. *It's about Time*. AMACOM, 1992.
HEDRICK, Lucy H. *Three Hundred and Sixty-Five Ways to Save Time*. Hearst, 1992.
HELMER, Ray G. *Time Management for Engineers and Constructors*. American Society of Civil Engineers, 1991.
HOBBS, Charles R. *Time Power*. Harper & Row, 1987.
HOPSON, Barrie; SCALLY, Mike. *Time Management*. Mercury, 1989.
HUMMEL, Charles. *Tyranny of the Urgent*. InterVarsity, 1967.
HUNT, Diana; HAIT, Pam. *The Tao of Time*. Simon & Schuster, 1990.
HUTCHINS, Raymond G. *High School Time Tracker*. Prentice Hall, 1992.
JANUZ, Lauren Robert. *Time Management for Executives*. Scribner's, 1982.
JOSEPHS, Ray. *How to Gain an Extra Hour Every Day*. Plume, 1992.
KEYES, Ralph. *Timelock*. HarperCollins, 1991.
KOBERT, Norman. *Managing Time*. Boardroom Books, 1980.
KOFODIMOS, Joan R., Ph.D. "Why Executives Lose Their Balance". Center for Creative Leadship, 1989, relatório nº 137.
LABOEUF, Michael. *Working Smarter*. McGraw-Hill, 1979.
LAKEIN, Alan. *How to Get Control of Your Time and Your Life*. Signet, 1973.
LEVINSON, J. Conrad. *The Ninety-Minute Hour*. Penguin, 1990.
LITTLETON, Mark. *Escaping the Time Crunch*. Moody Press, 1990.
LOVE, Sidney. *Mastery and Management of Time*. Prentice Hall, 1978.
MACKENZIE, R. Alec. *Teamwork through Time Management*. Dartnell Press, 1990.

_____. *Time for Success*. McGraw-Hill, 1989.
_____. *The Time Trap*. AMACOM, 1990.
MAHER, Charles A. (Org.). *Professional Self-Management Techniques*. P.H. Brookes, 1985.
MARVIN, Philip. *Executive Time Management*. AMACOM, 1980.
MAYER, Jeffrey J. *If You Haven't Got the Time to Do lt Right, When Will You Find the Time to Do It over?* Simon & Schuster, 1990.
McCAY, James T. *The Management of Time*. Prentice Hall, 1959.
McCULLOUGH, Bonnie. *Totally Organized the Bonnie McCullough Way*. St. Martin's, 1986.
McGEE-COOPER, Ann. *Time Management for Unmanageable People*. International Self Counsel Press, 1988.
NEAL, Richard G. *Managing Time*. Richard Neal Associates, Falis Church, VA, 1983.
OLNEY, Ross; OLNEY, Patricia. *Time! How to Have More of It*. Walker, 1983.
PEARSON, Barrie. *Common Sense Time Management*. Mercury, 1989.
POSNER, Mitchell J. *Executive Essenciais*. Avon, 1982.
RANDALL, John C. *How to Save Time and Worry Less*. Hotline Multi-Enterprises, 1979.
READER'S DIGEST. *Organize Yourself*. Berkley Reader's Digest Books, 1980.
REYNOLDS, Helen. *Executive Time Management*. Prentice Hall, 1979.
SALTZMAN, Amy. *Downshifting*. Harper Perennial, 1992.
SCHLENGER, Sunny; ROESCH, Roberta. *How to Be Organized in Spite of Yourself*. Signet, 1990.
SCHOFIELD, Deniece. *Springing the Time Trap*. Shadow Mountain, Salt Lake City, 1987; Signet, 1989.
SCOTT, Dru. *How to Put More in Your Life*. Signet, 1980.
SEIWERT, Lothar J. *Time Is Money, Save It*. Dow Jones – Irwin, 1989.
SHERMAN, Doug; HENDRICKS, William. *How to Balance Competing Time Demands*. Navpress, 1989.
SHIPPMAN, Leo J.; MARTIN, Jeffrey A.; McKAY, Bruce; AMASTASI, Robert A. *Effective Time Management Techniques for School Administrators*. Prentice Hall, 1983.
SILVER, Susan. *Organize to Be the Best*. Adams-Hall, 1989.
SMITH, Hyrum W. *The Advanced Day Planner Users Guide*. Franklin Institute, 1987.
_____. *Ten Natural Laws of Successful Time and Life Management: Proven Strategies for Increased Productivity and Inner Peace*. Warner, 1994.
SMITH, Ken. *It's about Time*. Crossway Books, 1992.
SMITH, Marian. *In Today, Out Today*. Prentice Hall, 1982.
STAUTBERG, Susan S.; WORTHING, Marcia L. *Balancing Act*. Avon, 1992.
STOKES JR., Steward L. *Time Is of the Essence*. QED Information Sciences, 1983.
SWENSON, Richard A. *Margin: How to Create Emotional, Physical, Financial, and Time Reserves You Need*. Navpress, 1992.
TASSI, Nina. *Urgency Addiction*. Taylor, 1991.

THE SUCCESS GROUP. *How to Get Organized*. Self/Palm Beach Gardens, FL.
TREUILLE, Beverly Benz; STAUTBERG, Susan Schiffere. *Managing It All*. Master Media, 1988.
TURLA, Peter; HAWKINS, Kathleen L. *Time Management Made Easy*. Dutton, 1983.
WEBBER, Ross Arkell. *Breaking Your Time Barriers*. Prentice Hall.
_____. *A Guide to Getting Things Done*. Free Press, 1980.
_____. *Time and Management*. Van Nostrand Reinhold, 1972.
WHISEHUNT, Donald W. *Administrative Time Management*. University Press of America, 1987.
WHITE, T. Kenneth. *The Technical Connection*. Wiley, 1981.
WINSTON, Stephanie. *Getting Organized*. Norton, 1978.
_____. *The Organized Executive*. Norton, 1983.
WRIGHT, Howard. *Success and Time Management*. Wright Financial, 1992.

Gerenciamento do tempo: leituras de apoio

ALESANDRINI, Kathryn. *Survive Information Overload*. Business One, Irwin, 1992.
ARNOLD, William W.; PLAS, Jeanne M. *The Human Touch: Today's Most Unusual Program for Productivity and Profit*. Wiley, 1993.
BAKER, Kim; BAKKER, Sunny. *Office on the Go*. Prentice Hall, 1993.
BARKER, Joel Arthur. *Paradigms: The Business of Discovering the Future*. Harper-Collins, 1992.
BENNETT, William J. *The De-Valuing of America: The Fight for Our Culture and Our Children*. Summit, 1992.
BITTEL, Lester R. *Right on Time*. McGraw-Hill, 1991.
BLACK, Joe. *The Attitude Connection*. Life Vision Books, 1991.
_____. *Looking back on the Future*. Life Vision Books, 1993.
BLANCHARD, Ken; ONCKEN JR., William; BURROWS, Hal. *The One-Minute Manager Meets the Monkey*. Morrow, 1989.
BLOCK, Peter. *Stewardship*. Berret-Koehler, 1993.
BOLDT, Laurence G. *Zen and the Art of Making a Living: a Practical Guide to Creative Career Design*. Penguin, 1991.
BOLLES, Richard N. *The 1994 What Color Is Your Parachute?* Ten Speed Press, 1994.
_____. *The Three Boxes of Life*. Ten Speed Press, 1978.
BOOHER, Diana. *Clean up Your Act*. Warner, 1992.
BREMER, Sidney Newton. *Spirit of Apollo*. Successful Achievement, 1971.
BURKA, Jane B.; YUEN, Lenora M. *Procrastination*. Addison-Wesley, 1983.
BURNS, Lee. *Busy Bodies*. Norton, 1993.
CAMPBELL, Andrew; NASH, Laura L. *A Sense of Mission: Defining Direction for the Large Corporation*. Addison-Wesley, 1992.
CHOPRA, Deepak. *Ageless Body, Timeless Mind*. Harmony, 1993.
COLESON, Chuck; ECKERD, Jack. *Why America Doesn't Work*. Word, 1991.

COLLINS, James C.; LAZIER, William C. *Beyond Entrepreneurship: Turning Your Business into an Enduring Great Company*. Prentice Hall, 1992.
COOPER, Dr. Kenneth H. *The Aerobics Program for Total Wellbeing*. M. Evans, 1982.
DARDIK, Irving; WAITLEY, Dennis. *Quantum Fitness*. Pocket, 1984.
DOMINGUEZ, Joe; ROBIN, Vicki. *Your Money or Your Life*. Viking, 1992.
DRUCKER, Peter. *O gerente eficaz*. Rio de Janeiro: Zahar, 1981.
GLEIK, James. *Caos: A criação de uma nova ciência*. Rio de Janeiro: Campus, 1990.
GOLDBERG, Philip. *The Intuitive Edge: Understanding and Applying It in Everyday Life*. Jeremy Tarcher, 1983.
GOLDRATT, Eliyahu M. *The Goal*. North River Press, 1984.
HICKMAN, Craig R. *Mind of a Manager, Soul of a Leader*. Wiley, 1990.
HILLMAN, James; VENTURA, Michael. *We've Had a Hundred Years of Psychoterapy and the World's Getting Worse*. HarperCollins, 1992.
HUNNICUTT, Benjamin Kline. *Work without End*. Temple University Press, 1988.
JAMISON, Kaleel. *The Nibble Theory*. Paulist Press, 1984.
JONES, John W. *High-Speed Management*. Jossey-Bass, 1993.
KINDER, Dr. Melvyn. *Going Nowhere Fast*. Fawcett Columbine, 1990.
KOTTER, John P.; HESKETT, James L. *Corporate Culture and Performance*. Free Press, 1992.
KOUZES, James; POSNER, Barry Z. *Credibilidade: Como conquistá-la e mantê-la perante clientes, funcionários, colegas e o público em geral*. Rio de Janeiro: Campus, 1994.
KUHN, Thomas S. *The Structure of Scientific Revolutions*. University of Chicago Press, 1962.
LANGER, Ellen J. *Mind-fulness*. Addison-Wesley, 1989.
MATERKA, Pat Roessle. *Time in, Time out, Time Enough*. Ann Arbor, 1993.
McCARTHY, Kevin W. *The On-Purpose Person*. Pinon Press, 1992.
McWILLIAMS, John-Roger; McWILLIAMS, Peter. *Do It!* Prelude Press, 1991.
MEYER, Christopher. *Fast Cycle Time*. Free Press, 1993.
MITROFF, Ian; LINSTONE, Harold A. *The Unbounded Mind: Breaking the Chains of Traditional Business Thinking*. Oxford University Press, 1993.
MYERS, David G. *The Pursuit of Happiness*. Morow, 1992.
NAVE, Jean Russel. *The Quest for Real Success*. Windmere Press, 1987.
NIELSEN, Duke. *Partnering with Employees: A Pratical System for Building Empowered Relationships*. Jossey-Bass, 1993.
NOBLE, Valerie. *Guide to Individual Development: An Annotated Bibliography*. Special Libraries Association, Washington, D.C., 1986.
OAKLEY, Ed; KRUG, Doug. *Enlightened Leadership: Getting to the Heart of Change*. Simon & Schuster, 1993.
ORSBORN, Carol. *Enough Is Enough*. Putnam, 1986.
_____. *Inner Excelence: Spiritual Principies of Life-Driven Business*. World Library, 1992.

OSTERBREG, Rolf. *Corporate Renaissance: Business as an Adventure in Human Development*. Nataraj, 1993.
PARKER, Marjorie. *Creating Shared Vision*. Senter for Ledelsesutvikling A/S (The Norwegian Center for Leadership Development), 1990.
PROAT, Frieda. *Creative Procrastination*. Harper & Row, 1980.
QUIGLEY, Joseph V. *Vision: How Leaders Develop It, Share It, and Sustain It*. McGraw-Hill, 1993.
RUBIN, Theodore Isaac. *Overcoming Indecisiveness*. Avon, 1985.
RUSSO, J. Edward; SHOEMAKER, Paul J. H. *Decision Traps*. Fireside, 1989.
RUTHERFORD, Robert D. *Just in Time*. Wiley, 1981.
RYAN, Kathleen D.; OSTEREICH, Daniel K. *Driving Fear out of the Workplace*. Jossey-Bass, 1991.
SCHAEF, Anne Wilson; FASSEL, Diane. *The Addictive Organization*. Harper, 1988.
SCHOFIELD, Deniece. *Confessions of an Organized Housewife*. Writer's Digest Books, 1982.
SCHOR, Juliet B. *Overworked American*. Basic, 1991.
SELIGMAN, Martin E. P. *Learned Optimism*. Pocket, 1990.
SELYE, Hans. *Stress without Distress*. Signet, 1975.
SENGE, Peter M. *The Fifth Discipline*. Doubleday, 1990.
SHAMES, Laurence. *The Hunger for More*. Vintage/Random House, 1986.
SHERMAN, Doug; HENDRICKS, William. *Your Work Matters to God*. Navpress, 1987.
SKOPEK, Eric W.; KIELY, Laree. *Taking Charge*. Addison-Wesley, 1991.
TYSSEN, Theodore G. *The First Manager*. International Self-Counsel Press, 1992.
VETTERLI, Richard; BRYNER, Gary. *In Search of the Republic*. Rowman&Littlefield, 1987.
WALDROP, M. Mitchell. *Complexity*. Simon & Schuster, 1992.
WHEATLEY, Margaret J. *Leadership and the New Science: Learning about Organization from an Orderly Universe*. Berret-Kohler, 1992.
WHITNEY, John O. *The Trust Factor: Liberating Profits and Restoring Corporate Vitality*. Donnely, 1994.
WICK, Calhoun W.; LEON, Lu Staton. *The Learning Edge: How Smart Managers and Smart Companies Stay Ahead*. McGraw-Hill, 1993.

Tempo/filosófico, sociológico, científico, etc.
AMERICAN INSTITUTE OF CPAs. *Control for the Effective Use of Time*. American Institute of Certified Public Accountants, Nova York, 1958.
BENDER, John; WELLBERY, David E. (Eds.). *Chronotypes: The Construction of Time*. Stanford University Press, 1991.
BLACKWELL, B. *The Nature of Time*. Oxford, 1986.
CARLSTEIN, Tommy. *Time Resources, Society and Ecology*. Allen & Unwin, 1982.
_____.; PARKES, Don; THRIFT, Nigel. *Human Activity and Time Geography*. E. Arnold, 1978.

CARR, David. *Time Narrative in History*. Indiana University Press, 1986.

DAS, T. K. *Time Dimmensions*. Praeger, 1990. (Ótima referência da literatura abrangendo várias dimensões do tempo. Esse impressionante estudo oferece achados e perspectivas em áreas como antropologia, sociologia, biologia, geografia, história, linguística, literatura, administração, física, ciência física. Possui, sem dúvida, uma orientação acadêmica, mas contém 300 páginas de referências que dão uma noção da amplitude do pensamento e da pesquisa sobre o tempo ao longo dos séculos. Estudá-lo em profundidade iria exigir de um profissional mais de uma vida inteira. É interessante notar que, com raras exceções, a literatura sobre o gerenciamento do tempo não reflete nenhuma conexão com esse gigantesco corpo de conhecimento.)

DENBIGH, Kenneth. *Three Concepts of Time*. Springer-Verleg, 1981.

DOSSEY, Larry. *Space, Time and Medicine*. Shambala Publications, 1985.

ELTON, L. R. B.; MESSEL, H. B. *Time and Man*. Pergamon Press, 1978.

EWING, A. C. *The Fundamental Questions of Philosophy*. Routledge and Kegan Paul, 1951.

FRAZER, J. T. *Time, The Familiar Stranger*. University of Massachusetts Press, 1987.

HATANO, Seiichi [traduzido para o inglês por Ichiro Suzuki]. *Time and Eternity*. Greenwood Press, 1963.

HERRIN, Donald Arthur. "Use of Time by Married Couples", Brigham Young University, 1983. (Tese inédita).

HOLMES, Ivory H. *The Allocation of Time by Women*. University Press of America, 1983.

JUSTER, F. Thomas; STAFFORD, Frank P. (Orgs.) *Time, Goods and Well-Being*. Survey Research Center, Institute for Social Research, University of Michigan, 1985.

LEE, Mary Dean; KANUNGO, Rabindra N. (Orgs.) *Management of Work and Personal Life*. Praeger, 1984.

NORBERT, Elias [traduzido por Edmund Jebhcoth]. *Time, An Essay*. 1992.

PLECK, Joseph H. *Working Wives, Working Husbands*. National Council in Family Relations, Sage, 1985.

RIFKIN, Jeremy. *Time Wars*. Henry Holt, 1987.

ROBINSON, John. *The Rhythm of Everyday Life*. Westview Press, Boulder, 1989.

SHARP, Clifford. *The Economics of Time*. Oxford, 1981.

TIVERS, Jacqueline. *Women Attached*. St. Martin's, 1985.

VAN VLIET, Willem. *Theories, Methods, and Applications of Activity*. Vance Bibliographies, Monticello, IL, 1978.

VON FRANZ, Marie-Louise. *Time, Rhythm and Repose*. Thames & Hudson, 1978.

WOLF, Fred Alan. *Taking the Quantum Leap*. Harper&Row, 1981.

ZEE, A. *Fearful Symmetry*. Macmillan, 1986.

Apêndice C
A literatura da sabedoria

Definimos a "literatura da sabedoria" como aquela parte da literatura clássica, filosófica, proverbial e inspiracional que lida especificamente com a arte de viver. Parte da literatura atualmente disponível é anterior à ciência e à filosofia formais e foi passada de geração em geração pela tradição oral, por provérbios e arte simbólica, bem como pela palavra escrita.

Alguns dos textos mais antigos remontam à "Sabedoria de Ptah-hotep" (Egito, 2500 a.C.) que, com outros escritos egípcios, teve significativa influência sobre a cultura grega. As tradições gregas e hebraicas influenciaram de modo marcante a formação do pensamento ocidental moderno. A literatura da sabedoria oriental, como os escritos de Confúcio (551-479 a.C.) e de Mêncio (371-289 a.C), ao lado de trabalhos hindus, como o Bhagavad Gita e o Dhammapada, são extremamente conhecidos e lidos no Ocidente. A literatura nativa dos Estados Unidos também está se tornando mais conhecida e disponível.

Nem toda essa literatura seria considerada literatura da sabedoria – é o sabor mais prático, uma espécie de "como fazer", que destaca esse grupo de escritos do seu contexto inspiracional e filosófico mais amplo. Da tradição hebraica, por exemplo, os livros *Jó*, *Provérbios*, *Salmos* e o apócrifo *Sabedoria de Salomão* poderiam ser caracterizados como literatura da sabedoria.

TEMAS RECORRENTES PRINCIPAIS

Reconhecemos que há cautela em definir tantas conclusões a partir de uma cadeia tão vasta de material com profundas diferenças em filosofia, paradigmas centrais e linguagem. Mas mesmo com essas diferenças, sentimos que há um significativo proveito em se procurar os temas mais gerais, bem como aprender a apreciar as diferenças.

A partir de nosso próprio levantamento e de nossos esforços para aprender com estudiosos que dedicaram tanto tempo e trabalho a essa área, concluímos que os temas apresentados a seguir são os mais comuns.

Escolha
Está em nossas mãos o poder de escolher. Algumas escolhas produzem resultados melhores do que outras. Há uma relação de causa e efeito entre as escolhas e as consequências. Essa relação algumas vezes é chamada de Lei da Colheita.

Reflexão
Ao reservar tempo para refletir sobre a vida em vez de passar o tempo apenas vivendo, nos tornamos conscientes das consequências de nossas escolhas e aprendemos com a vida.

Valor das escolhas
É importante ter em mente que o valor de uma escolha em detrimento de outra nem sempre é completamente racional ou facilmente defensável, mas é discernível. Com alguma forma de intuição, as pessoas sabem a coisa certa a fazer, e a vida se torna melhor à medida que aprendemos a seguir à risca esse "guia".

Verdade
Existem "verdades" – Leis Básicas da Vida que funcionam com indiscutível coerência –, e melhoramos a nossa vida quando aprendemos a viver de acordo com elas.

Necessidades básicas
Existem necessidades humanas universais, e nada na experiência humana funciona bem durante muito tempo se as ignorarmos.

Natureza
As pessoas fazem parte de um todo ecológico maior. Viver em harmonia com a natureza é parte vital da qualidade de vida.

Relacionamentos
A lei que governa a qualidade de nossos relacionamentos com os outros é a Lei da Reciprocidade. A vida é melhor quando tratamos os outros como gostaríamos de ser tratados.

Contribuição
A grande dicotomia aparente é que, quanto mais damos, mais recebemos.

Perspectiva
Há muito mais na vida do que o "eu" e o "agora". Ver as coisas de um ponto de vista amplo produz decisões de melhor qualidade.

O que é notável sobre a literatura da sabedoria é que à medida que encontramos padrões, coerência e temas, ela representa o mais válido banco de dados de toda a experiência humana. Ignorá-la – não tentar aprender com ela – seria um desperdício absurdo de recursos valiosos. Certamente, a imersão regular no grande banco de dados da vida é um curso poderoso na educação da consciência.

BIBLIOGRAFIA DA LITERATURA DA SABEDORIA

Percebemos que existem muitas questões relacionadas ao estudo da literatura da sabedoria, inclusive a própria definição da literatura da sabedoria. Reconhecemos e honramos os mestres que durante anos se dedicaram a estudar e contribuir nessa área. Como eles e outros bem versados em literatura reconhecerão imediatamente, a bibliografia que se segue não é definitiva. Nosso objetivo ao listar estes livros é mostrar a variedade e a abrangência dessa literatura, ilustrar como alguns dos temas gerais que sugerimos são comuns a várias obras e oferecer um ponto de partida útil para aqueles interessados em utilizar esse vasto corpo da experiência humana como um recurso para a educação da consciência.

Estamos compilando uma lista mais abrangente, que, acreditamos, será uma valiosa fonte para muitos, e agradecemos as sugestões de leituras que possam ser incluídas. Se estiver interessado em ajudar, envie um e-mail para info@franklincovey.com.br a fim de que enviemos um formulário-resposta para submeter sua sugestão à apreciação, junto com o motivo pelo qual acredita que ela deva ser incluída e de que forma influenciou sua vida.

Dividimos a lista a seguir em "Obras básicas" e "Coletâneas" e colocamos as obras em ordem alfabética de título. As pessoas familiarizadas com esse tipo de trabalho reconhecerão que alguns textos básicos são coleções no sentido técnico. Mas, para essa bibliografia, "coletâneas" são livros de citações.

Obras básicas
The Analects of Confucius. Traduzido para o inglês por Arthur Waley. Vintage, 1938.
The Art of Virtue. Benjamin Franklin. Acorn, 1986.
As a Man Thinketh. James Allen. Running Press, 1989.
As a Man Thinketh, v. 2. James Allen. MinArt, 1988.
The Bhagavad Gita. Traduzido para o inglês por Eknath Easwaran. Nilgiri Press, 1985.
Book of the Hopi. Frank Walters. Ballantine, 1963.
The Book of Mormon. The Church of Jesus Christ of Latter – Day Saints, 1986.
The Collected Dialogues of Plato. Editado por Edith Hamilton e Huntington Cairns. Princeton University Press, 1961.
The Dhammapada. Traduzido para o inglês por Eknath Easwaran. Nilgiri Press, 1985.
The Essential Gandhi. Editado por Louis Richer. Vintage, 1962.
A Bíblia Sagrada.
The Instruction of Ptah-Hotep and the Intruction of Ke'Gemni: The Oldest Books in the World. Traduzido para o inglês por Battiscombe Gunn. Londres: John Murray, 1912.
The Lessons of History. Will e Ariel Durant. Simon&Schuster, 1968.
The Meaning of the Glorius Koran: An Explanotory Translation. Traduzido para o inglês por Mohammad Marmaduke Pickehall. Mentor Books, s.d.
The Meditations of Marcus Aurelius. Traduzido para o inglês por George Long. Avon Books, 1993.
The Nicomachean Ethics. Aristóteles. Oxford University Press, 1991.
The Opening of the Wisdom-Eye. H. H. Gyastso, o Dalai Lama Tensin. Quest Books, 1966.
Ramayana. R. K. Narayan. Penguin, 1972.
The Sayings of Confucius. Traduzido para o inglês por Lionel Giles. Londres: Charles E. Tuttle, 1993.
The Sayings of Mencius. James R. Ware Mentor Books, 1960.
Sidarta. Hermann Hesse. Rio de Janeiro: Record, 2012.
Sufism, the Alchemy of the Heart. Labyrinth Publishing, 1993.
Tao, to Know and Not Be Knowing. Labyrinth Publishing, 1993.
Tao Te Ching. Lao Tzu. Penguin, 1963.
The Torah. Traduzido para o inglês por W. Gunther Piau. Central Conference of American Rabbis, 1981.
The Upanishads. Traduzido para o inglês por Eknath Easwaran. Nilgiri Press, 1987.
Walden, or, Life in the Woods. Henri David Thoreau. Shambala, 1992.

The Way of Chuang Tzu. Thomas Merton. Shambala, 1965.
The Wisdom of Confucius. Peter Pauper Press, 1963.
Wisdomkeepers: Meetings with Native American Spiritual Elders. Steve Wall e Harvey Arden. Beyond Words Publishing, 1990.
The Wisdom of the Vedas. J. C. Chatterji. Quest Books, 1992.
World Scripture: A Comparative Anthology of Sacred Texts. International Religious Foundation. Paragon House, 1991.
Zen, the Reason of Unreason. Labyrint Publishing, 1993.

Coletâneas
A World Treasury of Folk Wisdom. Reynold Feldman e Cynthia A. Voelke. HarperCollins, 1992.
Light from Many Lamps. Editado por Lilian Eichler Watson. Fireside, 1979.
Native American Wisdom. Running Press, 1993.
Oneness. Jeffrey Moses. Fawcett Columbine, 1989.
Prayer of the Heart: Writings from the Philokalia. Traduzido para o inglês por G. E. H. Palmer, Philip Sherrard e Kallistos Ware. Shambhala, 1993.
Spiritual Illuminations. Editado por Peg Steep. Viking Studio Books, 1992.
The Art of Peace. Traduzido para o inglês por John Stevens. Morihei Ueshiba. Shambhala, 1992.
The Art of Worldly Wisdom. Traduzido para o inglês por Joseph Jacobs. Balthasar Gracian. Shambhala, 1993.
The Book of Virtues. William J. Bennett. Simon&Schuster, 1993.
The Enlightened Heart: An Anthology of Sacred Poetry. Editado por Stephen Mitchell. HarperCollins, 1989.
The Enlightened Mind: An Anthology of Sacred Prose. Editado por Stephen Mitchell. HarperCollins, 1991.
The Pocket Aquinas. Editado por Vernon J. Bourke. Pocket, 1960.
The Sayings of Muhammad. Allama Sir Abdullah Al-Mamun Al-Suhrawardy. Charles E. Tuttle, 1992.
Thoughts in Solitude. Thomas Merton. Shambhala, 1993.
Wisdom: Conversations with the Élder Wise Men of Our Day. James Nelson. Norton, 1958.
Wisdom Is One. B. W. Huntsman. Charles E. Tuttle, 1985.
Words of Wisdom. Ariel Books, 1992.
Words of Wisdom. Thomas C. Jones. Chicago: J. G. Ferguson, 1966.

Comentário e análise
Proverbial Philosophy: A Book of Thoughts and Arguments. Martin Farquhar Tupper. E. H. Butler, Philadelphia, 1892.
Ways of Wisdom. Editado por Steve Smith. University Press, 1983.
Wisdom. Editado por Robert J. Sternberg. Cambridge University Press, 1990.

Notas

Capítulo 1
1. Frequentemente usada em conversas e artigos por um amigo respeitado, Neal A. Maxwell.
2. Stephen R. Covey, *Os 7 hábitos das pessoas altamente eficazes* (Rio de Janeiro: BestSeller, 2005). Veja a "Análise crítica de 200 anos da literatura do sucesso". Esse estudo foi concluído há mais de 20 anos e, naquela época, revelou uma forte ética da personalidade na literatura sobre o sucesso nos 15 anos que o antecederam. Embora estejam surgindo alguns bons sinais, o tema dominante na literatura sobre o sucesso desde que o estudo foi publicado permanece inalterado.
3. James Allen, *As a Man Thinketh*, v. 2. Bountiful, Utah: MinArt, 1988, p. 83.
4. Atribuído a Albert Einstein.
5. Platão, Apology, Crito, Phaedo, Symposium, Republic, traduzidos para o inglês por B. Jowett e editados com uma introdução de Louise Hopes Loomis. Roslyn, NY: Walter J. Black, 1942, p. 56.

Capítulo 2
1. Adaptado de S. Peele, *Diseasing of America: Addiction Treatment Out of Control*. Lexington, MA: Lexington Books, 1989, p. 147.
2. Charles Hummel, *Tyranny of the Urgent*. Downers Grove, IL: InterVarsity Christian Fellowship of the United States of America, 1967, p. 9-10.
3. Atribuído a Oliver Wendell Holmes.

Capítulo 3

1. Ver Abraham Maslow, *Toward a Psychology of Being*. Nova York: Van Nostrand, 1968, 2.ed.; A. H. Maslow, *The Farther Reaches of Human Nature*. Nova York: Penguin, 1971.
2. Tivemos acesso a essa citação, atribuída a George Bernard Shaw, por meio de um associado, e há anos ela vem nos inspirando.
3. Ralph Waldo Emerson, "The Divinity School Address", em *The Collected Works of Ralph Waldo Emerson*, v. 1, "Nature, Addresses, and Lectures". Cambridge, MA: Belknap Press, 1971, p. 78-79.
4. Sidney Newton Bremer, *Spirit of Apollo*. Lexington, NC: Successful Achievement, 1971, p. 167.
5. Há diversas obras de e sobre Freud e Jung. Algumas de interesse particular são: C. G. Jung, *Eu desconhecido*. Princeton: Princeton University Press, 1990; C. G. Jung, "A Psychological View of Conscience", em *Civilization in Transition*. v. 10 da *The Collected Works of C. G. Jung*. Nova York: Bollingen Foundation, 1964; e Erich Froom, *Psychoanalysis and Religion*. Binghamton, NY: Vail-Ballou Press, 1950.
6. C. S. Lewis, *The Quotable Lewis*, editado por Wayne Martindale e Jerry Root. Wheaton, IL: Tymedale House of Publishers, 1989, p. 232.
7. Alfred N. Whitehead, "The Rhytmic Claims of Freedom and Discipline", em *The Aims of Education and Other Essays*. Nova York: New American Library, p. 46.

Capítulo 5

1. Viktor E. Frankl, *Man's Search for Meaning*. Nova York: Pocket Books, 1959, p. 164-166.
2. Benjamin Singer, "The Future-Focused Role-Image", em Alvin Toffler, *Learning for Tomorrow: The Role of the Future in Education*. Nova York: Random House, 1974, p. 19-32.
3. Andrew Campbell e Laura L. Nash, *A Sense of Mission*. Nova York: Addison-Wesley, 1990, ver especialmente o Capítulo 3.
4. Fred Polak, *The Image of the Future*. São Francisco: Jossey-Bass, 1972.
5. Atribuído ao eminente sociólogo Émile Durkheim.
6. Eknath Easwaran, *Gandhi, the Man*, 2. ed. Nilgin Press, 1978, p. 145.
7. Viktor E. Frankl, *Man's Search for Meaning*. Nova York: Pocket Books, 1959, p. 172.

8. Atribuído a William Ellery Channing, um escritor do século XIX, reformador social e pastor.
9. Tivemos acesso a essa citação, atribuída a Sir Laurens van der Post, escritor, soldado e cineasta, por meio de um associado da África do Sul.

Capítulo 6
1. Howard Gardner, *The Unschooled Mind: How Children Think and How Schools Should Teach*. Nova York: Basic Books, 1991, p. 3-6.
2. Eknath Easwaran, *Gandhi, the Man*, 2. ed. Nilgen Press, 1978, p. 145.
3. Citado em Bill Moyers, *Healing and the Mind*. Nova York: Doubleday, 1993, p. 310.
4. Citado em Margaret J. Wheatley, *Leadership and the New Science*. São Francisco: Berrett-Koehler, 1992, p. 9.
5. Ver Sally Helgesen, *The Female Advantage: Women's Ways of Leadership*. Nova York: Doubleday, 1990; John Naisbitt e Patricia Abuderne, *Megatrends 2000*. Nova York: William Morrow, 1990.
6. *Xenophon, Memorabilia e Oeconomicus*, transcrito de E. C. Marchant, da edição The Loeb Classical Library. Cambridge: Harvard University Press, s.d., p. 186-187.
7. Carol Orsborn, *Inner Excellence: Spiritual Principies of Life-Driven Business*. San Rafael, CA: New World Library, 1992, p. 27, 28.
8. Barbara Killinger, *Workaholics: The Respectable Addicts*. Nova York: Simon&Schuster, 1991, p. 115.

Capítulo 9
1. Viktor E. Frankl, *Man's Search for Meaning*. Nova York: Pocket Books, 1959, p. 104.
2. Frequentemente citado e originalmente atribuído a Ralph Waldo Emerson.
3. John Sloan Dickey, educador americano, citado em um relatório de planos e metas de uma universidade particular.
4. Vince Lobardi, *Colorado Business Magazine*, v. 20, p. 8. 1, fev 1993.
5. Stephen R. Covey, *Os 7 hábitos das pessoas altamente eficazes*. Rio de Janeiro: BestSeller, 2005.
6. David G. Meyers, *The Pursuit of Happiness*. Nova York: William Morrow, 1992, p. 197.
7. Ralph Waldo Emerson, "Worship" em *The Complete Writings of Ralph Waldo Emerson*. Nova York: William H. Wise, p. 588.

8. Provérbios 4:23, *A Bíblia Sagrada*.

Capítulo 10
1. Sêneca, citado em Burton E. Stevenson, *The Home Book of Quotations, Classical and Modern*, 10. ed. Nova York: Dodd, Mead, 1967, p. 1.131 do *Epistulae ad Lucilim*, Epis. LXXVI, seção III.
2. C. S. Lewis, *Surprised by Joy*. Nova York: Harcourt Brace Jovanovich 1955, p. 177.
3. Peter Senge, *A quinta disciplina*. Rio de Janeiro: BestSeller, 1990.

Capítulo 11
1. *The Essential Gandhi*, organizado por Louis Fisher. Nova York: Vintage, 1962, p. 193.
2. Hans Selye, *Stress without Distress*. New York: Harper&Row, 1974, p. 58.
3. W. Edwards Deming, *Qualidade: A revolução da administração*. Rio de Janeiro: Saraiva, 1990.
4. Konosuke Matsushita, conselheiro executivo da Matsushita Electric Industri Co., Ltd.

Capítulo 12
1. Stephen R. Covey, *Os 7 hábitos das pessoas altamente eficazes*. Rio de Janeiro: BestSeller, 2005.
2. *The Essential Gandhi*, organizado por Louis Fisher. Nova York: Vintage, 1962, p. 255.
3. Martin Buber, *I and Thou*. Nova York: Charles Scribner's Sons, 1937, p. 3.
4. William Oncken. *Managing Management Time*. Englewood Cliffs, NJ: Prentice Hall, 1984, p. 106.
5. O trabalho divisor de águas sobre esse assunto é *Servant Leadership: A Journey into the Nature of Legitimate Power and Greatness*, de Robert K. Greenleaf. Nova York: Paulist Press, 1977.

Capítulo 13
1. Comentários feitos pelo então presidente norte-americano George Bush, na apresentação do prêmio de qualidade Malcolm Baldrige de 1990.
2. Relatório anual de 1979 da Kollmorgen Corporation.

Capítulo 15

1. Alice R. Trulock. *In the Hands of Providence: Joshua L. Chamberlain and the American Civil War*. Chapel Hill: University of North Carolina Press, 1992, p. 62.
2. M. Scott Peck. *The Road Less Traveled*. Nova York: Simon&Schuster, 1978, p. 15.
3. Um livro interessante sobre o assunto é *We've Had a Hundred Years of Psychotherapy and the World's Getting Worse*, de James Hillman e Michael Ventura. Nova York: HarperCollins, 1992.
4. C. S. Lewis, *Mere Christianity*. Nova York: Macmillan, 1952, p. 109-110.
5. C. S. Lewis.
6. Ezra Taft Benson, "Beware of Pride", *The Ensign* (maio de 1989). Salt Lake City: The Church of Jesus Christ of Latter-Day Saints, p. 5.
7. Atribuído a Gandhi.
8. Ralph Waldo Emerson, "Self Reliance", em *Essays: First and Second Series,* em *The Complete Works*, v. I. Boston: Houghton Mifflin, 1921, p. 90.

Epílogo

1. Bryant S. Hinckley, *Not by Bread Alone*. Salt Lake City: Bookcraft, 1955, p. 25.

Índice de Problemas/Oportunidades

Este índice foi desenvolvido com o objetivo de facilitar o acesso ao material de *Primeiro o mais importante* relacionado a problemas e questões específicas que dizem respeito ao tempo e à qualidade de vida. Dividimos o índice em áreas quanto às dimensões pessoal e interpessoal. Em alguns casos, fazemos referência a um capítulo inteiro ou partes dele, além de oferecer sugestões ou ideias específicas. Os itens em itálico referem-se a histórias.

PARTE I: A DIMENSÃO PESSOAL
Há muito a fazer e pouco tempo disponível

O bebê de Maria	19-20
Se uma pessoa num passe de mágica...	20
O paradigma da eficiência	31
O tempo de *chronos/kairos*	32
Fazer mais com maior rapidez não significa...	83
O equilíbrio produz abundância	153
Criação de uma lista de "talvez"	169
O paradigma da independência	187-189
O custo do paradigma da independência	224-225
A diferença que um dia faz	313-315

Você está muito ocupado, mas não acredita que está fazendo o que deveria

Capítulo 1: Quantas pessoas, em seu leito de morte...?	21-37
Capítulo 2: A síndrome da urgência	38-50
O tempo dedicado aos quadrantes 3 e 4	44-45

Uma decisão com a qual me sentia bem	46-47
Crônica e aguda	49-50
Capítulo 5: A paixão da visão	118-133
Capítulo 9: A integridade no momento da escolha	190-213

A agenda atrapalha sua vida

O foco na agenda	24-25
O paradigma da eficiência	31
O gerenciamento de tempo tradicional se interpõe	83-84
Crie uma estrutura de tomada de decisões para a semana	101-108
Permita-se um pouco de flexibilidade	107-108
A importância do alinhamento das ferramentas	116
Colocar as pessoas à frente das agendas	149
Criação de zonas de tempo	184-186
Estruturas e sistemas alinhados	276-277
Alinhamento nos empodera	318-319

Você sente que está se saindo bem em uma área, mas fracassando em outras

O bebê de Maria	19-20
Alguns se sentem vazios	24-25
Capítulo 6: O equilíbrio dos papéis	134-154
O sucesso em um papel não pode justificar o fracasso em outros	143-144
Desequilíbrio de curto prazo	144-147

Você não consegue "controlar" sua vida

O paradigma do controle	30-31
A humildade dos princípios	82
Pensamento controle/liberação	162-163
Programa de sobrevivência	235-236
Controle é uma grande ilusão	236

Você se sente consumido pelas crises

Capítulo 2: A síndrome da urgência	38-50
Quadrante 1	44
É ruim estar no quadrante 1?	47-48
O problema do planejamento diário	175

Conteúdo no contexto	183-184

Você não se satisfaz com os resultados que obtém em sua vida

A diferença entre valores e princípios	31
O que você vê é o que você obtém	33-36
Se continuarmos a fazer as mesmas coisas...	36-37
A satisfação das quatro necessidades e capacidades humanas	51-56
Não estamos falando de valores	60
Não estamos falando de métodos	60-61
A Lei da Colheita	63-65
Ilusão *versus* realidade	65-67
A potencialidade dos quatro dons humanos	67-82
A humildade dos princípios	82
Onde não há jardineiro, não há jardim	87
Se nossa visão for limitada	119
Tempo reservado para a preparação	187
Capítulo 10: Aprendendo com a vida	214-219
Experiência é uma coisa honesta	215
O paradigma da independência	224-225
Um tipo de paz diferente	318

Sua vida não lhe parece empolgante

A chama interior	52-56
Capítulo 5: A paixão da visão	118-133
Nossos papéis "naturais" surgem a partir de nossa missão	141-142
A consciência alinha a missão e os princípios	160-164
O "porquê" (não existe motivação sem motivo)	160-162
O "porquê" na vida profissional	163-164
Canção de Natal	325
As pessoas baseadas em princípios irradiam energia positiva	333

Você não sente que está crescendo

Necessidades mentais	66
"Afinar o instrumento"	92, 96-97
Cada papel contém uma dimensão mental	149-150
Segurança e coragem	173-174

    A dimensão mental   205-207
    Capítulo 10: Aprendendo com a vida   214-219
    As pessoas baseadas em princípios estão continuamente aprendendo   331

Você não se sente tranquilo
    A satisfação das quatro necessidades e capacidades humanas   51-56
    Ouvir sem desculpas   199-202
    Agir com coragem   202-204
    Os resultados de se viver de acordo com a consciência   210-212
    Capítulo 15: A paz dos resultados   316-344
    Lidando com as expectativas   322-324
    Lidando com o desânimo   327-328
    As pessoas baseadas em princípios
        se tornam mais confiantes e seguras   332-333
    As pessoas baseadas em princípios têm mais prazer em viver   333

Você não acredita que sua vida tem
um sentido ou um objetivo
    A chama interior   52-56
    Necessidades espirituais   66-67
    Conecte-se com sua visão e sua missão   89-92
    Capítulo 5: A paixão da visão   118-133
    A visão que transforma e transcende   120-122
    Consciência   125-127
    Um legado de visão   132
    Cada papel representa um território   147-149
    A dimensão espiritual   207-208
    As declarações de missão se concentram na contribuição   250-251
    Contribuição   324-325
    As pessoas baseadas em princípios se tornam mais preocupadas
        com a contribuição   331
    As pessoas baseadas em princípios cultivam uma rica vida interior   331
    Devemos nos tornar a mudança que buscamos no mundo   343-344

Como definir prioridades
    O bebê de Maria   19-20
    O novo reitor   23

Sete atividades-chave   45-46
A satisfação das quatro necessidades e capacidades humanas   51-56
Ver a vida passar pela janela do clube   58
Nosso problema é resgatar a sabedoria que já temos   83
Capítulo 5: A paixão da visão   118-133
Desequilíbrio de curto prazo   144-147
Definição de metas semanais   169-170
Metas movidas pela consciência   170
Centro de foco   171
Renovação equilibrada   177-179
Capítulo 9: A integridade no momento da escolha   190-213
Tempo de renovação pessoal   177-179
A interdependência redefine o conceito de importância   232-235
Momentos decisivos   336-343
Apêndice C: A literatura da sabedoria   385-389

Fazendo o que é mais importante
Como vou arrumar tempo para me dedicar ao quadrante 2?   48, 107
A potencialidade dos quatro dons humanos   67-82
Parte II: Foque primeiro o mais importante   85-219
Capítulo 4: Gerenciamento do quadrante 2...   87-117
Selecione as metas do quadrante 2 de cada papel   98-101
Crie uma estrutura de tomada de decisões para a semana   101-108
Priorize   109-110
A consciência alinha a missão e os princípios   160-164
Criar sinergia entre as metas   180-182
Capítulo 9: A integridade no momento da escolha   190-213
Liberte-se daquilo que não é prioridade   335
Momentos decisivos   336-343

Como mudar de planos e metas com integridade
Quinta etapa: exercite a integridade no momento da escolha   108-115
Capítulo 9: A integridade no momento da escolha   190-213

Você parece não encontrar tempo para se exercitar
A satisfação das quatro necessidades e capacidades humanas   51-56
"Afinar o instrumento"   96-97

Renovação diária ... 179
A dimensão física ... 205

Sua vida está desequilibrada
Equilíbrio e sinergia entre as quatro necessidades ... 53-56
Identifique seus papéis ... 92-98
Capítulo 6: O equilíbrio dos papéis ... 134-154
O equilíbrio do P/CP ... 149-151
Três tipos de equilíbrio ... 150-151
As pessoas baseadas em princípios conduzem vidas equilibradas ... 332

Como melhorar a habilidade de tomar decisões eficazes
Eduque a consciência aprendendo, ouvindo e respondendo ... 73-77
Exercite a integridade no momento da escolha ... 108-115
Capítulo 9: A integridade no momento da escolha ... 190-213
Educação do coração ... 204-210
Apêndice C: A literatura da sabedoria ... 385-389

Como se tornar mais eficaz
"Afinar o instrumento" ... 92, 96-97
Criando sinergia entre os papéis ... 138-141
Transferência de habilidades ... 138-141
Organização das informações por papéis ... 151-153
Criação de uma lista de "talvez" ... 169
As pessoas baseadas em princípios produzem resultados extraordinários ... 332
As pessoas baseadas em princípios criam seus próprios limites ... 332
As pessoas baseadas em princípios são mais capazes de colocar em prática o que pensam ... 333
Liberte-se dos paradigmas baseados na ilusão ... 334
Liberte-se da racionalização ... 335
Liberte-se da culpa desnecessária ... 335
Liberte-se das fontes de segurança extrínsecas ... 335-336

Estou sendo eficaz?
Mantenha um diário ... 72-73
A ilusão do pensamento comparativo ... 82, 328-330

Capítulo 9: A integridade no momento da escolha   190-213
Capítulo 10: Aprendendo com a vida   214-219
Como avaliar sua semana   216-217
Deleite-se no banquete dos campeões   279-283

Como definir e alcançar metas significativas
Estimule a vontade independente   77-79
Selecione as metas do quadrante 2 de cada papel   98-101
Capítulo 7: O poder das metas   155-174
Utilização dos quatro dons humanos   159-166
Como definir e alcançar metas baseadas em princípios   166-170
Definição de metas contextuais   167-168
Definição de metas semanais   169-173

Você tem problemas com suas metas
Sensação de vazio quando as metas são atingidas   24-25
O paradigma dos valores   31
Princípios não são valores   60
Capítulo 7: O poder das metas   155-174
Retiradas da conta bancária de integridade   156-157
As escadas na parede errada   157-159
A consciência alinha a missão e os princípios   160-164
A autoconsciência nos energiza a criar integridade   165-166
Determinações e concentrações   172-173

Como criar mudança positiva em sua vida
A potencialidade dos quatro dons humanos   67-82
Capítulo 5: A paixão da visão   118-133
Capítulo 7: O poder das metas   155-174
Agir com coragem   202-204
Capítulo 10: Aprendendo com a vida   214-219

Como criar uma declaração de missão
Criando e vivendo uma declaração de missão
   empoderadora   122
Apêndice A: Seminário de declaração de missão   347-364

Como viver os valores em sua declaração de missão

Imaginação criativa	79-82, 127
Vontade independente	127-128
Da missão para o momento	129-132

O gerenciamento do tempo parece ser muito estruturado e rígido

O foco na agenda	29-30
Como você pode ser *eficiente* com as pessoas?	31
O paradigma da conquista independente	32
Virtudes/defeitos do gerenciamento do tempo (tabela)	34
As pessoas deixam as agendas em casa	36
Os empecilhos criados pelo gerenciamento de tempo tradicional	83-84
O poder não está na agenda	83-84
Crie uma estrutura de tomada de decisões para a semana	101-108
Permita-se um pouco de flexibilidade	107-108
Criação de zonas de tempo	184-186
Capítulo 9: A integridade no momento da escolha	190-213
As pessoas baseadas em princípios são mais flexíveis e espontâneas	330-331

O gerenciamento do tempo tradicional não funciona

As três gerações do gerenciamento do tempo	26-37
Os paradigmas subjacentes	30-33
Virtudes/defeitos do gerenciamento do tempo (tabela)	34
Do outro lado da complexidade	49-50
A realidade dos princípios do "norte verdadeiro"	59-67
Os empecilhos criados pelo gerenciamento de tempo tradicional	83-84
Apêndice B: Uma análise crítica da literatura sobre gerenciamento do tempo	365-384

Como escolher uma ferramenta de planejamento eficaz

Ferramentas das três gerações	26, 83-84
Capítulo 4: Gerenciamento do quadrante 2...	87-117
O paradigma e o processo	116
Capítulo 8: A perspectiva semanal	175-189
Estruturas e sistemas alinhados	276-277
O alinhamento nos empodera	318

PARTE II: A DIMENSÃO INTERPESSOAL
Como a realidade interdependente influencia seu tempo?

Parte III: A sinergia da interdependência	221-301
Como os relacionamentos afetam seu tempo?	221-222
Alcançar o ápice da produtividade	222, 268
Quase tudo que é importante tem a ver com os outros	223-224
O custo do paradigma da independência	225-227
A interdependência redefine o conceito de importância	232-235
Quando não há uma visão compartilhada	244-245
Tempo desperdiçado nas organizações	245-247
Investimentos iniciais significam economia de tempo mais para a frente	251
O tempo desperdiçado tentando reparar, redefinir ou resolver os problemas	252-253
O tempo desperdiçado em conflitos negativos	260-263
Soluções da terceira alternativa poupam tempo	264-265
O impacto das culturas de alta confiança sobre o tempo	266-268
Capítulo 14: Do gerenciamento do tempo à liderança pessoal	304-315

Como cultivar relacionamentos ricos e recompensadores

Relacionamentos transacionais *versus* transformacionais	32, 221-222, 235-236
A satisfação das quatro necessidades e capacidades humanas	51-56
A Lei da Colheita nos relacionamentos	64
Necessidades sociais	66
"Afinar o instrumento"	92, 96-97
Definindo uma meta prioritária	102-103
Uma oportunidade única	124-127
Cada papel tem uma dimensão social	149
Uma experiência	193-194
Ouvir sem desculpas	199-202
A dimensão social	208-210
Parte III: A sinergia da interdependência	221-301
O processo ganha-ganha	241-243
As pessoas baseadas em princípios têm relacionamentos mais enriquecedores e gratificantes	331
As pessoas baseadas em princípios são mais sinérgicas	331

Cultivando um relacionamento matrimonial

A Lei da Colheita no casamento	64
Saindo para almoçar com minha esposa	143
Caráter e competência no casamento	228
Quem está ganhando no seu casamento?	239-240

Como cultivar relacionamentos com os filhos

O bebê de Maria	19-20
A Lei da Colheita no papel de pais	64
Uma oportunidade única	124-127
Um legado de visão	132
Os princípios são aplicados nos negócios e na família	138-140
Criando crianças competentes	140
Uma conexão dos papéis com a missão	142
Uma criança recém-nascida	143-144
Concentrando-se em um filho com problemas	145
Escrevendo o livro	146-147
Fazendo 1 milhão	158
O quê, por que e como	160-163
Impressões sobre o estabelecimento de metas	169-170
Eu tenho um compromisso com minha filha	184
Reservando um tempo para minha família	184
Segundas-feiras com meus filhos	188
Uma experiência	193-194
Ouvir sem desculpas	199-202
Culpando e acusando na família	210-211
Você me ama, pai?	231
Quem está vencendo quando seus filhos o desafiam?	240
Declarações de missão familiares	247
Sua filha adolescente quer um carro	260-261
Leve seu filho para a próxima reunião de pais	287
Domingo de manhã com a família	311
Sua família precisa de você	337

Como trabalhar com eficácia com os outros

Uma universidade no Canadá	121
Em tempos de desequilíbrio de curto prazo	146-147

Definir expectativas em torno dos papéis	153
O paradigma da interdependência	227-232
Os quatro dons na interdependência	236-238
Capítulo 12: Trabalhando em grupo para colocar o que é mais importante em primeiro lugar	239-268
Criando uma visão compartilhada	243-251
Acordos de desempenho ganha-ganha	253-268, 275-276
Procurando terceiras alternativas	257-266
Capítulo 13: Empoderamento de dentro para fora	269-301
A importância do caráter e da competência	271-274
Torne-se um líder/servidor	284-290
As pessoas baseadas em princípios desenvolvem sistemas imunológico e biológico saudáveis	332

E se o problema for a "outra pessoa"?

A livraria	208-210
Culpando e acusando	210
Todo comportamento público é em última análise um comportamento privado	228-229
Capítulo 13: Empoderamento de dentro para fora	269-301
E se meu chefe nunca tiver ouvido falar de ganha-ganha?	291
E se meu chefe não quiser me ver empoderado?	291-292
E se as pessoas não quiserem ser empoderadas?	293-294
E se as pessoas com quem trabalho não forem confiáveis?	297-300
O que acontece quando alguém comete um erro?	300-301
As pessoas baseadas em princípios se concentram no círculo de influência	333

Você vive ou trabalha em um ambiente desafiador

E se eu viver em um ambiente do quadrante 1?	48
Culpando e acusando	210
Qual é o custo?	244-245
Conduzindo avaliações de desempenho	287
E se o sistema de trabalho for ganha-perde?	294
E se houver uma realidade de escassez?	294-295
E se a situação mudar?	295

E se eu tiver medo de o barco afundar? 295-296
O milagre do bambu chinês 301

Como determinar o que é importante na família, no grupo ou na organização
Criando uma visão compartilhada 243-251
Declarações de missão familiares e organizacionais 248-249
Acordos de desempenho ganha-ganha 253-268, 275-276

Como aumentar a eficácia da família, do grupo ou da organização
O paradigma do controle 30-31
A verdadeira interdependência é transformacional 235-236
Pensamento controle/liberação 162-163
As pessoas criam os sistemas 228-229
Libertando-se do controle 236
Capítulo 12: Trabalhando em grupo para colocar
   o que é mais importante em primeiro lugar 239-268
Capítulo 13: Empoderamento de dentro para fora 269-301
Criando uma visão compartilhada 243-251
Papéis e metas sinérgicos 251
Acordos de desempenho ganha-ganha 253-268, 275-276
A diferença de colocar o que é mais importante em primeiro
   lugar em grupo 266-268
Nosso problema é a escassez 273
Estruturas e sistemas alinhados 276-277
Produtor, gerente, líder 281
Tornar-se um líder/servidor 284-190
Ganhadores do Prêmio Malcolm Baldrige 286
Relatório sobre os benefícios da liberdade e da criatividade
   no ambiente de trabalho 299-300
Devemos nos tornar a mudança que procuramos no mundo 343-344

Sobre a FranklinCovey Co.

DECLARAÇÃO DE MISSÃO
Nossa missão é libertar o potencial que existe nas pessoas e nas organizações, onde quer que elas estejam.

Crenças fundamentais
Acreditamos que:
1. As **Pessoas** são naturalmente capazes, ambicionam crescimento e têm poder de escolha.
2. **Princípios** são eternos e universais, e são a base para a eficácia duradoura.
3. **Liderança** é uma escolha feita de dentro para fora tendo como base o caráter. Grandes líderes liberam nas pessoas o talento coletivo e a paixão rumo à meta certa.
4. **Hábitos e Eficácia** vêm somente com o uso comprometido de processos e ferramentas adequadas.
5. **Sustentar o desempenho superior** requer equilíbrio P/CP: foco no alcance dos resultados e no aprimoramento das habilidades.

Valores
1. **Compromisso com os Princípios.** Somos apaixonados por nosso conteúdo e nos esforçamos para ser um modelo dos princípios e práticas que ensinamos.
2. **Impacto Duradouro com os Clientes.** Somos comprometidos em entregar aquilo que prometemos para nossos clientes. Nosso sucesso só é possível se eles também tiverem sucesso.

3. **Respeito pelo Ser Humano.** Valorizamos todos os indivíduos e tratamos cada pessoa com quem trabalhamos como parceiros.

4. **Crescimento Sustentável.** Encaramos a rentabilidade e o crescimento como se fossem o coração de nossa organização; são eles que nos dão liberdade para cumprir nossa missão e visão.

A FranklinCovey é líder global no treinamento em eficácia, em ferramentas de produtividade e serviços de avaliação para organizações, equipes e pessoas. Entre nossos clientes, estão 90% das 100 maiores empresas da revista *Fortune*, mais de 75% das 500 maiores da *Fortune*, milhares de pequenas e médias empresas, bem como numerosos órgãos governamentais e instituições de ensino. Organizações e pessoas têm acesso aos produtos e serviços da FranklinCovey mediante treinamento corporativo, facilitadores licenciados, *coaching* um a um, seminários públicos, catálogos, mais de 140 lojas de varejos e nosso *site* www.franklincovey.com.

A FranklinCovey conta com 2 mil associados que oferecem serviços profissionais, produtos e materiais em 30 idiomas, em 60 escritórios espalhados por 150 países.

PROGRAMAS E SERVIÇOS

Os 7 Hábitos das Pessoas Altamente Eficazes™
Os 7 Hábitos das Pessoas Altamente Eficazes – versão para Gestores™
As 4 Disciplinas da Execução™
As 5 Escolhas para a Produtividade Extraordinária™
Liderança-Grandes Líderes, Grandes Equipes, Grandes Resultados™
A Velocidade da Confiança™
Promovendo o Sucesso dos Clientes — Abastecendo seu Pipeline™
Promovendo o Sucesso dos Clientes — Qualificando Oportunidades™
Promovendo o Sucesso dos Clientes — Fechando a Venda™
Foco em Mim™
Liderança em Gerenciamento de Projetos™
Benchmark — Perfil 360 Graus dos 7 Hábitos das Pessoas Altamente Eficazes™
xQ — Quociente de Execução®
tQ — Quociente de Confiança®
LQ — Quociente de Liderança®
O Líder em Mim™
AAP — All Access Pass™

Sobre a FranklinCovey Brasil

A FRANKLINCOVEY Brasil é uma sólida organização voltada para a melhoria da eficácia corporativa e pessoal. Suas soluções baseiam-se no desenvolvimento da alta produtividade, no gerenciamento do tempo, na liderança, na gestão da confiança, na efetividade de vendas e na excelência nos relacionamentos interpessoais. Desde 2000, a FranklinCovey Brasil já aplicou treinamentos em cerca de 130 das maiores empresas do país, utilizando uma metodologia baseada em princípios, que transforma essas organizações de dentro para fora, tornando-as altamente eficazes.

PROGRAMAS
Os 7 Hábitos das Pessoas Altamente Eficazes™
Os 7 Hábitos das Pessoas Altamente Eficazes – versão para Gestores™
As 4 Disciplinas da Execução™
As 5 Escolhas para a Produtividade Extraordinária™
Liderança-Grandes Líderes, Grandes Equipes, Grandes Resultados™
A Velocidade da Confiança™
Promovendo o Sucesso dos Clientes — Abastecendo seu Pipeline™
Promovendo o Sucesso dos Clientes — Qualificando Oportunidades™
Promovendo o Sucesso dos Clientes — Fechando a Venda™
Foco em Mim™
Liderança em Gerenciamento de Projetos™
Benchmark — Perfil 360 graus dos 7 Hábitos das Pessoas Altamente Eficazes™
xQ — Quociente de Execução®
tQ — Quociente de Confiança®

LQ — Quociente de Liderança®
O Líder em Mim™

LIVROS
Em português
Os 7 hábitos das pessoas altamente eficazes
O 8º hábito — da eficácia à grandeza
As 4 disciplinas da execução
A 3ª alternativa
As 5 escolhas para a produtividade extraordinária
Faça bem-feito ou não faça
Hábitos para uma vida eficaz
Liderança baseada em princípios
Primeiro o mais importante
Figura de transição
O gladiador moderno
O princípio do poder
Questões fundamentais da vida
Os 7 hábitos das famílias altamente eficazes
Os 7 hábitos dos adolescentes altamente eficazes

EM INGLÊS
The 7 Habits of Highly Effective People
The 7 Habits of Highly Effective Families
Living the 7 Habits
The 10 Natural Laws of Successful Time and Life Management
What Matter Most
The Modern Gladiator
First Things First
Life Matters
Principle Centered Leadership
To Do, Doing, Done
Let's Get Real or Let's Not Play
Business Think
The 8th Habit

ÁUDIOS (INGLÊS)
Beyond the 7 Habits (4 CDs)
First Things First (3 CDs)
Life Matters (4 CDs)
Mastering the 7 Habits (12 CDs)
Principle Centered Leadership (3 CDs)
The 7 Habits of Highly Effective People (3 CDs)

OUTRAS SOLUÇÕES FOCALIZADAS
Consultoria Organizacional
Certificação de Multiplicadores Internos no conteúdo FranklinCovey
Soluções Customizadas para empresas
Workshops Abertos
Programas de MBA em Liderança Organizacional
Licença de uso da Propriedade Intelectual
Soluções Eletrônicas e Aprendizado on-line
Personal Coaching
Palestras Especiais

FranklinCovey Brasil Ltda.
Rua Flórida, 1.568
São Paulo, SP — 04565-001 — Brasil
Telefone: (11) 5105-4400
E-mail: info@franklincovey.com.br
Site: www.franklincovey.com.br
Facebook: www.facebook.com/FranklinCoveyBrasil
Twitter: @franklincoveybr
Linkedin: www.linkedin.com/company/franklincovey-brasil
Youtube: www.youtube.com/user/FranklinCoveyBrazil

Sobre os autores

STEPHEN R. COVEY foi professor de liderança por mais de duas décadas. Fundou o Covey Leadership Center, que mais tarde se tornaria a Franklin Covey Company. Formou-se em administração de empresas na Universidade de Utah, fez o mestrado em Harvard e o doutorado na Brigham Young University. Além disso, recebeu 12 títulos de doutor *honoris causa*. Escreveu vários livros de grande sucesso, entre os quais o best-seller internacional *Os 7 hábitos das pessoas altamente eficazes*, escolhido pelos leitores da revista *Chief Executive* como o livro mais influente do século XX. Faleceu em 2012.

A. ROGER MERRILL é uma referência nas áreas de gerenciamento do tempo e desenvolvimento de lideranças. Foi membro-fundador do Covey Leadership Center e vice-presidente da Franklin Covey Company. Formado em administração de empresas, Roger desenvolveu diversas teses sobre comportamento organizacional e aprendizado contínuo. É coach de executivos em posições de liderança, consultor e professor.

REBECCA R. MERRILL atuou em diversas posições de liderança em organizações comunitárias, educacionais e femininas. É coautora de vários livros escritos em parceria com o marido, Roger Merrill, como *Questões fundamentais da vida*, considerado pelo Soundview Executive Summaries um dos melhores livros de negócios de 2004. Também colaborou com Stephen R. Covey em *Os 7 hábitos das pessoas altamente eficazes*.

Para saber mais sobre os títulos e autores da Editora Sextante,
visite o nosso site e siga as nossas redes sociais.
Além de informações sobre os próximos lançamentos,
você terá acesso a conteúdos exclusivos
e poderá participar de promoções e sorteios.

sextante.com.br